Sonia

# Fais jaillir la vie

Animateur

D1501088

année rouge

ÉDITIONS CRER

Cet ouvrage a été rédigé par les services diocésains
de catéchèse de l'Ouest :

Angers, Bayeux, Coutances, Laval, Le Mans, Luçon, Nantes,
Quimper et Léon, Rennes, Saint-Brieuc, Sées, Vannes.



Il fait partie du parcours *Eaux Vives* qui comprend :

**Petit caillou blanc (5-6 ans)**
Livre de l'animateur et livre de l'enfant (avec livret famille)

**Mille et un secrets (6-8 ans)**
Livre de l'animateur et livre de l'enfant (avec livret famille)

**Fais jaillir la vie (8-11 ans)**
Livre de l'animateur et livre de l'enfant

**Reçois le pardon (pour préparer le sacrement de réconciliation)**
Livre de l'animateur

**Reçois la vie (pour préparer la première communion)**
Livre de l'animateur et livret de l'enfant

**Soif de vivre (11-12 ans)**
Livre de l'animateur et livre du jeune

**Source d'avenir (pour préparer la profession de foi)**
Livre de l'animateur et livret du jeune

**Cascades (12-14 ans)**
Livre de l'animateur et dossier du jeune


Imprimatur
Angers, le 20 mai 2004
Jean-Louis Bruguès, évêque d'Angers

Conception graphique : **Co'réal Concept.**

Illustrations : Yves Besnier (pp. 32, 121, 144-146, 167).
             Pascale Collange (pp. 14-15, 33, 74, 84-85, 94, 118, 120, 166, 176, 186-188).

Couverture : Illustration de Pascale Collange, photo de Rémi Tournus.

Textes bibliques et liturgiques : © AELF, Paris, 2004
Pour l'ensemble de ce livre : © Éditions CRER, Angers, 2004

*Fais jaillir la vie* se renouvelle : la première édition date de 1995. Elle a permis de renouveler la catéchèse des 8-11 ans. Mais le monde change vite : la culture, les mentalités, l'actualité, mais aussi la vie des enfants ont nécessité une mise à jour du document. Une nouvelle équipe de rédacteurs s'est mise au travail pour écouter les attentes des utilisateurs et proposer une nouvelle édition du livre animateur de *Fais jaillir la vie*.

## La nouvelle édition de *Fais jaillir la vie* (8-11 ans)

### Les raisons d'un changement

• **Les enfants**

Des questions nouvelles sont apparues. Ainsi beaucoup d'enfants accueillis dans une équipe de catéchèse sont heureux d'être ensemble, mais ils sont peu ou pas soutenus par leur entourage : la catéchèse et la vie religieuse sont en marge des préoccupations de leurs milieux de vie. La pratique sacramentelle, en particulier l'eucharistie, demeure très faible.

Les enfants sont de plus en plus à l'aise dans la culture de l'image, de l'audiovisuel et du multimédia. La nouvelle édition de *Fais jaillir la vie* s'efforce de varier les pédagogies pour les rendre plus pratiques et plus actives.

Une attention toute particulière a été apportée aux pédagogies du niveau 1 en proposant des expériences plus « initiatiques » pour la prière, la vie de l'Église... Pour les niveaux 2 et 3, une progression est aussi proposée. Elle tient compte de la maturité des enfants.

• **Les catéchistes**

Eux aussi ont profondément évolué ces dernières années. Beaucoup exercent une activité professionnelle. Ils sont moins disponibles pour des activités régulières ou des temps de formation. Les plus jeunes expriment volontiers leur incompétence pour animer une équipe ou leur manque de connaissance religieuse. Pour répondre à cette évolution *Fais jaillir la vie* propose un livre animateur clair et outillé. La pédagogie se présente sur une double page pour chaque niveau. Les objectifs d'une rencontre ainsi que la mise en œuvre sont faciles à identifier. Des repères aident le catéchiste à s'approprier l'essentiel des contenus de la foi pour chaque rencontre. Une bibliographie renvoie à d'autres documents pour les équipes qui souhaiteraient approfondir une question. Sept fiches seront utiles pour animer des rencontres entre catéchistes et parents.

**• Le chantier de la catéchèse**

Depuis quelque temps, l'Église catholique en France s'est lancée dans un travail sur la catéchèse. Déjà, certains points semblent se dégager de la réflexion : une catéchèse s'appuyant sur le mystère pascal, l'importance de la communauté, le lien étroit avec la liturgie, des recherches pour des pédagogies plus initiatiques, une catéchèse pour tous les âges…

Le livre animateur *Fais jaillir la vie* a essayé de tenir compte de quelques-uns de ces points. Il insiste par exemple sur le lien avec la communauté locale et avec la liturgie. Des pédagogies plus initiatiques ont été travaillées, en particulier pour la prière et la vie ecclésiale.

## Les points forts du document

L'ensemble des documents *Fais jaillir la vie* permet de :

• **Développer une catéchèse qui s'enracine dans l'Écriture** ; un texte biblique est proposé à chaque rencontre.

• **Découvrir la foi chrétienne en faisant une réelle expérience d'Église enracinée dans une vie d'équipe**, où l'enfant est invité à partager, à s'exprimer, à débattre. La réunion hebdomadaire favorise cette vie d'équipe et le cheminement de la foi des enfants. *Fais jaillir la vie* fait le choix de ce rythme hebdomadaire. Mais cette expérience d'Église se fera aussi dans des groupes plus larges suscités par les célébrations et les Caté-découvertes. L'enfant aura ainsi une conscience plus vive d'appartenir au peuple de Dieu, l'Église.

• **Assurer l'articulation entre la catéchèse et la liturgie**, en intégrant dans les célébrations les rites et expressions liturgiques, en favorisant la participation aux eucharisties dominicales et en initiant aux symboles chrétiens.

• **Initier aux sacrements**, en présentant sur l'ensemble du cycle des trois années les sept sacrements, en proposant chaque année des éléments pour la préparation immédiate des enfants aux sacrements de l'eucharistie et de la réconciliation.

• **Accueillir les enfants en difficulté ou ayant un handicap.**

• **Favoriser localement un travail en commun des catéchistes des trois niveaux.**

# Les documents *Fais jaillir la vie*

## Se repérer dans les documents

*Fais jaillir la vie* propose des documents pour trois années :

**• Année rouge**
Pour l'enfant :
un album et un livre.
Pour l'animateur : un livre.
Un CD de chants.

**• Année verte**
Pour l'enfant :
un album et un livre.
Pour l'animateur : un livre.
Un CD de chants.

**• Année bleue**
Pour l'enfant :
un album et un livre.
Pour l'animateur : un livre.
Un CD de chants.

Les mêmes documents (par exemple ceux de l'année rouge) sont utilisés par les enfants des trois niveaux :
- le niveau 1 : enfants de 8-9 ans (CE2),
- le niveau 2 : enfants de 9-10 ans (CM1),
- le niveau 3 : enfants de 10-11 ans (CM2).

Les enfants des trois niveaux utilisent le même livre et album de l'enfant. Les catéchistes des trois niveaux utilisent le même livre de l'animateur (par exemple celui de l'année rouge) et y trouvent les déroulements nécessaires pour le niveau dont ils sont chargés.

Ainsi avec Julien qui entre en CE2 en septembre 2004, on utilisera l'année rouge au niveau 1. Claire a un an de plus. Elle est en CM1. Elle a le même livre et le même album que Julien, mais elle est dans une équipe de niveau 2, etc.

|  | Julien | Lucie | Antoine | Claire |
|---|---|---|---|---|
| **2004-2005** Année rouge | niveau 1 |  |  | niveau 2 |
| **2005-2006** Année verte | niveau 2 | niveau 1 |  | niveau 3 |
| **2006-2007** Année bleue | niveau 3 | niveau 2 | niveau 1 |  |
| **2007-2008** Année rouge |  | niveau 3 | niveau 2 |  |

## Trois années : rouge, verte, bleue

Structurée selon les grandes fêtes qui rythment l'année liturgique et la vie des communautés chrétiennes (Toussaint, Noël, Pâques et Pentecôte), chacune de ces années a son originalité ; celle-ci se manifeste par :

• **Des textes bibliques choisis parmi ceux d'une année liturgique précise.**
L'année rouge, Matthieu ; l'année verte, Marc ; l'année bleue, Luc.
Ainsi, pour l'année scolaire 2004-2005, année liturgique A avec Matthieu, on prend l'année rouge. Pour l'année scolaire 2005-2006, année liturgique B avec Marc, on prend l'année verte.
Quelques textes de Jean sont répartis sur les trois années.

• **Une prise en compte des sacrements de l'initiation :** la confirmation, plus spécialement en année rouge, le baptême en année verte et l'eucharistie en année bleue.

• **Une insistance sur un aspect du mystère du Christ.** Dans l'évangile de Matthieu, Jésus accomplit les Écritures et parle en paraboles (année rouge). En Marc, Jésus étonne, fait naître la question : « Qui dites-vous que je suis ? » (année verte). En Luc, Jésus prend résolument la route de Jérusalem et nous invite à le suivre (année bleue).

## Trois niveaux : 1, 2 et 3

La présence des trois niveaux dans le livre de l'animateur permet une certaine souplesse. **L'animateur d'une équipe, en concertation avec les autres catéchistes, choisit le niveau qui convient en fonction de l'âge des enfants, de leur nombre d'années de catéchèse, de leur maturité humaine et spirituelle.** Le choix est fait pour une année scolaire, mais pour telle rencontre précise on pourra toujours préférer choisir les pédagogie d'un autre niveau.

Chacune des années contient des propositions pédagogiques différentes adaptées aux enfants des trois niveaux.

**Le niveau 1** ne nécessite aucune connaissance religieuse particulière. Il accepte des enfants qui rencontrent des difficultés de lecture et d'expression. **La pédagogie propose une initiation (à la vie en Église et à la prière). Il privilégie le récit et développe les capacités à apprendre et l'intérêt à découvrir.** Une présentation de la personne de Jésus, au début de l'unité 2, permet de le situer dans l'espace et le temps. Ce niveau s'adresse plus particulièrement aux enfants de première année du cycle des approfondissements ou CE2.

**Le niveau 2** nécessite déjà l'acquis de connaissances religieuses. **La pédagogie facilite les rapprochements, les analogies et déjà une expression personnelle de la foi chrétienne.** Il s'adresse d'abord aux enfants de deuxième année du cycle des approfondissements ou CM1.

**Le niveau 3** fait appel aux connaissances, à l'expérience et à la mémoire. La pédagogie suscite le débat, le classement, l'organisation, l'explication. **L'enfant est invité à exprimer le pourquoi des choses, à justifier ses choix, à se situer personnellement par rapport à la foi et à y adhérer.** Il s'adresse surtout aux enfants de troisième année du cycle des approfondissements ou CM2.

## Le livre de l'animateur

Le livre de l'animateur se propose de donner tous les éléments nécessaires pour faire la catéchèse dans une équipe d'enfants. Il s'articule avec les trois autres documents : le livre de l'enfant, l'album de l'enfant, et *Pierres Vivantes* dont au moins un exemplaire sera à la disposition de l'équipe.

**Le livre de l'animateur se compose de cinq unités, correspondant aux cinq périodes scolaires de l'année ; chaque unité, à son tour, comporte trois rencontres, une célébration et un Caté-découvertes.**

**Pour soutenir les animateurs, des fiches sur la prière, l'image, la Parole de Dieu... se trouvent à la fin du livre.**

### Les rencontres

Elles sont prévues, en règle générale, pour une durée d'une heure. (Il peut se faire que certaines rencontres proposent des variantes pour une séance plus longue ; d'autres sont prévues pour deux séances.) Le dossier de chaque rencontre comporte :
- **le but de la rencontre**
- **des repères pour animateurs**
- **trois déroulements** (niveau 1, niveau 2 et niveau 3) comprenant dans les marges des points d'attention pédagogiques et des précisions pour l'animation
- **des annexes** à utiliser au cours des rencontres avec les enfants
- **des fiches** pour enrichir la réflexion et la compétence « technique » des animateurs.

**• Le but de la rencontre**

En quelques phrases, les catéchistes pourront découvrir l'axe principal du thème de la rencontre.

**• Les repères pour animateurs**

Ils sont la base de travail pour l'animateur d'équipe. Les déroulements y renvoient sans cesse. Ils sont valables pour tous les niveaux, permettant un travail de fond pour les préparations des rencontres. Ils donnent des repères dans les domaines biblique, théologique, historique, etc. Les animateurs peuvent ainsi se regrouper, tous niveaux confondus, pour réfléchir ensemble au thème de la rencontre. Les déroulements, propres à chaque niveau, seront ensuite présentés séparément.

**• Les déroulements selon trois niveaux**

Chaque **déroulement** proposé se présente sur une double page. C'est un déroulement chronologique, avec des étapes à suivre dans l'ordre indiqué. Le temps de la prière fait partie intégrante de la rencontre. Des **objectifs** précis permettent de comprendre rapidement les grandes lignes de la rencontre. La rubrique du **matériel** indique les annexes et les feuilles de l'album nécessaires à chaque déroulement. Elle fait aussi souvent allusion à des panneaux ou grandes feuilles de papier pour y noter les conclusions des échanges avec les enfants : aiunsi leurs découvertes et leurs questions ne resteront pas seulement dans l'oralité. De même lorsque le catéchiste parle, le soutien de l'écrit est toujours nécessaire, même dans un petit groupe. Pour chaque rencontre, un **chant** est proposé. On le trouvera dans le CD accompagnant le document. Des **points d'attention pédagogiques** et des précisions pour l'animation sont écrits dans la marge.

**• Des annexes**

Elles se trouvent placées après plusieurs rencontres. Elles donnent aux animateurs le matériel nécessaire pour réaliser un panneau, un jeu, ou des précisions pour mettre en place une pédagogie développée dans le déroulement.

**• Sept fiches**

Elles se situent à la fin du livre animateur. Elles permettent d'enrichir la réflexion des animateurs sur différents thèmes :

– *Prier avec les enfants de 8-11 ans*

– *La Parole de Dieu*

– *Rencontrer les parents*

– *Préparer aux sacrements*

– *Lire une image*

– *Gestuer un texte biblique*

– *Raconter en catéchèse.*

# Les célébrations

Chaque unité comporte une célébration. Celle-ci s'inscrit dans l'unité non comme une ressaisie ou une mise en commun, mais comme une étape qui a son identité propre et qui marque une progression. La place de la célébration n'est pas forcément en fin de chaque unité. Y réfléchir au moment d'établir le calendrier.

Les célébrations sont généralement centrées sur un temps fort de l'année liturgique (Toussaint, Avent/Noël, Pâques, Pentecôte).

**Elles n'ont pas été modifiées. Les références de chants restent celles de l'ancien livre de l'animateur. Mais cela n'empêche pas les animateurs d'en choisir d'autres en lien avec le CD *Fais jaillir la vie*.**

**Il est souhaité que certaines des célébrations soient vécues dans la communauté paroissiale pour réaliser la dimension ecclésiale de la catéchèse.**

Les célébrations sont à vivre tous niveaux confondus. Si le nombre d'enfants est trop grand et que plusieurs célébrations sont proposées, il reste souhaitable qu'à chaque célébration, les trois niveaux soient représentés.

La célébration sera présidée par un prêtre ou un laïc. La fonction de président est d'introduire et de conclure la célébration, d'intervenir aux moments importants et de veiller à ce que chacun joue son rôle. On distinguera ce rôle de président des autres rôles (animateurs, meneur de chant, lecteurs, etc.).

## Les Caté-découvertes

Chaque unité comporte un Caté-découvertes ou KTD. Il s'agit d'une proposition et d'une démarche différentes des autres rencontres. Le Caté-découvertes permet d'abord un apport de connaissances s'apparentant davantage à la culture religieuse qu'à la catéchèse proprement dite. Le Caté-découvertes permet aussi une mise à l'action des enfants. **Il peut se vivre dans un regroupement plus large et dans un cadre plus souple que la petite équipe habituelle et, généralement, à n'importe quel moment de l'unité.** Un Caté-découvertes peut même être déplacé dans une autre unité que celle qui est suggérée. **L'animation de ces Caté-découvertes peut être assurée par d'autres personnes que les catéchistes habituels.** Ce sont souvent des parents qui accompagnent les équipes d'enfants.

Les Caté-découvertes proposés sur les trois années se regroupent autour de cinq axes : la Bible, l'histoire de l'Alliance, la solidarité, les croyants, la vie de l'Église. Ces cinq axes sont proposés chaque année, mais selon une approche différente.

# Le livre de l'enfant

Le livre de l'enfant est structuré selon **cinq unités repérables** par la couleur du bandeau, en haut des pages. Chaque unité comprend :

- **les trois rencontres d'équipe**
- **parfois la célébration**
- **le Caté-découvertes.**

Chaque déroulement par niveau n'utilise donc pas toutes les pages du livre de l'enfant. Cela laisse donc la liberté à l'enfant de prolonger personnellement la séance de catéchèse en lisant les pages non travaillées en équipe. Le livre de l'enfant est bien son livre : il aimera sans doute s'y promener à sa guise.

**Les renvois** à *Pierres Vivantes* et la mascotte (les deux petits personnages qu'on trouve à certaines pages) suggèrent à l'enfant des prolongements possibles.

Le livre de l'enfant est riche en photos, dessins et reproductions d'œuvres d'art. Ils ne jouent pas seulement le rôle d'illustrations mais constituent des documents aussi intéressants que les textes. Cela suppose évidemment que les enfants soient guidés pour les observer et les analyser (*Cf.* Fiche « Lire une image » p. 249).

Il n'est pas prévu que l'enfant écrive sur son livre, mais les déroulements proposent :

– au **niveau 1**, un *cahier d'équipe* grand format (par exemple : 50 x 65 cm) constitué au fur et à mesure de feuilles de couleurs variées, un *cahier personnel* pour chaque enfant et un *album* ;

– aux **niveaux 2 et 3**, un *cahier* pour chaque enfant, appelé « cahier personnel » et un *album*.

# L'album de l'enfant

• Il est indispensable que chaque enfant ait son album personnel pour vivre les nouvelles pédagogies proposées dans les déroulements.

• Il se présente comme un carnet constitué de feuilles détachables qui seront collées dans le cahier personnel de l'enfant. Ainsi, ces feuilles complétées seront la trace des rencontres.

• Le plus souvent, il y a une seule feuille de l'album par rencontre (tous niveaux confondus). Cette feuille est exploitée par les enfants de manière différente selon la pédagogie propre à leur niveau.

• L'album permet de donner aux enfants des illustrations de qualité (au trait et en couleur). Les paroles des chants sont insérées à la fin de l'Album. Ainsi le travail de photocopies sera évité.

• Il est conseillé à l'animateur de garder l'album de chaque enfant de son équipe. Cela évitera que l'enfant l'oublie chez lui.

# Les enfants ayant un handicap

## Aux catéchistes PCS (Pédagogie Catéchétique Spécialisée)

Cette nouvelle édition du livre animateur est en cohérence avec le *Supplément « En catéchèse avec une pédagogie spécialisée »*. Il est toujours possible de se reporter à l'ancien livre de l'animateur. Un encart est joint à ce *Supplément* pour permettre de retrouver les pages des repères pour animateurs dont il est fait référence à chaque rencontre.

Cependant ce nouveau document animateur permet aux catéchistes PCS des propositions :
– pour varier ou compléter leurs moyens pédagogiques,
– pour vivre des rencontres avec d'autres groupes d'enfants de 8-11 ans et leurs animateurs.

### À tous les acteurs de la catéchèse

Dans certaines situations, il est peut-être intéressant de vivre des rencontres de groupes de 8-11 ans avec des équipes d'enfants en situation de handicap. Dans ce cas, pourquoi ne pas les vivre à leur rythme et en tenant compte des propositions, qui leur sont faites par les animateurs en Pédagogie Catéchétique Spécialisée.

Certaines rencontres provenant du *Supplément* se prêtent particulièrement à cela :
• Unité 1 : Appelés à la sainteté (François d'Assise)
• Unité 2 : Jésus, lumière pour tous les peuples
• Unité 3 : Le Royaume des cieux est comme…
• Unité 4 : La prière de Jésus, le Notre Père
• Unité 5 : Jésus ressuscité se fait reconnaître.

# Les parents

**Les parents ne sont pas d'abord des catéchistes, même si certains sont appelés à l'être.** Il est alors nécessaire de veiller à accompagner cette mission et à proposer des formations à plusieurs niveaux : localement (communauté paroissiale), par secteur (doyenné), diocèse (service diocésain de la catéchèse).

De plus, le livre de l'animateur propose en tête de chaque unité, une page « *Lettre aux parents* ». Celle-ci donne des suggestions pour aider les parents à dialoguer avec leurs enfants. Ce texte peut être reproduit et adressé aux parents. On pourra préférer s'en inspirer pour une rédaction mieux adaptée aux destinataires.

Enfin, nous proposons **une fiche « Rencontrer les parents »** (p. 243). Ces rencontres sont nécessaires, non seulement pour communiquer des informations, mais aussi pour susciter des échanges. Ces catéchèses pour adultes voudraient rejoindre les parents dans leurs propres questions. Elles peuvent, évidemment, regrouper les parents des enfants des trois niveaux.

# L'évangile de Matthieu

## Qui est Matthieu ?

Dès le 2e siècle, la tradition chrétienne attribue le premier évangile à Matthieu « le publicain », le collecteur d'impôt appelé par Jésus à faire partie des Douze. Cet apôtre a sans doute joué un rôle fondateur dans la communauté chrétienne des origines, dans la première rédaction du document qui a servi de base au texte que nous connaissons. Son nom est resté, tel celui d'un parrain. Mais le rédacteur final de cet évangile possède une culture biblique dépassant de beaucoup celle d'un collecteur d'impôts. L'évangile de Matthieu ne s'appuie pas seulement sur des souvenirs directs de Jésus, mais sur une documentation complexe. On situe sa rédaction en grec entre les années 80 et 90.

L'évangéliste est un scribe juif, spécialiste de la Bible et des traditions juives. Il est devenu chrétien et responsable d'une Église. Avec une équipe, il met sa science de l'Ancien Testament au service du message de Jésus. Son évangile contient du « vieux » : les traditions sur Jésus que sa documentation a réunies, et du « neuf » : une manière de réorganiser et de compléter cette documentation pour éclairer une nouvelle situation d'Église. La nouveauté tient surtout aux relations entre cette Église et le judaïsme.

## Miroir d'une communauté

Matthieu vit une tension entre l'environnement juif de son œuvre et la communauté à laquelle est destiné cet évangile.

### • L'environnement juif

Dans la Palestine des années de Jésus, deux pôles dominent la vie religieuse et sociale : le Temple et la Loi de Moïse. Autour de ces deux pôles gravitent des courants et des groupes aux pratiques et aux opinions diverses : ce sont les pharisiens, les sadducéens et autres hérodiens. Il s'agit ici de rappeler simplement que l'influence de ces différents groupes s'équilibrait plus ou moins dans société juive.

Il n'en va pas de même après l'an 70, quand les Romains détruisirent Jérusalem et son Temple. Désormais, le judaïsme n'a plus qu'un pôle, la Loi de Moïse, et qu'un parti dominant, les pharisiens assistés de leurs scribes, les autres groupes se trouvant rapidement marginalisés.

Or, en comparant ces deux situations, avant et après 70, on comprend vite que Matthieu écrit après la ruine de Jérusalem à laquelle il fait allusion (Mt 22,7) : ses pharisiens omniprésents sont moins ceux avec qui Jésus eut affaire que ceux avec qui débattaient les chrétiens des années 80.

### • Juifs et chrétiens : la communauté de Matthieu

La communauté de Matthieu se compose en grande partie de chrétiens d'origine juive qui conservent légitimement leurs pratiques et leurs traditions. Mais les scribes et les autorités juives commencent à persécuter durement ces chrétiens comme hérétiques et renégats et à leur interdire les synagogues. Nombre de ces chrétiens sont sans doute tentés d'abandonner le christianisme et de se tourner vers le renouveau religieux juif qui commence à se développer. Mais il y a aussi dans l'Église de Matthieu des chrétiens d'origine païenne et toute une aile de la communauté prêts à rejeter comme périmés l'Ancien Testament et la Loi de Moïse : là encore, surtout dans le Sermon sur la montagne, l'évangéliste entreprend de redresser la barre.

On devine donc une communauté aux membres d'origines variées écartelée entre la fidélité à ses racines et à son identité propre, d'une part, et, d'autre part, l'appel à une mission universelle, une Église effrayée par les oppositions de l'extérieur et menacée, au-dedans, par la tiédeur, l'autoritarisme et le manque d'attention aux petits.

Au début du ministère de Jésus, Matthieu évoque curieusement la Syrie (Mt 4,24) : peut-être est-ce le berceau de « l'évangile de Matthieu ». Certains commentateurs pensent même, au vu de la situation que l'on vient d'évoquer, que cet évangile vient de l'Église d'Antioche de Syrie, vers l'an 85.

## Jésus dans l'évangile de Matthieu

Les traits du Christ que Matthieu met en relief répondent évidemment à la situation concrète : ainsi, Jésus paraît-il d'une grande tendresse à l'égard des petits, des affamés, des marginaux de la religion et de la société, et d'une rare violence à l'égard de ceux qui font peser leur pouvoir ou leur égoïsme sur les faibles. Mais Matthieu ne fait pas de Jésus un portrait de circonstance. Progressivement, au fil des épisodes, il invite à une découverte de la profondeur de la personne de Jésus.

• Matthieu désigne Jésus comme le Christ, le fils de David, le Fils de l'homme. Ces titres s'enracinent dans la Bible et la tradition des scribes juifs. L'expression culminante est celle de « Fils de Dieu », résumé du credo de l'Église de Matthieu, au scandale du milieu juif ambiant.

• Matthieu cite souvent les prophètes. Pour lui, Jésus n'abolit pas l'Ancien Testament, mais il l'accomplit, lui donnant par sa destinée un sens nouveau et inattendu. Le Fils de Dieu est à la fois l'héritier de la Bible et son seul interprète autorisé.

• C'est pourquoi Jésus apparaît chez Matthieu comme celui qui enseigne, seul maître de l'Église. L'évangéliste construit cinq longs discours dans lesquels, aujourd'hui, Jésus instruit son Église.

• Le Père a donné à Jésus pour mission de proclamer l'avènement du Royaume des cieux, le pouvoir tout-puissant de Dieu qui sauve les hommes qui veulent bien se soumettre à lui.

• Sur ce gigantesque projet, Dieu a donné à son Fils toute autorité. Aussi, Matthieu confère à Jésus les traits de juge : juge des institutions juives qui s'opposent à sa mission ; juge de la conduite des disciples ; juge enfin de tous les hommes, comme le souligne le texte sur le jugement dernier (Mt 25,31-46) par lequel l'évangéliste conduit la mission de Jésus avant les événements de la Passion.

• Mais si Jésus a autant de prérogatives, c'est parce qu'il a choisi d'obéir en tout à son Père, jusqu'à verser son sang, et parce qu'il se fait le frère des hommes, « doux et humble de cœur » (Mt 11,29), se refusant à toute expression de violence et laissant Dieu seul juge de ce qui lui arrive (Mt 27,13-14). Le rêve d'un Messie puissant enfièvre le chrétien, le juif et le païen. Jésus a refusé cette voie et Matthieu voudrait que l'Église le comprenne.

# Quelques outils indispensables

• *Reçois le pardon*, Éditions CRER

Document pour préparer le sacrement de pénitence et de réconciliation avec *Fais jaillir la vie*. Des repères sont donnés pour les animateurs. Des mises en œuvre sont proposées selon les années. Il n'y a pas de livret pour l'enfant.

• *Évangile selon saint Matthieu*, Éditions CRER

Les enfants et les adultes peuvent ainsi lire et méditer dans son intégralité l'évangile selon saint Matthieu (traduction liturgique) en lien avec *Fais jaillir la vie*, année rouge.

• *Parole de Dieu à travers les âges*, Éditions CRER

Cette frise permet aux enfants de situer les événements de la Bible et l'ère chrétienne. Les péda-gogies du nouveau livre de l'animateur *Fais jaillir la vie* renvoient souvent à cette frise.

• Le site Internet *Caté-Ouest* : **www.cate-ouest.com**

C'est un site catéchétique gratuit réalisé par les douze diocèses de l'Ouest. Il est adressé aux enfants (à partir de 3 ans), aux jeunes et aux adultes. Les catéchistes et les animateurs en pastorale y trouveront des animations, des repères, des célébrations, et pourront poser leurs questions.

# Légende des logos

 **Album**

 **Annexe**

 **CD *Fais jaillir la vie***

 **Matériel**

 **PCS (Pédagogie Catéchétique Spécialisée)**

# Plan de l'année

## Clés pour l'Alliance
### Unité 4

Jésus accomplit la Loi et les prophètes.
Par sa mort et sa résurrection,
il scelle une nouvelle alliance
entre Dieu et chacun d'entre nous.
*« Ne pensez pas que je suis venu abolir la Loi ou les Prophètes :
je ne suis pas venu abolir mais accomplir »* (Mt 5,17).

# Le Carême et
# la Semaine Sainte

## Le Royaume est proche
### Unité 3

Par sa parole, ses actes, sa prière,
Jésus manifeste un Dieu
Père et proche de tous les hommes.
*« Je suis venu appeler non pas les justes
mais les pécheurs »* (Mt 9,13).

# Le Temps Ordinaire

## Dieu se dit aux hommes
### Unité 2

Les prophètes annoncent l'amour de Dieu pour l'homme et
préparent la venue du Sauveur : Jésus, Fils de Dieu.
*« Celui-ci est mon Fils bien-aimé ;
en lui, j'ai mis tout mon amour »* (Mt 3,17).

# L'Avent

## et périodes liturgiques

### L'Esprit nous envoie
#### Unité 5
L'Église envoyée par l'Esprit
témoigne du ressuscité.
Elle perpétue l'alliance par les sacrements et
appelle tout homme à devenir
témoin du Christ le Ressuscité.
*« Allez donc ! De toutes les nations
faites des disciples,
baptisez-les au nom
du Père, et du Fils, et du Saint Esprit »*
(Mt 28,19).

# La Pentecôte

### Vivre ensemble en Église
#### Unité 1
L'Église est habitée
par l'Esprit Saint.
Elle appelle tout homme
à vivre en sainteté.
*« Venez derrière
moi, et
je vous ferai
pêcheurs d'hommes »* (Mt 4,19).

# La Toussaint

# Rencontres et célébrations des trois années

| | Année rouge | Année verte | Année bleue |
|---|---|---|---|
| **Unité 1** | VIVRE ENSEMBLE EN ÉGLISE<br>L'Esprit Saint nous donne de vivre en Église au sein de l'équipe de caté<br>Unité et diversité de l'Église<br>La sainteté (François d'Assise et Marcel Callo)<br>*Célébration* : la Toussaint | UN DIEU QUI APPELLE<br>Nous sommes d'une famille<br>Jésus appelle à le suivre (appel des disciples)<br>Baptisés en Jésus Christ (l'Éthiopien)<br>*Célébration* : la Toussaint | DIEU, NOTRE CRÉATEUR<br>Avec d'autres, je vis (équipe)<br>Dieu crée (Genèse 1)<br>Dieu crée la terre pour tous (Lazare et le riche)<br>*Célébration* : la Toussaint |
| **Unité 2** | DIEU SE DIT AUX HOMMES<br>Dieu parle par les prophètes (Amos, Jérémie, Ézéchiel)<br>Jean-Baptiste annonce Jésus le Messie<br>Noël : Jésus, lumière pour tous les peuples<br>*Célébration* : Épiphanie | LE MESSIE ATTENDU<br>Le Dieu de la promesse (Abraham)<br>Dieu sauve son peuple (Moïse)<br>Le roi David<br>*Célébration* : En Jésus, la promesse se réalise (Marie) | EN JÉSUS, DIEU SE FAIT PROCHE<br>« Fais ainsi et tu auras la vie » (Bon Samaritain)<br>Une rencontre qui change tout (Zachée)<br>*Célébration* : Préparez les chemins du Seigneur<br>Un Sauveur nous est né (les bergers) |
| **Unité 3** | LE ROYAUME DE DIEU EST PROCHE<br>« Le Royaume des cieux est comme.... » (paraboles)<br>Jésus ouvre le Royaume à tous les hommes (Cananéenne)<br>La prière de Jésus, le Notre Père<br>*Célébration* : le baptême de Jésus | JÉSUS, UN HOMME QUI ÉTONNE<br>Jésus, maître de la Loi (guérison le jour du sabbat)<br>Jésus pardonne les péchés<br>Jésus, le Fils bien-aimé du Père (transfiguration)<br>*Célébration* : « Pour vous, qui suis-je ? » | JÉSUS CHOISIT LE CHEMIN DE DIEU<br>Le choix de Jésus (tentations)<br>Le chemin de Jésus dérange (synagogue de Nazareth)<br>Jésus fait confiance à son Père (Mont des Oliviers)<br>*Célébration* : « Mon Fils est revenu à la vie » (le père et ses deux fils) |
| **Unité 4** | CLÉS POUR L'ALLIANCE<br>La Loi donnée à Moïse<br>Aller plus loin avec Jésus (aimer Dieu, accueillir le petit, le pauvre et l'étranger, aimer ses ennemis, pardonner sans compter)<br>Ce que Jésus dit, il le fait (la passion de Jésus, la Cène et l'eucharistie, le pardon) | VRAIMENT IL EST LE FILS DE DIEU<br>Jésus acclamé, puis arrêté (Rameaux, complot, Cène)<br>*Célébration* : le lavement des pieds<br>Jésus meurt en croix<br>Jésus, monté au ciel (Ascension), envoie son Esprit | FAIRE MÉMOIRE ET RENDRE GRÂCE<br>La première Pâque (Ex 12)<br>Le repas de Jésus, le repas des chrétiens<br>*Célébration* : la messe : un merci à Dieu<br>« Reste avec nous » (Emmaüs) |
| **Unité 5** | L'ESPRIT DU RESSUSCITÉ NOUS ENVOIE<br>Jésus ressuscité se fait reconnaître<br>Jésus ressuscité donne l'Esprit Saint<br>L'Esprit fait de nous des témoins (confirmation) | LE CHRIST, VAINQUEUR DE LA MORT<br>Réactions devant le mal<br>Dieu fait toujours alliance (la création, le déluge, Osée)<br>Le Christ ouvre des chemins (Bartimée) | VIVRE DE L'ESPRIT SAINT<br>La Pentecôte<br>Paul annonce la Bonne Nouvelle<br>Des sacrements pour la vie<br>*Célébration* : « Laissons-nous conduire par l'Esprit » |

# Les Caté-découvertes des trois années

| | Année rouge | Année verte | Année bleue |
|---|---|---|---|
| **KTD** **Histoire de l'alliance** | UNE HISTOIRE MOUVEMENTÉE L'exil | UNE HISTOIRE D'AMOUR Joseph et ses frères (Égypte) Alliances (jumelage, noces d'or, alliance avec Dieu, mariage) | UN PAYS, UN TEMPLE La vie au temps de Jésus, son pays Le temple de Jérusalem |
| **KTD** **Bible** | LA BIBLE : UN LIVRE PAS COMME LES AUTRES Les quatre évangiles Comment ils ont été écrits Traces de la Bible dans la culture | DES CHEMINS POUR LA BIBLE Bible à voir (dans diverses cultures) à lire et à vivre (appropriation de la Bible) | AU TEMPS DE JÉSUS Jésus et les hommes de son temps Les fêtes juives Les lieux de la passion de Jésus |
| **KTD** **Vie de l'Église** | UNE PAROISSE, UN DIOCÈSE (découvertes) | LES CHRÉTIENS À TRAVERS LE TEMPS | LA VOCATION DES BAPTISÉS Chrétiens dans le monde et dans l'Église Chrétiens consacrés Chrétiens ordonnés |
| **KTD** **Solidarité** | SOLIDARITÉ : UNE FOI QUI AGIT (en particulier dans les organisations caritatives) | SOLIDARITÉ : SE FAIRE PROCHE | DIEU NOUS CONFIE LA TERRE Actions contre la pollution et pour le respect de la création |
| **KTD** **Des croyants** | LES RELIGIONS DU MONDE (christianisme, hindouisme, bouddhisme, judaïsme, islam) Assise 1986 | LES CHRÉTIENS EN RECHERCHE D'UNITÉ (approche de l'œcuménisme) | LES PÈLERINAGES La démarche du pèlerinage Pèlerinages en France, à Lourdes |

# Vivre ensemble en Église

L'Esprit Saint nous donne de vivre en Église. L'équipe de catéchèse en constitue déjà une première expérience. En bien d'autres communautés, à travers le monde et au fil de l'histoire, les chrétiens vivent la foi dans la diversité et l'unité.

L'Église continue à faire retentir pour tout homme l'appel de Dieu à la sainteté.

À la Toussaint, nous rendons grâce à Dieu pour la multitude des saints.

## RENCONTRE 1 (en deux séances)
Vivre ensemble

## RENCONTRE 2
Une Église, plusieurs visages

## RENCONTRE 3
Appelés à la sainteté

### Célébration
« Je t'ai appelé par ton nom »

### Caté-découvertes
La vie de l'Église : une paroisse, un diocèse

## Bibliographie

**RENCONTRE 1**
- *Thabor* (Desclée), pp. 377 à 380 ; 386 à 388.
- *Le Petit Prince,* Antoine de Saint-Exupéry, chapitre 21.

**RENCONTRE 2**
- Concile Vatican II, *Constitution sur l'Église Lumen Gentium* n° 13.
- *Catéchisme de l'Église catholique* n° 813-814.
- *Catéchisme pour adultes* n° 301-327 (plus spécialement n° 317).

**RENCONTRE 3**
- Concile Vatican II, *Constitution sur l'Église Lumen Gentium* n° 39 à 42.
- *Catéchisme pour adultes* n° 308 à 311 ; 485 à 488.

# Lettre aux parents

## C'est la rentrée !

Pour votre enfant, il y a, peut-être, une certaine appréhension : que sera cette année scolaire qui commence ? Mais c'est aussi une joie : il va retrouver les copains qui tiennent une place importante dans sa vie. Les sondages révèlent que c'est la raison essentielle pour laquelle les enfants aiment l'école.

C'est la rentrée également pour la catéchèse avec, là aussi, la joie des retrouvailles ou l'appréhension face à la nouveauté. Cette place que tiennent les autres dans la vie de l'enfant peut lui faire percevoir quelque chose de ce qu'est l'Église : le peuple de ceux qui partagent une même foi, qui sont animés par un même amour et qui sont heureux de se retrouver pour louer leur Dieu ; le peuple de ceux qui sont heureux de « vivre ensemble en Église ».

Cette rentrée peut également vous donner l'occasion de parler avec votre enfant des raisons qui vous ont fait choisir ou accepter qu'il participe à la catéchèse. Les pages 8 et 9 du livre de l'enfant peuvent vous aider.

Il n'est jamais simple d'accueillir celui qui est différent : il nous fait toujours un peu peur. Or, bien que différents, les hommes sont appelés à vivre ensemble. L'Église se veut ouverte à toutes et à tous, quelle que soit la culture, la race ou la langue. Il est important pour l'enfant de découvrir et d'accueillir la différence, non comme un mal nécessaire, mais comme une plus grande richesse. Parce que l'autre est différent, il m'oblige à me remettre en question et me permet de progresser ; sinon, je risque de rester replié sur moi-même.

Les saints peuvent faire des choses extraordinaires, mais là n'est pas ce qui les caractérise. Ils sont, d'abord, ceux qui ont découvert l'amour infini de Dieu. Ils ont accepté de lui faire confiance et de vivre très profondément unis à lui.

Regardez avec votre enfant les bandes dessinées de François d'Assise et de Marcel Callo (pp. 21 à 27).

Lorsque l'enfant découvre Dieu comme quelqu'un qui l'aime, il peut le rencontrer dans la prière, dans la lecture de sa Parole, dans les célébrations, dans la vie des saints et aussi dans la vie quotidienne (pp. 28 et 29 de son livre). Il pourra faire l'expérience de la proximité de Dieu.

Participer à la catéchèse, c'est accepter de répondre à l'appel de Dieu qui veut partager à l'homme sa vie et lui permettre de l'appeler Père.

# RENCONTRE 1

# Vivre ensemble

## But de la rencontre

Cette première rencontre de l'année devra permettre à l'équipe de se constituer et de se donner les moyens de vivre l'année de catéchèse.

Les enfants pourront découvrir ou redécouvrir ce qu'ils viennent faire : connaître Jésus Christ qui, lui-même, nous révèle l'amour infini de son Père.

Cette découverte de l'amour de Dieu, nous ne la faisons pas seuls, mais en Église, avec les autres chrétiens, soutenus et éclairés par l'Esprit.

## Repères pour Animateurs

### 1. La communauté

• Le Christ a appelé le groupe des Douze qu'il a chargé de continuer son œuvre. Les premiers croyants de Jérusalem formaient déjà une communauté qui n'avait qu'un cœur et qu'une âme. Elle s'est organisée en vue de la mission. Sous la conduite de l'Esprit, les apôtres ont choisi les ministres dont elle avait besoin.

Paul, au cours de ses voyages missionnaires, a fondé des communautés et les a structurées, notamment autour des « anciens ». La foi, relation personnelle avec Dieu, s'inscrit dans la tradition croyante et la communauté ; elle se vit avec d'autres.

• L'Église, peuple de croyants, est constituée d'une multitude de communautés locales, différentes les unes des autres, mais toutes animées par le même Esprit, « *lui qui fait l'unité dans la perfection* ». (Ac 13,2-3 ; 15,28). L'équipe de catéchèse fait partie d'une de ces communautés locales et ne peut vivre qu'en relation avec elle.

• C'est en vivant dans son équipe de catéchèse, mais aussi en participant à d'autres rassemblements – regroupement de plusieurs équipes, grand rassemblement, célébration avec la paroisse – que l'enfant découvrira la dimension communautaire de la foi.

### 2. Des personnes

Même si la relation à Dieu ne se vit pas seul, chacun est pourtant unique aux yeux de Dieu et a une place importante dans la communauté. Implicitement, l'enfant le percevra dans la relation qu'il aura avec l'animateur, la façon dont il sera accueilli tel qu'il est. Il le percevra aussi dans la relation qu'il aura avec les autres membres du groupe : il est important pour l'enfant d'être reconnu par ses pairs, et donc pour l'animateur de favoriser cette reconnaissance mutuelle.

## 3. Les lois du groupe

• Tout groupe a besoin de lois pour vivre : par exemple, on ne pourrait plus circuler s'il n'y avait pas un code de la route. L'équipe de catéchèse aura ses lois, qu'elles soient données par l'adulte ou définies par les enfants.

• Mais la loi, dans l'Ancien comme dans le Nouveau Testament, va bien au-delà de la bonne organisation d'un groupe : elle permet à l'homme qui l'écoute et qui lui est fidèle d'avoir la vie, d'entrer dans le Royaume de Dieu (Dt 30,15-20 ; Mt 7,21). Les lois devront donc être chemins de vie et d'amour pour le groupe comme pour chacun des enfants.

## 4. La Parole de Dieu

Dieu entre en relation avec les hommes par sa Parole qui culmine en Jésus Christ. La Bible nous transmet cette Parole. D'où le respect pour le livre lui-même. Cependant l'important ce n'est pas le livre, mais la parole proclamée et accueillie qui nous permet de mieux connaître notre Dieu et de vivre de sa vie. Dans la liturgie, on n'acclame pas le livre, mais la Parole de Dieu. Pour qu'elle ne reste pas lettre morte, il faut que le Christ, Parole éternelle du Dieu vivant, par l'Esprit Saint, nous ouvre « *l'esprit à l'intelligence des Écritures* » (Lc 24,45) (Cf. *Catéchisme de l'Église catholique* n° 108).

# RENCONTRE 1

# Vivre ensemble

## *Première séance*

## NIVEAUX 1, 2 et 3

**OBJECTIFS**
▶ Accueillir les familles.
▶ Découvrir avec les parents ce que les enfants vont vivre en catéchèse.
▶ Se donner des règles pour la vie d'équipe.

### MATÉRIEL

≋ Un appareil photo.

≋ Une représentation de Jésus (icône, gravure, dessin…).

≋ L'espace prière (une Bible, une bougie…) : se reporter à la fiche « Prier avec les 8-11 ans » p. 237.

▢ Album 1 *Des règles pour vivre ensemble*. Prévoir trois exemplaires (un par niveau)

agrandis de l'Album 1 *Des règles pour vivre ensemble*.

▤ Annexe 1 Des règles pour vivre ensemble.

≋ Calendrier des temps forts de l'année (rencontres, messes et célébrations, autres…).

≋ Prévoir un verre de bienvenue ou un goûter.

### CHANT

◉ *Dans les pas de Jésus.*

## DÉROULEMENT

**Remarques**
*Arriver en avance pour préparer les lieux.*
*Pour chaque halte, demander à un membre de la communauté d'en être l'animateur.*
*Cette première rencontre de l'année se vit entièrement avec les parents.*
*Cf. Repères pour Animateurs n° 1.*

**Accueillir**
*Il est important que les familles se sentent accueillies par l'ensemble de la communauté représentée par différents membres (prêtre, membre de l'équipe pastorale, de l'équipe liturgique, bénévole…).*

### Étape 1  Accueillir

■ Accueillir les enfants et leurs parents dès leur arrivée et se présenter à eux.

■ Souhaiter la bienvenue à l'équipe et s'il y a lieu, présenter les membres de la communauté.

■ Inviter les parents à se présenter et à présenter leur enfant s'il est en niveau 1, les plus grands se présentent eux-mêmes.

### Étape 2  La catéchèse à travers quelques haltes

■ Inviter les familles à suivre l'animateur dans les différentes haltes prévues pour découvrir quelques perspectives de l'année.

### Halte Photo

– Observer une icône de Jésus : *Qui représente-t-elle ?*

– Découvrir ou se rappeler que venir au caté c'est apprendre à mieux connaître Jésus.

– Faire une photo de l'équipe (parents, enfants et animateur), autour de la représentation de Jésus.

### Halte Chant

– Écouter le chant : *Dans les pas de Jésus.*

– Faire réagir les enfants et leurs parents sur les paroles du chant : *Que vous dit ce chant ? Quel mot aimez-vous ? De qui parle-t-il ?...*

### Halte Prière

– Présenter la Bible : *Quelle Parole contient-elle ?*

– Contempler la lumière : *Que signifie-t-elle ?*

– Se dire : qui  prions-nous ?

– Prier ensemble : faire le signe de croix et dire le Notre Père.

### Halte Règles pour vivre ensemble

– **Niveau 1 :** Présenter quelques règles de vie établies par des équipes précédentes (se servir de l'Annexe 1 *Des règles pour vivre ensemble*) et signifier l'importance de respecter des règles, des obligations pour pouvoir vivre ensemble. *Êtes-vous d'accord pour que ces règles deviennent celles de notre équipe ?*

Au fur et à mesure, reporter les règles acceptées par les enfants sur l'Album 1 *Des règles pour vivre ensemble* .

– **Niveaux 2 et 3 :** Se rappeler des règles déjà établies (se servir de l'Annexe 1 *Des règles pour vivre ensemble*). Faire le point sur ce qui a fonctionné, ce qui est à améliorer et se mettre d'accord sur les règles établies ou modifiées.

Au fur et à mesure, reporter les règles acceptées par les enfants sur l'Album 1 *Des règles pour vivre ensemble* agrandi.

– **Pour chaque niveau,** l'enfant et ses parents signent l'Album 1 *Des règles pour vivre ensemble* agrandi.

### Halte Calendrier de l'année

– Remettre à chaque parent un calendrier reprenant les moments phares de l'année et insister sur la première célébration ou messe prévue pour la rentrée du caté.

– Dialoguer avec les parents pour chercher ensemble pourquoi la participation de leur enfant est importante à ces rendez-vous et combien l'enfant apprécie de les vivre avec sa famille.

## Étape 3 Partager un moment convivial

■ Proposer de reprendre tous ensemble le chant : *Dans les pas de Jésus* et partager un verre de l'amitié (ou un goûter en fonction de l'horaire choisi).

---

*En fonction du nombre d'enfants, cette rencontre se vit soit par niveau, soit tous niveaux confondus.*

**Halte Photo**
*Cette photo sera affichée dans le lieu de rencontre ou dans le cahier d'équipe.*

**Halte Chant**
*Dans les pas de Jésus peut être le chant phare de l'année. Les enfants sont invités à mettre leurs pas « Dans les pas de Jésus », c'est-à-dire à la suite de Jésus.*

**Halte Prière**
*L'espace Prière sera particulièrement soigné.*
Cf. *Repères pour Animateurs n° 4.*
Cf. *Fiche « La Parole de Dieu » p. 241.*
Cf. *Fiche « Prier avec les enfants de 8-11 ans » p. 237.*

**Halte Règles pour vivre ensemble**
*Animer un dialogue constructif avec les parents écarte le risque de faire passer un message autoritaire aux parents sur leurs responsabilités.*
*Pour la rencontre suivante, chaque animateur d'équipe recopie les « Règles pour vivre ensemble » de son niveau pour les utiliser à la rencontre suivante.*

**Pour les niveaux 1 et 2**
*L'animateur reporte ces mêmes règles sur la fiche 1 de l'album de chaque enfant.*
**Au niveau 3**
*Faire recopier les règles sur la fiche par les enfants et faire coller la fiche dans le cahier de l'enfant.*

## RENCONTRE *1*

# Vivre ensemble

### *Deuxième séance*

## NIVEAU 1

**OBJECTIFS**
▶ Constituer l'équipe.
▶ Découvrir pourquoi on vient en catéchèse.

**MATÉRIEL**

≋ K7 vidéo ou DVD « Il était une fois Jésus » (TF1 vidéo) ou à défaut, une Bible en images.

≋ Une Bible.

☐ Album 1 *Des règles pour vivre ensemble* (complété par l'animateur).

☐ Album 2 *Les silhouettes.*

▤ Annexe 2 *En route avec Jésus.*

≋ Un chapeau ou un sac.

**CHANT**

◉ *Vivre différents dans l'unité.*

## DÉROULEMENT

**Faire connaissance**
*L'animateur aura découpé pour chaque enfant une silhouette de l'Album 2 Les silhouettes (choisir la silhouette adaptée pour chaque enfant). Ce jeu se fera à l'intérieur ou à l'extérieur en fonction du temps. Cf. Repères pour Animateurs n° 2.*

**Venir au caté ?**
*Une Bible en images peut remplacer la vidéo. Il est possible de regrouper les équipes pour visionner le film. Pour préserver l'aspect « découverte », ne pas*

### Étape 1 Faire connaissance et constituer le groupe

■ S'asseoir en cercle et inviter chaque enfant à dire son prénom.

■ Distribuer la silhouette à chaque enfant (fille ou garçon), demander d'y inscrire son prénom.

■ Mettre toutes les silhouettes dans le chapeau ou dans le sac.

■ Chaque enfant vient prendre une silhouette au hasard, lit le prénom et essaie de retrouver à qui il appartient.

### Étape 2 Découvrir pourquoi on vient au caté

■ Regarder les quinze premières minutes du film « Il était une fois Jésus ».

■ Laisser les enfants s'exprimer sur ce qu'ils viennent de voir : *de qui parle-t-on ? Qu'est-ce qui vous a intéressés ?...*

■ *Découvrir qui est Jésus, voilà ce que nous allons faire ensemble cette année. Est-ce que chacun, ici présent, est partant ?*

■ L'animateur invite les enfants à répondre librement.

■ Chaque enfant confirme son envie de découvrir Jésus en collant sa silhouette sur un panneau réalisé à l'aide de l'Annexe 2 *En route avec Jésus.*

*visionner toute la cassette. L'Annexe 2* En route avec Jésus *aura été agrandie en A3 ou plus grand pour être collée sur un panneau ou dans le cahier d'équipe.*

## Étape 3  Découvrir le livre de l'enfant et l'album

■ Montrer la Bible. Laisser les enfants la feuilleter, se rappeler ce qui a été dit à la Halte Prière de la première séance : *Que représentent tous ces textes ?*

■ Remettre ensuite le livre de l'enfant à chacun en leur disant : *Voici le livre qui va nous aider à découvrir Jésus.*

■ Leur demander d'ouvrir leur livre au hasard et de décrire ce qu'ils voient.

■ Faire de même pour d'autres pages.

■ Découvrir le titre de ce livre (*Fais jaillir la vie*), les bandeaux, les mascottes, les logos.

■ Repérer le logo Bible, chercher un texte portant ce logo dans le livre de l'enfant et le chercher dans la Bible.

■ Compléter la p. 3 du livre de l'enfant.

■ Expliquer l'utilisation de l'album.

■ Coller dans leur cahier l'Album 1 *Des règles pour vivre ensemble* (complété par l'animateur) : se souvenir de la première séance avec les parents.

**La Bible**
*Mettre en valeur le livre de la Parole de Dieu, l'importance de tous ces témoignages. Cf. Repères pour Animateurs n° 4. Cf. Fiche « La Parole de Dieu » p. 241.*

**L'Album**
*L'album ne sera pas emporté à la maison mais gardé par l'animateur pour ne pas être oublié ou mal utilisé. L'enfant aura un cahier format A4.*

## Étape 4  Le signe de croix

■ Écouter le chant : *Vivre différents dans l'unité.* L'animateur fait le signe de croix pendant le refrain.

■ L'animateur refait le signe de croix en disant les mots du refrain.

■ Inviter les enfants à faire le même geste pour apprendre le signe de croix.

■ Reprendre ensemble le refrain en faisant le signe de croix.

**Le signe de croix**
*Cf. Fiche « Prier avec les enfants de 8-11 ans » p. 237. Certains enfants savent faire le signe de croix. Il est important d'utiliser leurs pré-acquis.*

# RENCONTRE 1

# Vivre ensemble

## Deuxième séance

## NIVEAU 2

**OBJECTIFS**
▶ Constituer l'équipe.
▶ Avoir conscience d'appartenir à un groupe.
▶ Faire mémoire de l'année précédente.
▶ Se rappeler pourquoi on vient à la catéchèse.

**MATÉRIEL**

≋ Livre de l'enfant de l'année précédente.

≋ Une Bible.

⬜ Album 1 *Des règles pour vivre ensemble* (complété par l'animateur).

📋 Album 2 *Les silhouettes*.

📄 Annexe 2 *En route avec Jésus*.

≋ Une pelote de laine ou de ficelle.

**CHANT**

💿 *Vivre différents dans l'unité.*

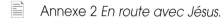

## DÉROULEMENT

**Faire connaissance**
*Prévoir ce jeu à l'extérieur si le temps le permet.*
*Consigne du jeu :*
*Garder en main le bout de laine ou de ficelle et jeter la pelote à un autre équipier qui la lancera à son tour à un troisième et ainsi de suite (en croisant de préférence les lancés). Le dernier doit restituer la pelote à celui qui la lui a lancée en disant son prénom. La pelote est ainsi reconstituée jusqu'au premier qui doit se rappeler le prénom du dernier.*
*Cf. Repères pour Animateurs n° 2.*

### Étape 1  Faire connaissance et constituer le groupe

▪ Faire un grand cercle. Inviter les enfants à dire leur prénom.
▪ Donner la pelote de laine à un enfant et énoncer les consignes du jeu.

### Étape 2  Hier et maintenant

▪ Présenter les deux livres : celui de l'année précédente et celui de cette année : *Voici le livre qui nous a aidés à découvrir Jésus l'an dernier, voilà celui qui va nous aider à continuer.*
▪ Demander aux enfants de se rappeler une découverte qu'ils ont appréciée dans le livre précédent.
▪ Remettre le nouveau livre à chaque enfant.
▪ Demander aux enfants de décrire, commenter quelques pages, et comparer avec le précédent.
▪ Compléter la p. 3 du livre de l'enfant.

■ Expliquer l'utilisation de l'album.

■ Coller dans leur cahier l'Album 1 *Des règles pour vivre ensemble* (complété par l'animateur) : se souvenir de la première séance avec les parents.

**L'Album**

*L'album ne sera pas emporté à la maison mais gardé par l'animateur pour éviter l'oubli ou une mauvaise utilisation.*

*L'enfant aura un cahier format A4.*

## Étape 3 « Venez derrière moi »

■ Découvrir qui est Jésus : *c'est ce que vous avez commencé à faire l'an dernier. Est-ce que chacun, ici présent, est partant pour continuer ?*

■ L'animateur invite les enfants à répondre librement.

■ Prendre l'Album 2 *Les silhouettes*. Chaque enfant découpe la silhouette qui lui correspond et y inscrit son prénom.

■ L'animateur lit dans une Bible Mt 4,18-22.

■ Inviter les enfants à chercher ce texte à la p. 7 de leur livre.

■ Dans ce texte, Jésus nous dit : « *Venez derrière moi* ». *Acceptez-vous de continuer la route avec Jésus ?*

■ Chaque membre de l'équipe confirme son envie de découvrir Jésus en collant sa silhouette sur un panneau réalisé à l'aide de l'Annexe 2 *En route avec Jésus*.

**Venez derrière moi**

*Prendre des images qui témoignent de la vie de Jésus dans le livre de l'année précédente ou dans le cahier d'équipe.*

**La Bible**

*Cf. Repères pour Animateurs n° 4.*

*Cf. Fiche « La Parole de Dieu » p. 241.*

**En route avec Jésus**

*Le dessin de l'Annexe 2 aura été agrandi en A3 ou plus grand pour être collé sur un panneau.*

## Étape 4 Prière

■ Avant de commencer la prière, inviter les enfants à dire ce que signifie le signe de croix : *Pourquoi ai-je fait ce geste ? Que représente-t-il ?*

■ Entrer dans la prière en écoutant le chant : *Vivre différents dans l'unité*.

■ L'animateur et les enfants font le signe de croix pendant le refrain.

■ L'animateur dit : *Merci Seigneur d'inviter notre équipe à venir derrière toi pour continuer d'apprendre à mieux te connaître.*

■ Reprendre le chant et le signe de croix avec les enfants.

**Prière**

*Cf. Fiche « Prier avec les enfants de 8-11 ans » p. 237.*

# RENCONTRE 1

# Vivre ensemble

## Deuxième séance

NIVEAU 3

**OBJECTIFS**
▶ Se retrouver et avoir conscience d'appartenir à un groupe.
▶ Faire mémoire de l'année précédente.
▶ Se rappeler pourquoi on vient à la catéchèse.

**MATÉRIEL**

≋ Une Bible.

≋ Trois livres de l'enfant de l'ensemble du parcours (années rouge, verte, bleue).

⬚ Album 1 *Des règles pour vivre ensemble.*

⬚ Album 2 *Les silhouettes.*

▤ Annexe 2 *En route avec Jésus.*

≋ Une corbeille.

**CHANT**

◉ *Vivre différents dans l'unité.*

## DÉROULEMENT

**Se retrouver**
*Prévoir ce jeu à l'extérieur si le temps le permet. Les nouveaux seront accueillis avec attention. Cf. Repères pour Animateurs n° 2.*

### Étape 1 Se retrouver

⬚ ■ Distribuer l'Album 2 *Les silhouettes.*

2 ■ Chaque enfant découpe la silhouette qui lui correspond et y inscrit quelques renseignements pour se faire connaître à l'exception de son prénom (description physique, goûts, école fréquentée…).

■ Déposer les silhouettes dans une corbeille et les mélanger.

■ À tour de rôle, chaque enfant pioche une silhouette et essaie de deviner à qui elle appartient. Après avoir dit le prénom, l'enfant donne la silhouette à son propriétaire.

■ Lorsque chaque enfant a récupéré sa silhouette, il y inscrit son prénom.

### Étape 2 Hier et maintenant

■ Présenter les trois livres : ceux des années précédentes et celui de cette année : *Voici les livres qui nous ont aidés à découvrir Jésus, voilà celui qui va nous aider à poursuivre notre chemin.*

■ Demander aux enfants d'écrire sur leur silhouette ce qu'ils ont particulièrement aimé découvrir dans leurs livres précédents. Inviter ceux qui le souhaitent à partager leur témoignage avec l'équipe.

■ Remettre le nouveau livre à chaque enfant.

■ Expliquer l'utilisation de l'album.

■ Afficher l'agrandissement de l'Album 1 *Des Règles pour vivre ensemble* complété à la première séance.

■ Coller dans le cahier personnel l'Album 1 *Des règles pour vivre ensemble*.

■ Y inscrire les règles de vie établies (Cf. *Halte Règles pour vivre ensemble* de la première séance).

*Témoignage de l'animateur*
*Il sera précieux pour les enfants.*
**L'Album**
*L'album ne sera pas emporté à la maison mais gardé par l'animateur.*
*L'enfant aura un cahier format A4.*

*Cf. Repères pour Animateurs n° 3.*

## Étape 3 « Venez derrière moi »

■ Un enfant lit la Bible Mt 4,18-22.

■ Inviter les enfants à chercher ce texte à la p. 7 de leur livre.

■ Trouver la phrase-clé de ce texte : « *Venez derrière moi* ». *À qui ces paroles s'adressent-elles aujourd'hui ?*

■ Sur sa silhouette, chaque enfant écrit comment il pense pouvoir répondre à cet appel dans sa vie de tous les jours.

■ *Acceptez-vous de poursuivre votre route avec Jésus ?*

■ Chaque membre de l'équipe confirme son envie de découvrir Jésus en collant sa silhouette sur un panneau réalisé à l'aide de l'Annexe 2 *En route avec Jésus*.

*Venez derrière moi*
*Cf. Repères pour Animateurs n° 4.*
*Cf. Fiche « La Parole de Dieu » p. 241.*
*Le dessin de l'Annexe 2 aura été agrandi en A3 ou plus grand pour être collé sur un panneau.*

## Étape 4 Prière

■ En fond musical, écouter le chant : *Vivre différents dans l'unité*.

■ Faire le signe de croix.

■ Lire la prière p. 12 du livre de l'enfant, en poursuivant avec le Notre Père.

■ Reprendre le chant.

*Prière*
*Cf. Fiche « Prier avec les enfants de 8-11 ans » p. 237.*

**Annexe 1**

# Des règles pour vivre ensemble

J'arrive à l'heure.

Je dis bonjour lorsque j'arrive.

J'écoute celui qui parle.

Je respecte les membres de l'équipe.

Je respecte la prière de chacun.

Je prends soin de mon livre et de mon cahier.

Je participe au rangement du local avant
de partir.

*Exemples de règles à proposer et/ou à compléter lors de la rencontre initiale.
Aux niveaux 1 et 2, reporter les règles établies sur l'Album 1 Des règles pour
vivre ensemble.*

Annexe 2

# En route avec Jésus

*À agrandir en A3 ou plus et coller sur un grand panneau ou dans le cahier d'équipe.*

# RENCONTRE 2

# Une Église, plusieurs visages

## But de la rencontre

Cette rencontre va permettre aux enfants de se rendre compte que les communautés chrétiennes et leur façon de vivre la foi sont très diverses, mais qu'elles forment une même Église de Jésus Christ, unie dans une même foi, animée par l'Esprit de Jésus. Cette diversité peut créer des tensions, mais elle est aussi source d'une grande richesse.

## Repères pour Animateurs

### 1. Différents

Différents par la race, la culture, la langue, les sensibilités, les croyants ont des manières diverses d'exprimer, de vivre et de célébrer leur foi. On n'exprimait pas sa foi, on ne la vivait pas de la même façon à Jérusalem, à Rome et à Corinthe. Vingt siècles plus tard on n'exprime pas sa foi, on ne la vit pas de la même façon en Europe, en Asie et en Afrique. Les communautés locales, les paroisses, sont marquées elles aussi par une diversité interne. Il arrive que ces diversités aillent plus loin et touchent au cœur même de la foi, conduisent alors à des séparations, au schisme (voir année verte, le Caté-découvertes de la première unité).

### 2. Une diversité difficile à vivre

Cette diversité n'est jamais facile à accepter. Chacun a tendance à considérer que sa façon de penser, de vivre et de faire est la meilleure. Il veut donc l'imposer aux autres : d'où querelles et tensions qui peuvent aboutir à des conflits.

Deux exemples, entre autres, dans l'histoire :

• Dès les débuts de l'Église, les chrétiens d'origine juive voulaient imposer les contraintes du judaïsme aux chrétiens d'origine païenne : circoncision, repos du sabbat, respect des règles alimentaires.

• Au 19e et au 20e siècles, l'Europe a imposé ses façons de vivre et de célébrer sa foi aux chrétiens d'Afrique et d'Asie.

## 3. Plusieurs visages, une seule Église

• Dès la primitive Église, après bien des discussions, l'assemblée de Jérusalem a tranché : pas question d'imposer aux païens les contraintes de la loi juive (Ac 15,5-35). Saint Paul le rappellera avec force à quelques communautés (Ga 2,1-10). Depuis longtemps, les chrétiens d'Afrique expriment leur foi et leur louange par la danse, le tam-tam, le gong ; en 1988, Rome a approuvé officiellement le rite zaïrois.

• Dans l'Église, l'unité n'est pas l'uniformité, elle se vit dans la diversité. Même si tous partagent la foi commune, il ne s'agit jamais d'imposer aux autres sa façon de la vivre. Sous la conduite de l'Esprit, les différentes communautés d'Église sont à l'écoute de la même Parole de Dieu et s'enrichissent de leurs différences.

## 4. Animés par l'Esprit

Lors de l'assemblée de Jérusalem, les apôtres précisent bien que la décision finale vient d'eux et de l'Esprit qu'ils ont reçu pour les conduire vers la vérité tout entière : « *L'Esprit Saint et nous-mêmes avons décidé* » (Ac 15,28). L'Esprit qui a inspiré les apôtres continue son œuvre dans l'Église et dans le cœur des croyants. Quels que soient les temps, les lieux ou les situations, l'Esprit Saint anime Mémé Yvonne, Jean- Michel, Kisito et tous ceux dont les situations sont évoquées pp. 14 et 15 du livre de l'enfant.

## 5. Repères pour une communauté chrétienne

La première communauté de Jérusalem n'était pas parfaite. Le texte des Actes des Apôtres 2,42-45 ne prétend pas la décrire, mais il veut mettre en valeur trois dimensions de toute communauté chrétienne, comme l'idéal vers lequel elle doit tendre :

• L'écoute de la parole : « *fidèles à écouter l'enseignement des apôtres* ».

• La prière et les sacrements : « *fidèles à rompre le pain et à participer aux prières* ». (L'expression « *rompre le pain* » est l'une des façons de désigner l'eucharistie dans les premiers temps de l'Église).

• Le partage ou l'amour qui agit : « *fidèles à vivre en communion fraternelle* » ; « *ils mettaient tout en commun* ». (« *Communion fraternelle* » désigne dans ce texte le partage entre frères, la charité vécue au jour le jour).

Les communautés diverses révèlent l'Église aux multiples visages et vivent d'une même foi au Christ ressuscité.

# RENCONTRE 2

# Une Église, plusieurs visages

## NIVEAU 1

**OBJECTIFS**

▸ Dégager dans le texte des Actes des Apôtres 2,42-45, les trois dimensions de toute communauté chrétienne.

▸ Découvrir que ces trois dimensions de la vie de l'Église se vivent de façon différente dans le temps et l'espace.

▸ Prendre conscience qu'une même Église est formée de communautés et de chrétiens différents.

**MATÉRIEL**

Album 3 *Vivre en chrétien*.

**CHANT**

*Vivre différents dans l'unité*.

## DÉROULEMENT

### Étape 1  Prière

**Prière**
Cf. *Fiche « Prier avec les enfants de 8-11 ans » p. 237.*

- Reprendre le chant : *Vivre différents dans l'unité*.
- Faire le signe de croix.
- Lire le Notre Père à la p. 156 du livre de l'enfant.

### Étape 2  Vivre en chrétien

- Prendre l'Album 3 *Vivre en chrétien*.

**3** - Observer et décrire les différentes images de l'Album : position, situation, attitude. Essayer de mettre des mots sur les images : ils prient, ils écoutent, ils donnent…

- Lire les trois mots situés sur le haut de l'Album : Prière – Partage – Parole de Dieu. Dire pourquoi ces trois mots-clés sont importants pour les chrétiens : *Quand Jésus est retourné près de son Père, les chrétiens ont continué à prier, partager, écouter la Parole de Dieu, comme Jésus le leur avait demandé. Ainsi, ils continuent à vivre à la manière de Jésus.*

**Vivre en chrétien**
Cf. *Repères pour Animateurs n° 5.*

Cf. *Repères pour Animateurs n° 1, 2 et 3.*

- Repérer dans le livre de l'enfant p. 13, le récit des Actes des Apôtres 2,42-45.

- L'animateur lit le texte et propose aux enfants de trouver trois mots importants pour la vie des chrétiens.

■ Observer les photos des pp. 14-15 du livre de l'enfant. Décrire les situations, les attitudes, les différents lieux. Trouver une photo correspondant à chaque mot-clé abordé : *Là, ils prient, ici, ils écoutent la Parole, ils partagent un repas...*

■ Reprendre l'Album 3 *Vivre en chrétien* : relire les trois mots, Prière, Partage et Parole de Dieu.

■ Inviter l'enfant à choisir une image qui correspond à chaque mot et à les relier par une flèche. Colorier les images choisies et coller l'Album dans leur cahier (personnel et d'équipe).

## Étape 3  Analyser notre rencontre

■ *Et nous, avons-nous fait tout cela durant notre rencontre ?* Se rappeler du moment où nous avons prié, écouté la Parole et partagé.

■ Reprendre la prière de la p. 19 du livre de l'enfant en l'adaptant à la vie de l'équipe.

■ Chanter : *Vivre différents dans l'unité.*

*Analyser notre rencontre*
*Comparer les attitudes du groupe à celle de la communauté chrétienne : les trois mots-clés découverts sont-ils communs ?*
*Cf. Repères pour Animateurs n° 4.*

# RENCONTRE 2

# Une Église, plusieurs visages

## NIVEAU 2

> **OBJECTIFS**
> ▶ Dégager dans le texte des Actes des Apôtres 2,42-45, les trois dimensions de toute communauté chrétienne.
> ▶ Prendre conscience que les chrétiens ont des façons différentes de vivre une même foi.
> ▶ Découvrir que la même Église de Jésus peut avoir des visages différents.

**MATÉRIEL**

☐ Album 3 *Vivre en chrétien.*

**CHANT**

💿 *Vivre différents dans l'unité.*

## DÉROULEMENT

### Étape 1  Écouter un témoignage

**Écouter un témoignage**
*Faire appel à un témoin qui pourrait être un grand-père ou une grand-mère pour les enfants, lui demander d'apporter des photos de son passé.*

■ Accueillir un témoin qui, à la manière de Mémé Yvonne, p. 16 du livre de l'enfant, raconte comment se passait le caté quand il (elle) était enfant.

■ Les enfants peuvent ensuite poser des questions au témoin et réagir sur ce qu'ils viennent d'entendre.

■ À leur tour, les enfants témoignent de ce qu'ils vivent en catéchèse.

### Étape 2  Vivre en chrétien

☐ ■ Prendre l'Album 3 *Vivre en chrétien.*

**3** ■ Observer et décrire les différentes images de l'Album 3 : position, situation, attitude. Essayer de mettre des mots sur les images : ils prient, ils écoutent, ils donnent…

☐ ■ Lire les trois mots situés sur le haut de l'Album 3 : Prière –

**3** Partage – Parole de Dieu. Dire pourquoi ces trois mots-clés sont importants pour les chrétiens : *Quand Jésus est retourné près de son Père, les chrétiens ont continué à prier, partager, écouter la Parole de Dieu, comme Jésus le leur avait demandé. Ainsi, ils continuent à vivre à la manière de Jésus.*

■ Repérer dans le livre de l'enfant p. 13, le récit des Actes des Apôtres 2,42-45.

■ L'animateur ou le témoin lit le texte et propose aux enfants de trouver trois mots importants pour la vie des chrétiens.

■ Observer les photos des pp. 14-15 du livre de l'enfant. Décrire les situations, les attitudes, les différents lieux. Trouver une photo correspondant à chaque mot-clé abordé : *Là, ils prient, ici, ils écoutent la Parole, ils partagent un repas...*

■ Interroger le témoin : *Et toi, est-ce que tu pries ? Quand écoutes-tu la Parole ? Que partages-tu ?*

■ Interroger les enfants : *Et vous les enfants, pouvez-vous dire à M... comment vous partagez, priez et écoutez la Parole ?*

■ Les enfants, l'animateur, et le témoin préparent des mercis à Dieu pour ce qu'ils découvrent en catéchèse.

■ Reprendre l'Album 3 : découper les trois mots, Prière, Partage et Parole de Dieu et les coller sur le cahier.

■ Inviter l'enfant à choisir une image pour chaque mot, la découper et la coller sous le mot correspondant. Colorier les images choisies.

## Étape 3  Dire merci à Dieu

■ Faire le signe de croix.

■ Chanter : *Vivre différents dans l'unité.*

■ Exprimer les mercis à Dieu préparés à l'étape 2.

■ Dire le Notre Père. Le lire p. 156 du livre de l'enfant s'il n'est pas encore bien connu.

■ Se quitter en remerciant le témoin et en vivant un temps de convivialité (partage d'un gâteau ou tout autre initiative de l'équipe).

---

*Vivre en chrétien*
Cf. *Repères pour Animateurs* n° 4 et 5.

Cf. *Repères pour Animateurs* n° 1, 2 et 3.

*Pour ceux qui vont vivre l'eucharistie*
*Si cette année les enfants se préparent à la première eucharistie, la communauté locale peut au cours d'une célébration dominicale les accueillir dans leur démarche.*
Cf. *Fiche « Préparer aux sacrements » p. 245.*

*Dire merci à Dieu*
Cf. *Fiche « Prier avec les enfants de 8-11 ans » p. 237.*

# RENCONTRE 2

# Une Église, plusieurs visages

## NIVEAU 3

### OBJECTIFS
▶ Dégager dans le texte des Actes des Apôtres 2,42-45, les trois dimensions de toute communauté chrétienne.
▶ Prendre conscience que les chrétiens ont des façons différentes de vivre une même foi.
▶ Découvrir que la même Église de Jésus peut avoir des visages différents.

**MATÉRIEL**

Album 3 *Vivre en chrétien.*

**CHANT**

*Vivre différents dans l'unité.*

## DÉROULEMENT

**Écouter un témoignage**
*Faire appel à un témoin qui pourrait être un grand-père ou une grand-mère pour les enfants, lui demander d'apporter des photos de son passé.*

### Étape 1  Écouter un témoignage

■ Accueillir un témoin qui, à la manière de Mémé Yvonne, p. 16 du livre de l'enfant, raconte comment se passait le caté quand il (elle) était enfant.

■ Les enfants peuvent ensuite poser des questions au témoin, réagir sur ce qu'ils viennent d'entendre.

■ À leur tour, les enfants témoignent de ce qu'ils vivent en catéchèse.

### Étape 2  Vivre en chrétien

■ Prendre l'Album 3 *Vivre en chrétien.*

**3** ■ Observer et décrire les différentes images de l'Album 3 : position, situation, attitude. Essayer de mettre des mots sur les images : ils prient, ils écoutent, ils donnent…

■ Lire les trois mots situés sur le haut de l'Album 3 : Prière – Partage – Parole de Dieu. Dire pourquoi ces trois mots-clés sont importants pour les chrétiens : *Quand Jésus est retourné près de son Père, les chrétiens ont continué à prier, partager, écouter la Parole de Dieu, comme Jésus le leur avait demandé. Ainsi, ils continuent à vivre à la manière de Jésus.*

■ Repérer dans le livre de l'enfant p. 13, le récit des Actes 2,42-45.

■ Faire lire le récit par un enfant.

■ Retrouver les trois attitudes des frères : ils prient, ils écoutent la Parole de Dieu, ils partagent.

■ Choisir entre le témoignage de Jean-Michel et celui de Kisito pp. 17-18 du livre de l'enfant. Décrire la situation, les attitudes, le lieu. Retrouver pour cette histoire une attitude de Prière, de Partage et d'écoute de la Parole.

■ Interroger le témoin : *Et toi, est-ce que tu pries ? Quand écoutes-tu la Parole ? Que partages-tu ?*

■ Les enfants, l'animateur, et le témoin préparent des mercis à Dieu pour ce qu'ils découvrent en catéchèse.

■ Reprendre l'Album 3 : découper les trois mots, Prière, Partage et Parole de Dieu. Les coller chacun sur une page du cahier de l'enfant.

■ Découper les différentes images et les classer par thème pour les coller autour du mot auquel elles se rapportent .

■ Enrichir chaque page d'un apport personnel en faisant appel au vécu de l'enfant : *Et toi où pries-tu ? Quand écoutes-tu la Parole de Dieu ? Dans quelle situation as-tu partagé ?*

■ Chaque enfant écrit sa réponse sur chacunes des pages.

## Étape 3   Dire merci à Dieu

■ Faire le signe de croix et dire le Notre Père.

■ Chanter : *Vivre différents dans l'unité.*

■ Dire la prière p. 19 du livre de l'enfant.

■ Exprimer les mercis à Dieu préparés à l'étape 2.

■ Reprendre le refrain du chant.

**Vivre en chrétien**
Cf. *Repères pour Animateurs n° 4 et 5.*

Cf. *Repères pour Animateurs n° 1, 2 et 3.*

**Pour ceux qui vont vivre l'eucharistie**
*Si cette année les enfants se préparent à la première eucharistie, la communauté locale peut au cours d'une célébration dominicale les accueillir dans leur démarche.*
Cf. *Fiche « Préparer aux sacrements » p. 245.*

**Dire merci à Dieu**
Cf. *Fiche « Prier avec les enfants de 8-11 ans » p. 237.*

# RENCONTRE 3

# Appelés à la sainteté

## But de la rencontre

Cette rencontre permettra de découvrir le projet de Dieu sur chacun de nous : nous faire vivre de sa vie, demeurer en nous, faire de nous des saints et des saintes. Elle donnera l'occasion de faire connaissance avec deux hommes dont l'Église a reconnu la sainteté : François d'Assise et Marcel Callo. Leur expérience montre qu'on ne devient pas saint tout seul, par ses propres forces, mais avec les autres, en Église, en accueillant le don de Dieu et en se laissant guider par l'Esprit.

## Repères pour Animateurs

### 1. La sainteté : accueil du don de Dieu

« *Si quelqu'un m'aime, il restera fidèle à ma parole ; mon Père l'aimera, nous viendrons chez lui, nous irons demeurer auprès de lui* » (Jn 14,23). Ainsi la sainteté ne signifie pas d'abord perfection morale. Elle ne s'acquiert pas à la force du poignet. Elle ne se traduit pas nécessairement par des faits extraordinaires ou miraculeux. Elle est accueil de l'amour infini de Dieu et réponse active, avec la force de l'Esprit Saint. C'est le sens de la prière de saint François d'Assise : « *Dis-moi, Seigneur, ce que tu veux que je fasse* » (livre de l'enfant p. 22) et celle de Marcel Callo : « *Seigneur Jésus, accordez-moi de travailler avec vous et de donner pour vous mes forces et mon temps* » (p. 27).

### 2. La sainteté : un chemin

Les saints ont grandi en sainteté petit à petit, acceptant de se convertir et de laisser une place de plus en plus grande à Dieu dans leur existence. Si le chrétien sait qu'il peut compter sur Dieu, il sait aussi qu'il peut compter sur les autres. On ne marche jamais seul sur le chemin de la sainteté. François d'Assise a été soutenu par ses frères et par Claire ; Marcel Callo par ses copains de la JOC.

### 3. Un chemin qui mène au ciel auprès de Dieu

Les saints et les saintes ne sont pas seulement des témoins du passé. Ils sont vivants aujourd'hui avec Dieu et ils prient le Seigneur pour nous (livre de l'enfant p. 29). Leur mort fut un passage auprès de Dieu. François d'Assise « se prépare à la mort, heureux de pouvoir vivre pour toujours avec Dieu » (avant-dernière image de la p. 23 du livre de l'enfant). Marcel Callo est animé de « l'espoir d'une vie nouvelle » avec Dieu (dernière image de la p. 27). Les évêques de France soulignent en effet :

*« La foi permet d'affronter la mort et fait accéder celui qui espère à des réalités situées au-delà de la mort : la résurrection, la vie éternelle, la vision béatifiante de Dieu »* (*Catéchisme pour adultes* n° 644). C'est aussi ce que nous permet de célébrer la fête de la Toussaint.

## 4. La vie des saints : un appel de Dieu pour une époque

C'est dans la vie concrète de leur époque que les chrétiens ont à témoigner de l'amour de Dieu. L'Esprit a toujours suscité des saints : leur vie retentit comme un appel de Dieu dans une époque donnée. Saint François d'Assise, par son choix de la pauvreté, conteste radicalement la façon de vivre de ses contemporains et des responsables de l'Église. En ces débuts du capitalisme marchand du 13ᵉ siècle, il rappelle qu'on ne peut pas servir deux maîtres, Dieu et l'argent (*Cf.* Mt 6,24). Durant la Seconde Guerre mondiale, par son souci des autres et sa vie toute donnée à Dieu, Marcel Callo témoigne que la violence et la haine ne sont pas les derniers mots de l'histoire : un monde d'amour est possible.

# RENCONTRE 3

# Appelés à la sainteté

## NIVEAU 1

**OBJECTIFS**
▶ Se familiariser avec la vie d'un saint.
▶ Découvrir que nous sommes tous appelés à être des saints.
▶ Prendre conscience qu'on a besoin de Dieu et des autres pour vivre en sainteté.
▶ Découvrir la fête de la Toussaint.

**MATÉRIEL**

☐ Album 4 *Être un ami de Jésus.*
☐ Album 5 *Calendrier liturgique.*

~ *Fais jaillir la vie année rouge* En catéchèse avec une pédagogie spécialisée.

**CHANT**

◉ *Vivre différents dans l'unité.*

## DÉROULEMENT

### *Découvrir saint François d'Assise*

*Il existe des Vidéos et des DVD sur saint François. Comme par exemple : François, le Chevalier d'Assise, NS Vidéo (30 min.).*

*Cf. Repères pour Animateurs n° 2 et 4.*

### Étape 1   Découvrir saint François d'Assise

■ Lire la bande dessinée pp. 21-23 du livre de l'enfant ou visionner une K7 vidéo.

■ Les enfants cherchent des moments de la vie de saint François qui montrent qu'il est vraiment un ami de Jésus.

☐ ■ Prendre l'Album 4 *Être un ami de Jésus.*

4  ■ Lire les différentes bulles autour de la silhouette de saint François et retrouver ses attitudes, ses choix sur la bande dessinée du livre de l'enfant ou sur les planches PCS pp. 8 à 11 du livre de l'enfant (*celles-ci peuvent être agrandies pour le cahier d'équipe ou pour constituer un panneau*).

### *Tous appelés à la sainteté*

*Cf. Repères pour Animateurs n° 1 et 3.*

*L'enfant de huit ans est encore très centré sur lui-même.*

*On l'aidera à s'ouvrir et à grandir en lui faisant découvrir non seulement la place de Dieu, mais aussi celle des*

### Étape 2   Tous appelés à être des saints : la Toussaint

■ *Aujourd'hui, saint François est toujours un modèle pour les chrétiens, comme beaucoup d'autres saints qui sont auprès de Dieu et que nous fêtons à la Toussaint : jour de tous les saints.*

☐ ■ Prendre l'Album 5 *Calendrier liturgique.* Situer la Toussaint,
5  écrire la date : le 1$^{er}$ novembre et colorier l'espace.

■ *Chacun d'entre nous peut vivre en ami de Jésus, à la manière de François.*

■ Se rappeler des trois mots-clés pour vivre en chrétien (*Cf.* Rencontre 2). *Prier - partager et écouter la parole de Dieu*

■ Exploiter les pp. 28-29 du livre de l'enfant et faire réagir les enfants : *Que voyez-vous sur les dessins ?* (Faire apparaître la notion de Partage).

■ Reprendre l'Album 4 *Être un ami de Jésus*.

■ Lire les bulles autour de la silhouette de l'enfant.

**4**

■ Compléter les deux bulles vides en écrivant ou dessinant des attitudes que l'enfant a ou pourrait avoir pour être un ami de Jésus. L'enfant peut s'inspirer des dessins de l'Album 3 *Vivre en chrétien*. Coller l'Album 4 sur le cahier.

**3 et 4**

## Étape 3  Prière

■ Faire le signe de croix.

■ Chanter *Vivre différents dans l'unité.*

■ L'animateur lit la prière de louange de saint François d'Assise p. 24 du livre de l'enfant.

■ Faire silence et intérioriser cette louange à Dieu.

autres, dans la marche vers la sainteté.

L'enfant désire faire par lui-même. Il lui sera alors difficile d'accueillir la sainteté comme don de Dieu, œuvre en soi de l'Esprit.

En découvrant que François d'Assise a fait confiance à Dieu et lui a demandé son aide, l'enfant pourra accepter, lui aussi, d'avoir besoin de Dieu et des autres pour grandir en sainteté.

Il est important aussi de signifier que l'enfant aussi est appelé à vivre en sainteté.

**Prière**
Cf. Fiche « Prier avec les enfants de 8-11 ans » p. 237.

# RENCONTRE 3

# Appelés à la sainteté

## NIVEAU 2

**OBJECTIFS**
▶ Se familiariser avec la vie d'un saint.
▶ Se rappeler de la fête de tous les saints : la Toussaint.
▶ Découvrir qu'on a besoin de Dieu et des autres pour grandir en sainteté.

**MATÉRIEL**
Album 4 *Être un ami de Jésus.*

**CHANT**
*Vivre différents dans l'unité.*

## DÉROULEMENT

**Prière**
Cf. *Fiche « Prier avec les enfants de 8-11 ans » p. 237.*

### Étape 1  Prière

■ Faire le signe de croix.
■ Chanter : *Vivre différents dans l'unité.*
■ Prière de saint François p. 24 du livre de l'enfant.
■ Faire silence et intérioriser cette louange à Dieu.

### Étape 2  Découvrir la vie d'un saint

■ Découvrir la vie de saint François d'Assise à partir de la bande dessinée des pp. 21-23 du livre de l'enfant.
■ Remplir le tableau « La vie de saint François d'Assise ».
■ Se rappeler les trois mots-clés pour vivre en chrétien (*Cf.* Rencontre 2).
■ Exploiter les pp. 28-29 du livre de l'enfant et faire réagir les enfants sur ce qui est dit : faire apparaître la notion de Partage.
■ Prendre l'Album 4 *Être un ami de Jésus.*
■ Comparer la silhouette de François et celle de l'enfant.
■ Lire les bulles autour des silhouettes.
■ Demander aux enfants ce qu'ils peuvent faire pour être un ami de Jésus.
■ Chaque enfant complète les deux bulles vides.

| La vie de saint François d'Assise | |
|---|---|
| | St François |
| Lieu de l'action | |
| Caractéristiques de l'époque | |
| Son rêve | |
| Prière | |
| Écoute de la Parole | |
| Partage | |

*À reporter sur un panneau.*

### Étape 3 Se rappeler de la fête de tous les saints

■ Prendre l'Album 5 *Calendrier liturgique*. Situer la Toussaint, écrire la date : le 1<sup>er</sup> novembre et colorier l'espace.

**5**

■ Pour comprendre le sens de la fête de la Toussaint, lire la p. 20 du livre de l'enfant. Chercher aussi dans *Pierre Vivantes*.

### Étape 4 Louer Dieu

■ Louer Dieu pour tout ce qu'a fait saint François : tendre les bras. Dire merci pour tous ses gestes, ses choix et son exemple.

■ Reprendre le refrain de *Vivre différents dans l'unité*.

*Cf. Repères pour Animateurs n° 2 et 4.*

**Tous appelés à la sainteté**
*Cf. Repères pour Animateurs n° 1 et 3.*

*L'enfant de huit ans est encore très centré sur lui-même. On l'aidera à s'ouvrir et à grandir en lui faisant découvrir non seulement la place de Dieu, mais aussi celle des autres, dans la marche vers la sainteté.*
*L'enfant désire faire par lui-même. Il lui sera alors difficile d'accueillir la sainteté comme don de Dieu, œuvre en soi de l'Esprit.*
*En découvrant que François d'Assise a fait confiance à Dieu et lui a demandé son aide, l'enfant pourra accepter, lui aussi, d'avoir besoin de Dieu et des autres pour grandir en sainteté.*
*Il est important aussi de signifier que l'enfant aussi est appelé à vivre en sainteté.*

# RENCONTRE 3

# Appelés à la sainteté

## NIVEAU 3

### OBJECTIFS
▶ Prendre conscience qu'être saint, c'est vivre de la vie de Dieu.
▶ Réaliser qu'on a besoin de Dieu et des autres pour grandir en sainteté.
▶ Découvrir que les saints aident leurs contemporains à vivre l'Évangile.

### MATÉRIEL
Album 5 *Calendrier liturgique*.

### CHANT
*Vivre différents dans l'unité*.

## DÉROULEMENT

**Autres propositions pédagogiques**
*– Aller à la rencontre des saints locaux, utiliser le patrimoine local : sous forme d'enquête, par la visite de l'église, d'une chapelle, recherches à la bibliothèque, etc.*
*– Faire une recherche sur la vie de son saint patron.*

**Deux exemples de sainteté**

|  | François | Marcel |
|---|---|---|
| *Lieu de l'action* |  |  |
| *Caractéristiques de l'époque* |  |  |
| *Son rêve* |  |  |
| *Prière* |  |  |
| *Écoute de la Parole* |  |  |
| *Partage* |  |  |

*À reporter sur un grand panneau.*

*Cf. Repères pour Animateurs n° 2 et 4.*

### Étape 1  Découvrir des saints

■ Faire deux groupes.
– Le premier va découvrir saint François d'Assise pp. 21-23 du livre de l'enfant.
– Le second va découvrir Marcel Callo pp. 25-27 du livre de l'enfant.
■ Remplir le tableau « Deux exemples de sainteté ».
■ Repérer trois moments de la vie de saint François ou de Marcel Callo qui rappellent les mots-clés pour les chrétiens : prier – écouter la parole de Dieu – partager.
■ Inviter chaque groupe à présenter sa recherche.
■ Noter les réponses sur le panneau.
■ Mettre en évidence les points communs entre ces deux vies.

### Étape 2  Se rappeler de la fête de tous les saints

**5** ■ Prendre l'Album 5 *Calendrier liturgique* : situer la Toussaint, écrire la date : 1er novembre et colorier l'espace. *Comment vivez-vous la Toussaint ?* Partager le vécu de chacun.

■ Lire la p. 20 du livre de l'enfant. Réagir sur les deux phrases de l'évangéliste saint Jean : *Quel mot revient souvent dans ces paroles ?* (aimer - faire référence au partage).

## Étape 3  Être appelé à vivre en sainteté

■ Découvrir les pp. 28-29 du livre de l'enfant et faire réagir les enfants sur ce qui est dit et ce qu'ils voient (signes de partage). *Quelle parole trouvez-vous juste, importante ?*

■ Rappeler les trois mots-clés pour les chrétiens et exprimer comment chacun peut vivre en ami de Jésus.

■ Faire le jeu « Saint ? », proposé ci-contre, sur le cahier de l'enfant. Rappeler ce que saint François ou Marcel Callo ont vécu et ce que nous pouvons vivre à travers ces cinq mots.

■ Écrire dans le cahier un moment de sa vie où l'enfant pense avoir vécu en ami de Jésus.

■ Composer une prière de louange en s'inspirant de celle de saint François p. 24 du livre de l'enfant, et en se référant à la vie des enfants.

## Étape 4  Prière

■ Chanter : *Vivre différents dans l'unité.*

■ L'animateur lit la prière de saint François (p. 24 du livre de l'enfant).

■ Reprendre le refrain du chant.

■ Les enfants disent lentement leur prière de louange (*Cf.* Étape 3).

---

***Tous appelés à la sainteté***
*Cf. Repères pour Animateurs n° 1 et 3.*

*L'enfant de huit ans est encore très centré sur lui-même. On l'aidera à s'ouvrir et à grandir en lui faisant découvrir non seulement la place de Dieu, mais aussi celle des autres, dans la marche vers la sainteté. L'enfant désire faire par lui-même. Il lui sera alors difficile d'accueillir la sainteté comme don de Dieu, œuvre en soi de l'Esprit. En découvrant que François d'Assise et Marcel Callo ont fait confiance à Dieu et lui ont demandé son aide, l'enfant pourra accepter, lui aussi, d'avoir besoin de Dieu et des autres pour grandir en sainteté. Il est important aussi de signifier que l'enfant aussi est appelé à vivre en sainteté.*

***Jeu « Saint ? »***
*Autour du mot « SAINT », placer les mots suivants : ESPRIT – CHEMIN – TÉMOIN – AMOUR – DIEU.*

```
      E S PRIT
       A MOUR
       D I EU
  CHEMI N
       T ÉMOIN
```

***Prière***
*Cf. Fiche « Prier avec les enfants de 8-11 ans » p. 237.*

# CÉLÉBRATION

## *Tous niveaux*

# « Je t'ai appelé par ton nom »

Cette célébration, à proximité de la fête de la Toussaint, va permettre de :

- Rendre grâce à Dieu, attentif à chacun : il l'appelle par son nom,
- Fêter l'appartenance de chaque baptisé au peuple des saints d'hier et d'aujourd'hui.

## Points d'attention

- Il est très souhaitable que le président de l'assemblée soit un prêtre. Il revêtira l'aube.
- Les catéchistes connaîtront, avant la célébration, les noms des saints patrons des enfants. Voir à quel saint rattacher les prénoms modernes ; certains enfants ne portent pas le nom d'un saint ; Dieu les aime pourtant sous ce nom qui est celui de leur baptême (voir livre des prénoms).
- Le texte biblique utilisé est constitué de quelques phrases tirées du prophète Is 43,1-4. Dieu y dit le choix qu'il fait de son peuple et combien celui-ci est précieux à ses yeux. Ce qui est dit de l'ensemble du peuple de Dieu vaut pour chacun des baptisés.

## Préparation

- Un long panneau sur lequel on aura écrit en grand : *« C'est moi le Seigneur. Je t'ai appelé par ton nom ! »* et autour de cette phrase, le nom des saints patrons des enfants. Quelques images représentant des saints connus peuvent illustrer ce panneau qui sera fixé dans le lieu de la célébration, à bonne hauteur pour les enfants.
- Une affiche (style parchemin brûlé autour) avec le texte d'Isaïe (*Cf.* 2e temps de la célébration). Elle est roulée pour être apportée au moment de la lecture de la Parole.
- Un magnétophone.
- Un enregistrement musical pour l'accueil.
- L'enregistrement du chant *Je t'ai appelé par ton nom* (Noël Colombier, *Catéchansons* n° 3, cassette SM K 720 ou AL K 019).
- Les paroles des chants affichées.
- Un badge par enfant (bristol et laine) avec au recto son prénom et au verso l'une des courtes phrases du texte d'Isaïe (*Cf.* 2e temps). Punaises ou épingles pour les accrocher sur le panneau.
- Un livret de famille et le registre des baptêmes de la paroisse.

# Déroulement

## 1. Temps du rassemblement

• À l'entrée de l'église ou de la salle, chaque catéchiste accueille les enfants de son équipe. Il remet à chacun son badge. Les enfants entrent et s'installent.
Fond musical.

• Le président de l'assemblée salue le groupe. Il nomme les équipes présentes, les salue. Il fait une prière d'introduction.

• Un animateur introduit le thème : chacun a un nom, chacun est unique, chacun est aimé de Dieu. Quelques idées pour cette introduction :

– Quand on veut connaître quelqu'un, on lui demande son nom.

– Des parents qui attendent un enfant passent du temps à lui choisir un prénom.

– Ce prénom est tellement important qu'il est enregistré à la mairie dès la naissance de l'enfant ; un livret de famille est remis aux parents, avec le nom et le prénom de l'enfant (montrer un livret de famille).

– Ce prénom est important aussi pour Dieu. C'est le prénom du baptême (montrer un registre des baptêmes).

– Un autre animateur introduit et fait chanter *La danse des prénoms* (cassette *La danse des prénoms*, Mannick et Jo Akepsimas, SM K 57 ou SM 30861). Il poursuit : « Il y a des milliers de prénoms, des milliers de Claire, de Philippe,... mais pour nos parents, notre famille, c'est comme s'il n'y avait qu'une seule Claire. Chacun est unique et aimé ! »

## 2. Temps de la Parole

• Le président de l'assemblée apporte solennellement la Bible. Un enfant l'accompagne avec un beau cierge allumé. Le président présente la lecture et la proclame :
*Lecture du livre du prophète Isaïe*
*Dieu dit : c'est moi le Seigneur.*
*Je t'ai appelé par ton nom.*
*Tu comptes à mes yeux.*
*Tu es précieux pour moi*
*et moi, je t'aime* (d'après Is 43,1-4).

• Acclamation. Par exemple *Dieu qui nous aimes, louange à toi* (cassette SM K 2282).

• Simultanément et lentement : déposer le cierge et la Bible (pupitre), dérouler l'affiche comportant le texte d'Is 43,1-4, mettre en sourdine le chant *Je t'ai appelé par ton nom*.

• Le président poursuit : « Dieu notre Père nous connaît. Il nous aime. Il nous invite à l'aimer ». Il invite les enfants à se déplacer. Les enfants se présentent deux par deux devant lui. Mains sur les épaules de chaque enfant, il dit : « X., tu es aimé de Dieu, tu comptes beaucoup à ses yeux » (varier en utilisant d'autres phrases de la lecture d'Is 43).

Puis l'enfant va placer son badge sur le long panneau parchemin à côté du nom de son saint patron et retourne à sa place (Les catéchistes guident le mouvement).

Chanter ou écouter une musique.

### 3. Temps de l'action de grâce

• Un animateur : « Pour beaucoup d'entre nous, le prénom que nous portons est celui d'un ami de Dieu, un saint. Certains sont connus, comme saint François d'Assise ou Marcel Callo (découverts aux rencontres précédentes). Il y a aussi des papes, des évêques, des religieux, des prêtres. Mais aussi des rois, des mères de famille, des bergers, des malades, etc. Ces figures plus connues ont peut-être leur nom dans le calendrier, mais beaucoup n'y sont pas inscrits. Tous ces témoins nous ont précédés et nous formons avec eux une foule immense, le peuple des chrétiens. Dès aujourd'hui, chacun de nous est appelé par Dieu, à la suite de tous les saints. Dieu nous appelle par notre nom ».

• Prière d'action de grâce à faire répéter phrase par phrase par les enfants :
*Seigneur Dieu, tu m'appelles par mon nom.*
*Je sais que, pour toi, je suis unique.*
*Je te dis merci pour ton amour.*
*Que ton Esprit Saint me guide*
*pour que je marche à la suite de tous les saints.*

• Un animateur chante : *Saints et saintes de Dieu dont la vie et la mort ont crié Jésus Christ sur les routes du monde. Saints et saintes de Dieu, priez pour nous* (W 62)
(Reprendre la dernière ligne tous ensemble).

On introduit les prénoms des enfants en les regroupant.

• Terminer par le *Notre Père*.

### 4. Temps de l'envoi

• Le président invite les enfants à rayonner de la joie de se savoir aimé de Dieu.

• Pendant un chant de la fête de la Toussaint (voir répertoire paroissial), les catéchistes vont reprendre les badges de leur groupe et les remettent aux enfants.

## CATÉ-DÉCOUVERTES

# La vie de l'Église : Une paroisse, un diocèse

## Buts

Très souvent, l'équipe de catéchèse se trouve isolée. Les enfants ont peu conscience qu'ils appartiennent à une communauté plus large, l'Église. Il s'agit de découvrir cette vie de l'Église en partant de la communauté paroissiale à laquelle appartient l'équipe, puis d'élargir le regard jusqu'aux frontières de l'Église diocésaine, rassemblée autour de l'évêque, lequel est en communion avec l'évêque de Rome, pasteur de l'Église universelle.

## Fondements

### 1. L'Église, une communion

« *Nous tous, nous en sommes témoins* », déclare Pierre entouré des Onze devant les habitants de Jérusalem (Ac 2,32). Ce « nous » qui désigne des personnes liées ensemble, c'est ce que les chrétiens appellent l'Église. Elle occupe une grande place dans leur vie : elle est le lieu où ils reçoivent et expriment leur foi ; elle est le temps où se vit la communion avec Dieu et avec les frères. D'ailleurs, c'est ce mot communion qui définit le mieux l'Église ; communion voulue par le Christ pour porter l'Évangile jusqu'aux extrémités de la terre.

## 2. L'origine de l'Église

On dit habituellement que l'Église est née le matin de la Pentecôte par le don de l'Esprit Saint. Il ne peut, en effet, y avoir de communion en dehors de l'Esprit. C'est lui qui rassemble et donne de vivre ensemble. Cependant, c'est de tout temps que Dieu a voulu rassembler dans l'unité ses enfants dispersés (*Cf.* Jn 11,52). Dieu n'appelle pas l'homme en tant qu'individu isolé, mais comme un être qui se trouve inséré dans une communauté, dans laquelle chacun est porté et porte lui-même les autres. « *Il a plu à Dieu que les hommes ne reçoivent pas la sanctification et le salut séparément, hors de tout lien mutuel ; il a voulu, au contraire, en faire un peuple qui le connaîtrait selon la vérité et le servirait dans la sainteté* » (*Vatican II Constitution dogmatique sur l'Église Lumen Gentium n° 9*).

## 3. Le Christ, fondement de l'Église

Ce salut de l'humanité, Jésus le réalise : toute sa prédication et toute sa vie publique se situent dans la perspective du Royaume de Dieu. Sa vie, sa mort et sa résurrection inaugurent le rassemblement du peuple de la nouvelle alliance. Et aujourd'hui, c'est dans la vie, la mort et la résurrection de Jésus que s'enracinent la vie et la mission de l'Église. Au sein du cercle plus vaste de ses disciples, Jésus a appelé les Douze à entrer dans une communion plus étroite avec lui, il les a fait participer d'une manière spéciale à sa mission. L'Église n'est pas fondée pour elle-même, mais en vue de la mission.

## 4. L' Église, une communion organisée

L'Église est fondée par le Christ en vue de porter la Bonne Nouvelle aux extrémités de la terre : elle rassemble le peuple de Dieu réparti à travers le monde.

L'Église universelle, c'est la communion d'Églises particulières. Le diocèse, ou l'Église particulière, est « *la portion du peuple de Dieu confiée à un évêque* », successeur des apôtres. L'évêque a un rôle particulier. Il est le signe et l'artisan de la communion de tous dans la foi. Il est le rassembleur des diversités des chrétiens du diocèse.

Signe de communion à l'intérieur de son diocèse, l'évêque ouvre les chrétiens à la dimension universelle (catholique) de leur foi. Il est, en effet, lui-même en communion avec les évêques du monde entier et avec l'évêque de Rome. Avec eux, il porte la charge de l'Église universelle. Église universelle et Églises particulières sont donc les deux faces d'une seule et même réalité.

### 5. La paroisse

La paroisse est la communion de tous ceux qui, convoqués par l'Esprit de leur baptême, vivent selon l'Évangile. Tout diocèse est subdivisé en paroisses. Le plus souvent la paroisse rassemble les catholiques d'un territoire déterminé autour d'un prêtre que l'on appelle le curé.

Les laïcs jouent aujourd'hui un rôle important, non seulement sur le plan des tâches matérielles ou administratives, mais aussi sur celui de l'animation pastorale (catéchèse, liturgie, activités caritatives, etc.). Ils participent de plus en plus au conseil pastoral présidé par le curé. Ce conseil examine les besoins d'évangélisation sur le territoire de la paroisse et les moyens d'y répondre.

L'équipe de catéchèse appartient donc à un groupe plus large que l'on appelle paroisse, laquelle n'est qu'une portion de l'Église rassemblée autour de l'évêque que l'on appelle diocèse. La communion des diocèses rend visible l'Église universelle dont le pape est le pasteur.

## Mise en œuvre

L'animateur choisira parmi les propositions suivantes (Paroisse et diocèse) celles qui sont le plus adaptées localement.

## 1. UNE PAROISSE

Deux propositions au choix.

**Proposition 1 : autour des panneaux d'information**

• Se rendre avec les enfants dans l'église paroissiale pour y découvrir le panneau d'information.

• Observer :

– Les différents groupes et leurs activités. Pour chacun d'eux, repérer ce qu'il propose, à qui il s'adresse, qui en est le responsable ou l'animateur.

– Les différents horaires des offices.

– Les différentes propositions sacramentelles. Pour chacune d'elles, repérer ce que l'on dit sur la préparation, avec qui, comment et où elle se fait.

• Mettre en commun les observations et inviter chaque enfant à dire :

– Les activités proposées pour les enfants de son âge.

– Ce qui est organisé, proposé, à un autre niveau : plusieurs paroisses, doyenné ou secteur.

– Ce qu'il connaît et qui n'est pas indiqué sur les panneaux.

• Construire un panneau d'information pour les mouvements proposés aux enfants de leur âge en partant des informations déjà collectées et en interrogeant les enfants de l'équipe qui participent à l'une ou l'autre de ces activités.

• Présenter le panneau aux autres équipes de catéchèse.

### Proposition 2 : autour des personnes

Cette activité peut se faire avec l'ensemble des équipes d'un niveau, en se répartissant les tâches.

• Rencontrer l'équipe des prêtres responsables de la paroisse et les interviewer ; leur identité, leur itinéraire, leur responsabilité, leur vie commune,...

• Rencontrer quelques responsables laïcs et les interviewer sur leur responsabilité.

• Rencontrer quelques religieuses et les interroger sur leur vie communautaire.

• Rencontrer des membres des différents conseils (pastoral, économique).

• Après chaque interview, réaliser un petit fascicule ou journal pour présenter l'équipe que l'on vient de rencontrer.

## 2. UN DIOCÈSE

Trois propositions au choix.

### Proposition 1 : rencontrer l'évêque

• Demander un rendez-vous.

• Préparer en équipe les questions (prévoir un magnétophone pour enregistrer les réponses).

• Faire un compte-rendu de la rencontre.

• En profiter pour visiter l'évêché, la cathédrale, la maison du diocèse.

### Proposition 2 : découvrir un rassemblement diocésain

• Choisir un rassemblement qui a eu lieu récemment.

• Visionner les différents documents audio-visuels qui le concernent.

• Retracer le programme de la journée.

• Rencontrer un des responsables ou un participant.

• Se demander : « Qu'est-ce que je découvre du diocèse à travers ce rassemblement ? »

### Proposition 3 : découvrir le diocèse

En cherchant dans l'annuaire diocésain ou en rencontrant quelques responsables, réaliser une ou plusieurs des activités suivantes.

• Reproduire la carte du diocèse sur un grand panneau et représenter l'organisation des paroisses, des doyennés ou secteurs.

• Découvrir la signification des sigles des services diocésains et des mouvements.

• Retracer les grandes étapes de l'histoire du diocèse.

• Aller à la recherche des saintes et des saints qui ont marqué l'histoire du diocèse.

• Visiter la maison diocésaine, la cathédrale.

# Dieu se dit aux hommes

Avant la venue de Jésus Christ,
Dieu a fait se lever des prophètes.
À travers leur dénonciation des injustices,
ils annoncent que Dieu veut le bonheur de l'homme ;
ainsi ils préparent la venue d'un sauveur.
À Noël, nous accueillons Jésus, Fils de Dieu,
lumière pour tous les peuples.

## RENCONTRE 1 (en deux séances)
« Dieu parle : la voix des prophètes »

## RENCONTRE 2
« Préparez les chemins du Seigneur »

## RENCONTRE 3
« Jésus, lumière pour tous les peuples »

##  Célébration
« Je suis la lumière du monde »

## Caté-découvertes
L'histoire de l'alliance : une histoire mouvementée

## Bibliographie

### RENCONTRE 1
◎ *Points de repère*, n° 192 « Les Prophètes et nous », 2003.
◎ *Points de repère*, n° 154 « Le Dieu des promesses », 1996.
◎ *Cahiers Évangile*, n° 38 (supplément) « Ézéchiel ».
◎ *Cahiers Évangile*, n° 40 (supplément) « Jérémie ».
◎ *Cahiers Évangile*, n° 10 (supplément) « Une première approche de la Bible ».
◎ *Biblia*, n°13 « Les prophètes Amos et Osée ».

### RENCONTRE 2
◎ *Points de repère* Hors Série « Petits et grands fêtons Noël », Spécial Parents.

### RENCONTRE 3
◎ *Points de repère*, n° 198 « Jésus, l'homme des rencontres », 2004.
◎ *Cahiers Évangile*, n° 18 « Les récits de l'enfance de Jésus ».
◎ *Cahiers Évangile*, n° 45 « Les évangiles, origine, date, historicité ».
◎ *Cahiers Évangile*, n°119 « Jésus de Nazareth ».
◎ *Biblia*, n° 24 « Jésus fils de Dieu ».

Éditions CRER • EAUX VIVES

# Lettre aux parents

## Dieu parle-t-il aux hommes ?

« Dieu se dit aux hommes ». Le titre de cette unité, qui nous conduira à travers le temps de l'Avent jusqu'à Noël, peut vous surprendre. En effet, nombre d'entre nous, enfants ou adultes, avons l'impression que Dieu est bien silencieux, sinon absent de ce monde. Confrontés à des problèmes familiaux, sociaux ou économiques, face à la violence, l'insécurité, le chômage, les idéologies destructrices (intégrismes), beaucoup cherchent un sens, attendent une parole libératrice. À qui se fier ? Aux sectes qui promettent un bonheur sans effort et sans liberté ? Aux horoscopes qui prédisent l'avenir ? Aux loteries mirobolantes qui font croire que des millions d'euros peuvent rendre pleinement heureux ?

Face à ces promesses de salut facile, d'autres voix se lèvent, qui n'oublient ni le cœur ni la solidarité. Dans l'Ancien Testament, ce sont les prophètes, des hommes saisis par Dieu ; ils ne prédisent pas l'avenir, mais ils scrutent les événements de leur histoire mouvementée ; ils la découvrent comme le lieu d'un dialogue d'amour entre Dieu et son peuple. Ils s'y engagent résolument, solidaires de leur peuple. Ils ouvrent une véritable espérance et annoncent un avenir de salut offert par Dieu, si du moins l'homme accepte de se convertir et de revenir vers Dieu.

En regardant vivre quelques-uns de ces hommes, des prophètes de l'Ancien Testament (pp. 38 à 40 du livre de votre enfant), mais aussi des témoins d'aujourd'hui (pp. 42 à 43), vous-mêmes, avec votre enfant, êtes invités à entrer dans leur foi profonde, leur combat contre le mal, leur appel à changer de vie, leur vision d'un monde meilleur, qui est à la fois don de Dieu et tâche à accomplir. Ensemble, vous découvrirez un visage surprenant de Dieu : il est un Dieu qui n'en finit pas de reprendre son peuple, mais qui sans cesse lui pardonne ses infidélités ; un Dieu qui se risque avec l'homme, un Dieu qui offre son amour à tous les peuples, le Dieu dont Jésus révélera qu'il est « *Notre Père* ».

Avec Jean-Baptiste, le dernier des prophètes, vous pourrez soutenir votre enfant dans une préparation active de Noël, qui ne soit pas seulement matérielle, mais aussi de cœur (pp. 46 à 48), et accueillir dans la foi, avec les mages (pp. 54-55), Jésus le Christ, vivant pour toujours, lumière pour les hommes de toutes les nations.

Alors Dieu serait-il muet et absent ? Non : la parole des prophètes est très actuelle. Dans un monde où tout n'est pas facile, il y a aussi des hommes, des femmes, des jeunes, des enfants, qui posent des gestes de justice et d'espérance : ils refusent le « chacun pour soi » pour vivre la solidarité avec les plus petits et les souffrants. Certains parmi eux le font sans croire en Dieu, d'autres au nom de leur foi. Ces derniers nous rappellent que Dieu se rend présent à notre vie ; bien plus, Dieu s'est révélé totalement en Jésus Christ, sa Parole vivante. De cette Parole, nous sommes invités, par notre engagement dans le monde, à être les disciples.

# RENCONTRE 1

# Dieu parle : La voix des prophètes

## But de la rencontre

Dieu choisit des prophètes pour se dire au peuple élu. Ces hommes se mettent en route et prennent la parole pour réagir contre la confiance accordée aux faux dieux, certaines alliances politiques, l'exploitation des plus pauvres. À travers leurs paroles et leurs actes, Dieu dit quelque chose de lui-même : il donne la vie, il pardonne, il est fidèle.

La figure prophétique n'est pas la seule qui structure le peuple élu, il est important de ne pas oublier la figure du prêtre et du roi (sage). Notre propre vocation n'est pas seulement prophétique mais aussi royale et sacerdotale. Le peuple de Dieu a un devoir de prière pour le monde.

Un Dieu qui veut que l'homme vive : c'est ce que cette rencontre veut permettre aux enfants de découvrir à travers les prophètes. À leur lumière, ils pourront mettre à jour des situations d'aujourd'hui dans lesquelles des personnes prennent la parole et agissent pour un monde plus conforme à l'Évangile. Ils seront eux-mêmes invités à prendre la parole et à agir.

## Repères pour Animateurs

### 1. Dieu est présent à l'histoire de son peuple

Fidèle à ses promesses, Dieu appelle sans cesse son peuple à vivre. Il lui parle, sa parole est vivante et actuelle : elle se dit au cœur des situations que vit l'homme, réussites ou échecs, joies ou drames. L'histoire est le lieu décisif de la rencontre de Dieu et des hommes. Les croyants la lisent comme une histoire d'amour entre Dieu et son peuple.

### 2. Les prophètes sont présents à l'histoire

Le prophète, attentif à ce qui se passe en son temps, et fidèle à la parole de Dieu, est profondément solidaire de son peuple. Celui-ci vit des moments de fidélité et de ferveur, mais aussi des moments d'oubli de l'alliance : périodes d'orgueil quand il s'installe dans la prospérité, quand il domine ses adversaires ; périodes de désespoir quand Dieu semble l'abandonner (exil, destruction du Temple).

Les paroles et les actes des prophètes (dénonciations des attitudes des puissants, annonces de malheurs, appels à la conversion, paroles d'espérance) sont étroitement liés à ces événements.

## 3. Les prophètes sont des hommes de foi

Le prophète sait que Dieu est fidèle.

• Il se souvient de l'action de Dieu qui a établi son peuple après l'avoir libéré de l'esclavage ; sans cesse, il rappelle l'alliance et ses exigences : faire confiance à Dieu, lui rendre un culte vrai, respecter le pauvre.

• Il est l'homme du présent qui interpelle et réveille le peuple de Dieu : il dénonce les injustices et les infidélités du roi, des prêtres, des riches. Il prend le parti des pauvres et des opprimés.

• Il annonce un avenir où se réaliseront les promesses de Dieu. En proclamant sa fidélité, il décline un message d'espérance : Dieu n'abandonne pas son peuple, il le sauvera et le rassemblera dans la paix.

Dans la Bible, c'est Dieu qui appelle les prophètes. Le plus souvent, ils se jugent inaptes à la mission que Dieu leur confie, mais ils l'acceptent en hommes de foi. Entre eux et Dieu se noue une relation privilégiée, à tel point que les livres prophétiques en font les porte-parole de Dieu. Les expressions bibliques « *Ainsi parle le Seigneur* », « *Oracle du Seigneur* », qui ponctuent leur discours, le signifient bien.

## 4. Aujourd'hui : dimension prophétique de la vie chrétienne

Pour nous chrétiens, la Parole de Dieu s'est incarnée en Jésus : en lui, Dieu se donne, se dit totalement, réalise sa promesse de salut pour tout homme. Le temps des prophètes de l'Ancien Testament est clos.

Pourtant, découvrir les prophètes nous renvoie aujourd'hui à des situations qui ressemblent à celles qu'ils dénonçaient (dans le politique, le religieux, le rapport au pauvre), et à des situations nouvelles (écologie, bioéthique, accompagnement des mourants...). Les chrétiens ont à vivre une dimension prophétique en étant les disciples du Christ : ils ont à se mettre en route, prendre la parole, prendre parti, agir. Des enfants, des jeunes, des adultes, par leurs choix, leurs attitudes, leurs solidarités, mettent en œuvre, dans ce monde, quelque chose du visage de Jésus et de son Évangile.

# RENCONTRE 1

# Dieu parle : La voix des prophètes

## *Première séance*

Il est indispensable de commencer cette unité
par le caté-découvertes de cette unité
afin que les enfants se familiarisent
avec les grands moments de l'histoire de l'alliance.

## NIVEAU 1

### OBJECTIFS
▶ Situer la personne de Jésus dans le temps et dans l'espace.
▶ Découvrir que la venue de Jésus a été annoncée par des hommes : les prophètes.

### MATÉRIEL
📄 Annexe 3 *La vie de Jésus.*
📝 Album 6 *La vie de Jésus.*

 Frise « Parole de Dieu à travers les âges », Éditions CRER.

### CHANT
💿 *Dans les pas de Jésus.*

## DÉROULEMENT

**Qui est Jésus ?**

*Frise « Parole de Dieu à travers les âges » : par trois fois, un cierge pascal est représenté. Cela permet de rappeler que Jésus était déjà présent au début de l'humanité, qu'il a vécu à un moment précis, et qu'il reviendra.
Cf. Repères pour Animateurs n° 1.*

### Étape 1 Qui est Jésus ?

■ Introduire en disant que nous sommes au caté pour devenir des amis (des disciples) de Jésus. Mais qui est cet homme Jésus ?

■ Situer Jésus dans l'espace et le temps :

– Regarder la carte et situer la Palestine (*Cf.* pp. 52-53 du livre de l'enfant).

– Repérer sur la frise « Parole de Dieu à travers les âges » l'époque à laquelle Jésus vivait. Insister sur le fait qu'avant lui des personnes ont vécu ainsi qu'après lui. Chercher les trois croix sur la frise pour montrer que Jésus le Christ était déjà présent à la création, qu'il a vécu une vie d'homme, qu'il est mort sur une croix, et qu'il est encore présent aujourd'hui.

## Étape 2  La vie de Jésus

■ Raconter en quelques mots des moments choisis de la vie de Jésus : Naissance de Jésus ; Baptême de Jésus ; Appel des disciples ; Guérison du paralytique ; Zachée ; la Cène ; Mort de Jésus sur une croix ; Résurrection. Pour raconter, s'aider des illustrations de l'Annexe 3 *La vie de Jésus*. Les présenter au fur et à mesure et les poser autour de la silhouette de Jésus.

■ Mélanger ensuite les illustrations et ajouter les titres. Les enfants doivent maintenant faire correspondre le dessin et le titre. Coller le tout sur une feuille du cahier d'équipe.

■ Les inviter à raconter avec leurs propres mots ces différents moments de la vie de Jésus.

■ Donner aux enfants l'Album 6 *La vie de Jésus* et les inviter à écrire leur prénom sur la silhouette de l'enfant pour signifier qu'ils veulent bien suivre Jésus.

■ Conclure en montrant à partir de la frise « Parole de Dieu à travers les âges », que des hommes ont annoncé la venue de Jésus : les prophètes. Repérer Amos, Osée et Ézéchiel.

**3**

**6**

*Les références bibliques*
*Naissance de Jésus (Lc 2,1-7)*
*Baptême de Jésus*
*(Mt 3,13-17)*
*Appel des disciples*
*(Mt 4,18-22)*
*Guérison d'un paralytique*
*(Mt 9,1-8)*
*Zachée (Lc 19,1-10)*
*La Cène (Mt 26,26-29)*
*Mort de Jésus sur une croix*
*(Mt 27,32-56)*
*La Résurrection (Mt 28,1-8).*

**Mélanger les illustrations**
*autour de la silhouette de Jésus. Ne pas les mettre dans un ordre chronologique. Ce sont plutôt des « flashes » sur la vie de Jésus.*
*Cf. Repères pour Animateurs n° 2 et 3.*

## Étape 3  Prière

■ Ouvrir le cahier d'équipe à la page réalisée au cours de la rencontre.

■ Faire le signe de la croix en se rappelant que Jésus est mort sur une croix.

■ À partir de l'Album 6, les enfants choisissent un moment de la vie de Jésus découvert ensemble. Ils proclament le titre ou la phrase de l'illustration.

■ Dire ensemble une prière : *Jésus nous te disons merci. Tu es venu chez nous et tu as vécu comme nous : tu es né, tu as grandi, tu as rencontré beaucoup de personnes à qui tu redonnais espérance et vie.*
*Ouvre nos cœurs et nos oreilles pour découvrir que les prophètes ont annoncé ta venue.*

■ Chanter : *Dans les pas de Jésus.*

**6**

*Cf. Fiche « Prier avec les enfants de 8-11 ans » p. 237.*

*Cf. Repères pour Animateurs n° 4.*

# RENCONTRE 1

# Dieu parle : La voix des prophètes

## Première séance

Il est indispensable de commencer cette unité par le caté-découvertes de cette unité afin que les enfants se familiarisent avec les grands moments de l'histoire de l'alliance.

## NIVEAU 2

> **OBJECTIFS**
> ▶ Faire connaissance avec des prophètes, porte-parole de Dieu dans l'histoire.
> ▶ Découvrir ce que Dieu dit de lui-même à travers les prophètes.
> ▶ Se sentir concerné par les messages des prophètes aujourd'hui.

### MATÉRIEL

〰 Frise « Parole de Dieu à travers les âges », Éditions CRER.

〰 Une enveloppe et un message par enfant.

▢ Album 7 *Dieu choisit des prophètes.*

▤ Annexe 4 *Joue avec les prophètes.*

### CHANT

◉ *Les couleurs vives de ton Alliance.*

## DÉROULEMENT

Cf. *Repères pour Animateurs n° 3 et 4.*

### Des messages

• Dieu aime tous les hommes et prend le parti des pauvres.

• Dieu est fidèle et pardonne toujours.

• Dieu donne la vie.

### Point d'attention

Dieu donne son pardon à condition que l'homme accueille ce pardon par la conversion.

### Des questions pour mener l'enquête

• Au nom de qui ces trois personnages parlent-ils ? Écrire dans chaque bulle leur message.

• À qui s'adressent-ils ?

### Étape 1  Proclamer un message

■ Chaque enfant reçoit une enveloppe contenant un message. Chacun le lit silencieusement.

■ On s'interroge : *D'ou viennent ces messages ? Qui les a entendus avant nous ? À qui ont-ils été adressés ? Et, peuvent-ils s'adresser à nous encore aujourd'hui ?*

■ Avant de mener l'enquête, en équipe, chacun proclame son message devant le groupe.

### Étape 2  Mener l'enquête des prophètes

■ Ouvrir le livre de l'enfant pp. 38-40. Dans ces pages se trouvent peut-être les messages proclamés. Proposer aux enfants de mener une enquête pour identifier ces messages.

■ Choisir de regarder une seule histoire racontée dans les pages du livre, ou bien les trois histoires l'une après l'autre.

■ Après avoir lu l'histoire, ensemble, les enfants conduisent l'enquête avec l'Album 7 *Dieu choisit des prophètes.*

▢ 7

■ Mettre en commun les indices trouvés dans les trois histoires.

L'animateur précise alors que les personnes découvertes : Amos, Jérémie, et Ézéchiel, sont des prophètes ; c'est Dieu qui les appelle pour parler, en son nom, à tous les gens de leur époque.

■ Pour avancer dans l'enquête, demander aux enfants de découvrir à quelles époques vivaient ces prophètes.

■ Ouvrir le livre de l'enfant pp. 58-59. Regarder la frise ; regarder aussi la carte pour situer les lieux. On peut aussi se servir de la frise « Parole de Dieu à travers les âges ».

*Écrire sur la foule de l'Album : le peuple d'Israël.*

## Étape 3 Être prophète ?

■ Ouvrir le livre de l'enfant p. 41 : « Joue avec les prophètes ». Chercher ensemble les réponses aux définitions des mots croisés, pour découvrir ce qu'est un prophète.

**4**

**7**

■ Sur le cahier, écrire le titre de la rencontre et coller l'Album 7. Écrire une définition du prophète découverte dans les mots croisés : *Le prophète est le porte-parole de Dieu, il rappelle toujours l'alliance que Dieu a conclu avec son peuple.*

■ Relire ensemble les trois messages écrits sur l'Album, prononcés par Amos, Jérémie et Ézéchiel. Chacun retient un mot ou une phrase parmi ces messages.

■ Sur l'Album, écrire le message que chacun aujourd'hui entend à travers les prophètes.

### Ne pas confondre
*Les prophètes ne sont pas des diseurs de bonne aventure.*
*Ils ne prédisent pas l'avenir.*
*Ils sont des hommes de foi qui parlent au nom de Dieu.*

*Cf. Repères pour Animateurs n° 1 et 2.*

### Messages des prophètes
• *Dieu aime tous les hommes et prend le parti des pauvres (Amos).*
• *Dieu est fidèle et pardonne toujours (Jérémie).*
• *Dieu donne la vie (Ézéchiel).*

## Étape 4 Prière

■ Se préparer à prier en choisissant une position du corps qui convient à chacun. Écouter le chant : *Les couleurs vives de ton alliance.* Apprendre le refrain.

■ Mettre en valeur une Bible ouverte à la page des prophètes, ouvrir aussi le livre de l'enfant pp. 38-39 ; l'animateur propose de se tourner ensemble vers Dieu pour le prier.

■ Il introduit la prière : *Dieu, tu as appelé des prophètes, il y a très longtemps pour qu'ils disent à tous que tu veux le bonheur des hommes ; ils ont proclamé des messages pour qu'ils changent leur vie.* Laisser un instant de silence.

■ Les enfants proclament les messages qu'ils ont découverts en annonçant le nom du prophète. *Amos, tu as dit : Ne faites pas de mal aux petits. Jérémie, tu as dit : Tous connaîtront Dieu, des plus petits jusqu'aux plus grands. Ézéchiel, tu as dit : j'enlèverai votre cœur de pierre et je vous donnerai un cœur de chair.*

■ Ensemble, avec l'animateur, les enfants disent cette phrase : *Ces trois prophètes, Amos, Jérémie, Ézéchiel, annoncent la venue de Jésus.*

■ L'animateur ajoute : *Ces porte-parole de Dieu nous parlent aussi aujourd'hui. Leurs messages nous concernent tous.*

■ Les enfants qui le souhaitent proclament le message écrit sur leur Album et qui les concerne aujourd'hui.

■ Terminer la prière en chantant le refrain : *Les couleurs vives de ton Alliance.*

*Cf. Fiche « Prier avec les enfants de 8-11 ans » p. 237.*

# RENCONTRE 1

# Dieu parle : La voix des prophètes

## Première séance

Il est indispensable de commencer cette unité par le caté-découvertes de cette unité afin que les enfants se familiarisent avec les grands moments de l'histoire de l'alliance.

## NIVEAU 3

**OBJECTIFS**
▸ Faire connaissance avec des prophètes, porte-parole de Dieu dans l'histoire.
▸ Découvrir ce que Dieu dit de lui-même à travers les prophètes.
▸ Se sentir concerné par les messages des prophètes aujourd'hui.

### MATÉRIEL
 Des revues et des articles d'actualité.
Album 7 *Dieu choisit des prophètes.*

 Annexe 4 *Joue avec les prophètes.*

### CHANT
 *Nous levons les yeux vers ta lumière.*

## DÉROULEMENT

*Cf. Repères pour Animateurs n° 1 et 2.*

**Ne pas confondre**
*Les prophètes ne sont pas des diseurs de bonne aventure.*
*Ils ne prédisent pas l'avenir.*
*Ils sont des hommes de foi qui parlent au nom de Dieu.*

**Messages des prophètes**
• *Dieu aime tous les hommes et prend le parti des pauvres (Amos).*
• *Dieu est fidèle et pardonne toujours (Jérémie).*
• *Dieu donne la vie (Ézéchiel).*

### Étape 1   Des porte-parole de Dieu

■ Ouvrir le livre de l'enfant pp. 38-40. Séparer le groupe d'enfants en trois, chaque groupe mène l'enquête pour découvrir l'un des trois personnages. Donner à chaque enfant l'Album 7 *Dieu choisit des prophètes.*

**7** ■ Pour chaque personnage, le groupe d'enfants précise :
– à quelle époque vivait-il ?(frise pp. 58-59 du livre de l'enfant) ;
– au nom de qui parlent-ils ?
– à qui adressent-ils leur message ?
– quel est leur message et que dénonce-t-il ?

■ Noter les indices trouvés dans les bulles vides : « Je parle au nom de... » ; « Je dénonce... » ; « Voici mon message... ».

■ Pour conclure la découverte de ces prophètes, porte-parole de Dieu, l'animateur exprime ce que Dieu révèle de lui-même à travers les messages des trois prophètes. Les enfants l'écrivent sur leur cahier.

## Étape 2  Être prophète ?

■ Ouvrir le livre de l'enfant p. 41. Découvrir ce qu'est un prophète en réalisant les mots croisés. Chercher ensemble ou laisser chaque enfant découvrir à son rythme.

■ Écrire sur le cahier une phrase qui contient les deux mots découverts dans les mots croisés (Porte-parole de Dieu et Alliance).

**4**   Cf. *Repères pour Animateurs n° 3.*

## Étape 3  Des messages pour nous aujourd'hui

Cf. *Repères pour Animateurs n° 4.*

■ Feuilleter des revues d'actualité pour y découvrir des hommes et des femmes qui dénoncent aujourd'hui encore des situations d'injustice et de souffrance. Coller une de ces photos ou écrire une de ces situations sur l'espace « aujourd'hui » de l'Album 7.

**7**

## Étape 4  Prière

■ L'animateur et les enfants se regroupent dans l'espace prière avec leur livre.

■ Introduire la prière avec le chant : *Nous levons les yeux vers ta lumière* (refrain).

■ L'animateur et les enfants prient : *Seigneur, nous levons les yeux vers ta lumière et nous allons écouter les messages des prophètes que tu as appelés.* Lire lentement les textes d'Amos, de Jérémie et d'Ézéchiel, pp. 38-40.

■ L'animateur poursuit ainsi la prière :  *Seigneur, nous nous tournons vers toi, change le cœur des hommes aujourd'hui encore, pour qu'ils dénoncent le mal et la souffrance, comme Amos, Jérémie, Ézéchiel.*

■ Écouter les prières lues au cours du chant : *Nous levons les yeux vers ta lumière.*

■ Les enfants qui le souhaitent expriment maintenant la situation d'injustice d'aujourd'hui, écrite sur leur Album.

■ L'animateur propose de se donner la main pour signifier que c'est ensemble que nous entendons ces messages de Dieu, c'est ensemble que nous essayerons de les vivre.

■ Formant cette chaîne avec les mains, chanter le refrain : *Nous levons les yeux vers ta lumière.*

**Remarque**
*Prévoir un temps conséquent pour la prière.*

Cf. *Fiche « Prier avec les enfants de 8-11 ans p. 237.*

# RENCONTRE 1

# Dieu parle : La voix des prophètes

## Deuxième séance

### NIVEAU 1

OBJECTIFS
▸ Comprendre le sens du mot prophète.
▸ Faire connaissance avec un prophète.
▸ Être concerné par les messages des prophètes aujourd'hui.

### MATÉRIEL

≋ Album 7 *Dieu choisit des prophètes*.

≋ Frise « Paroles de Dieu à travers les âges », Éditions CRER.

### CHANT

💿 *Les couleurs vives de ton Alliance*.

## DÉROULEMENT

**Les messages à proclamer**
• *Ne faites pas de mal aux petits.*
• *Tous connaîtront Dieu, des plus petits jusqu'aux plus grands.*
• *J'enlèverai votre cœur de pierre et je vous donnerai un cœur de chair.*

Cf. *Repères pour Animateurs n° 3.*

*L'animateur choisira de présenter un ou trois prophètes, selon son équipe d'enfants.*

Cf. *Repères pour Animateurs n° 1 et 2.*

**Ne pas confondre**
*Les prophètes ne sont pas des diseurs de bonne aventure.*
*Ils ne prédisent pas l'avenir.*
*Ils sont des hommes de foi qui parlent au nom de Dieu.*

### Étape 1 Proclamer un message

■ Chaque enfant reçoit une enveloppe contenant un message. Chacun le lit silencieusement.

■ On s'interroge. *D'où viennent ces messages ? Qui les a entendus avant nous ? À qui ont-ils été adressés ? Et, peuvent-ils s'adresser à nous encore aujourd'hui ?*

■ Avant de mener l'enquête, en équipe, chacun proclame son message devant le groupe.

### Étape 2 Mener l'enquête des prophètes

■ Ouvrir le livre de l'enfant pp. 38-40. Dans ces pages se trouvent peut-être les messages proclamés. Proposer aux enfants de mener une enquête pour identifier ces messages.

■ Choisir de regarder une seule histoire racontée dans les pages du livre, ou bien les trois histoires l'une après l'autre.

■ Après avoir lu l'histoire, ensemble, les enfants conduisent l'enquête avec l'Album 7 *Dieu choisit des prophètes*.

7

■ Mettre en commun les indices trouvés dans les trois histoires. L'animateur précise alors que les personnes découvertes : Amos, Jérémie, et Ézéchiel, sont des prophètes ; c'est Dieu qui les appelle pour parler, en son nom, à tous les gens de leur époque.

■ Pour avancer dans l'enquête, demander aux enfants de découvrir à quelles époques vivaient ces prophètes.

■ Ouvrir le livre de l'enfant pp. 58- 59. Regarder la frise ; regarder aussi la carte pour situer les lieux. On peut aussi se servir de la frise « Parole de Dieu à travers les âges ».

## Étape 3  Et nous aujourd'hui

■ Relire ensemble les trois messages écrits sur l'Album, prononcés par Amos, Jérémie et Ézéchiel. Chacun retient un mot ou une phrase parmi ces messages.

■ Relier ces messages avec des faits et des paroles de l'actualité.

■ Sur l'Album 7, écrire le mot ou la phrase choisi, parmi les messages dans l'encadré « aujourd'hui ».

■ Se reporter à la rencontre précédente : *Qui avons-nous découvert ?* Situer à nouveau Jésus sur la frise du temps, ainsi que ces trois prophètes (livre de l'enfant pp. 58-59).

## Étape 4  Prière

■ Se préparer à prier en choisissant une position du corps qui convient à chacun et faire le signe de croix. Écouter le chant : *Les couleurs vives de ton Alliance.* Apprendre le refrain.

■ Mettre en valeur une Bible ouverte à la page des prophètes, ouvrir aussi le livre de l'enfant aux pp. 38-39 ; l'animateur propose de se tourner ensemble vers Dieu pour le prier.

■ Il introduit la prière : *Dieu, tu as appelé des prophètes, il y a très longtemps pour qu'ils disent à tous que tu veux le bonheur des hommes ; ils ont proclamé des messages pour qu'ils changent leur vie.* Laisser un instant de silence.

■ Les enfants proclament les messages qu'ils ont découverts en annonçant le nom du prophète : *Amos, tu as dit : Ne faites pas de mal aux petits. Jérémie, tu as dit : Tous connaîtront Dieu, des plus petits jusqu'aux plus grands. Ézéchiel, tu as dit : J'enlèverai votre cœur de pierre et je vous donnerai un cœur de chair.*

■ Reprendre le refrain du chant.

■ Ensemble, avec l'animateur, les enfants disent ensuite cette phrase : *Ces trois prophètes, Amos, Jérémie, Ézéchiel, annoncent la venue de Jésus.*

■ L'animateur poursuit ainsi la prière : *Jésus, toi qui es venu à la suite des prophètes, change le cœur des hommes, aujourd'hui encore, pour qu'ils aient le courage de dénoncer les injustices et construire un monde où chacun a sa place.*

■ Reprendre le refrain.

■ Faire ensemble le signe de croix.

*Les questions pour mener l'enquête*
• *Au nom de qui ces trois personnages parlent-ils ? Écrire dans chaque bulle leur message.*
• *À qui s'adressent-ils ? Écrire sur la foule de l'Album : Le peuple d'Israël.*

**7**

*L'animateur apportera des revues et articles de l'actualité.*

Cf. *Repères pour Animateurs n° 4.*

Cf. *Fiche « Prier avec les enfants de 8-11 ans »* p. 237.

# RENCONTRE 1

# Dieu parle : La voix des prophètes

## Deuxième séance

## NIVEAU 2

**OBJECTIFS**
▸ Découvrir des hommes et des femmes qui aujourd'hui parlent et agissent comme des prophètes.
▸ Être invité à témoigner de l'amour de Dieu et de sa justice auprès des autres.

**MATÉRIEL**

Album 7 *Dieu choisit des prophètes.*

Un carton de couleur par enfant (format 10 x 15 cm).

**CHANT**

*Les couleurs vives de ton Alliance.*

## DÉROULEMENT

**À la suite des prophètes**
*Chacune des personnes là où elle est, agit pour donner une vie plus heureuse, autour d'elle. Elle agit au nom de sa foi en Dieu, comme les prophètes.*

*Cf. Repères pour Animateurs n° 4.*

### Étape 1  À la suite des prophètes

■ Ouvrir le livre de l'enfant pp. 42-43. Regarder et commenter les images à l'aide des textes.

■ Se rappeler avec le cahier de l'enfant, le nom des trois prophètes de l'Ancien Testament. Se redire leur message. *Quels liens pouvons-nous faire entre les témoins d'aujourd'hui, et les trois prophètes ?* (Ils dénoncent toujours l'injustice et le mal).

### Étape 2  Dieu invite à agir et parler aujourd'hui

■ Ouvrir le livre de l'enfant p. 36. Regarder les images. Lire les lignes du bas de la page. Faire le lien entre le texte et les images : *Que font ces personnes ? Que dénoncent-elles ?*

■ Proposer à chaque enfant de feuilleter les pages du livre de l'enfant découvertes depuis le début de l'année et de choisir une photo ou un dessin qui, pour lui, montre des personnes qui agissent ou parlent comme des prophètes. (Ils agissent, seul ou ensemble, pour secourir les hommes qui souffrent…)

■ Chacun partage son choix à l'équipe. Sur le cahier, écrire le titre de la rencontre et dessiner la situation choisie.

## Étape 3  Et moi, aujourd'hui ?

■ À la suite de ces nombreux prophètes et témoins, inviter chaque enfant à regarder ce qu'il vit aujourd'hui. *Es-tu, toi aussi, pour une part, acteur et porte-parole de Dieu ? Peux-tu choisir une situation où tu as été acteur ?*

■ Laisser le temps aux enfants de « relire » ce qu'ils vivent, à l'école, en famille, avec leurs copains. Remettre un petit carton de couleur à chaque enfant. Il complète la phrase et colle ce carton dans son cahier.

**Préparation des cartons**
*L'animateur écrit avant la rencontre la phrase « Moi aussi, à la suite des prophètes je deviens un porte-parole de Dieu quand... ».*

## Étape 4  Prière

■ Se préparer à la prière en écoutant les paroles du chant : *Les couleurs vives de ton Alliance.* Chanter le refrain.

■ Proclamer les paroles des trois prophètes, lues dans le livre de l'enfant pp. 38-40.

■ L'animateur poursuit la prière : *Ces porte-parole de Dieu ont rappelé ce qui est pour Dieu toujours le plus important : c'est l'Alliance et l'Amour de Dieu pour son peuple.* Laisser un temps de silence.

■ *Et nous, aujourd'hui, nous sommes des porte-parole de Dieu.* Inviter ceux qui le souhaitent à confier au Seigneur les situations écrites sur leurs cartons.

■ Terminer ce temps de prière par le refrain du chant.

Cf. *Fiche « Prier avec les enfants 8-11 ans » p. 237.*

# RENCONTRE *1*

# Dieu parle : La voix des prophètes

## *Deuxième séance*

**NIVEAU 3**

---

**OBJECTIFS**

▸ Découvrir des hommes et des femmes qui aujourd'hui parlent et agissent comme des prophètes.

▸ Être invité à témoigner de l'amour de Dieu et de sa justice auprès des autres.

---

**MATÉRIEL**

 Une grande feuille format 42 x 65 cm.

**CHANT**

 *Nous levons les yeux vers ta lumière.*

---

## DÉROULEMENT

### Étape 1 À la suite des prophètes

*À la suite des prophètes*
*Chacune des personnes là où elle est, agit pour donner une vie plus heureuse, autour d'elle. Elle agit au nom de sa foi en Dieu, comme les prophètes.*

■ Ouvrir le livre de l'enfant pp. 42-43. Regarder et commenter les images à l'aide des textes.

■ Se rappeler avec le cahier de l'enfant, le nom des trois prophètes de l'Ancien Testament. Redire leur message. *Quels liens pouvons-nous faire entre les témoins d'aujourd'hui, et les trois prophètes ?* (Ils dénoncent toujours l'injustice et le mal).

### Étape 2 Dieu invite à agir et parler aujourd'hui

Cf. *Repères pour Animateurs n° 4.*

■ Ouvrir le livre de l'enfant p. 36. Regarder les images et lire en bas de la page. Établir des liens entre les images et les textes. *Que font ces personnes ? Est-ce que ce sont des photos d'aujourd'hui ?* Faire des liens avec les découvertes de la rencontre précédente concernant l'actualité.

• Lire p. 37. la biographie de Martin Luther King, à droite de sa photo.

Nous découvrons un témoin, qui, comme les prophètes, a dénoncé les injustices pour les gens de son pays. La lecture de cette page permet de noter sur le cahier de l'enfant :

– le nom de ce témoin,

– le lieu et la date de sa naissance,

– ce qu'il combat,

– deux « victoires » acquises par son combat,

– les circonstances de sa mort.

### Étape 3   *I have a dream* : Je fais un rêve

■ Après avoir découvert Martin Luther King, lire ensemble à la p. 37 du livre de l'enfant son discours « *I have a dream* ».

■ Laisser les enfants débattre à partir de ce rêve : *de quel monde rêvons-nous aujourd'hui ? Quels sont les combats que les adultes, autour de nous, mènent pour qu'il y ait moins de souffrance parmi les hommes, les femmes et les enfants ?*

■ Noter les différentes expressions sur une grande feuille : « Nous faisons aujourd'hui le rêve… ». Les enfants signent cette feuille s'ils le souhaitent, en signe d'adhésion aux combats menés.

### Étape 4   Et moi, aujourd'hui ?

■ L'animateur aide les enfants à ressaisir les découvertes faites au cours de cette séance et la précédente, en parcourant l'Album 7.

■ *Et nous, aujourd'hui, en équipe, pouvons-nous décider d'une action commune ? Nous mènerions cette action pour devenir acteurs, comme les prophètes et les témoins d'aujourd'hui, et aider autour de nous les personnes à vivre mieux.*

■ Il s'agit de décider d'une action réalisable par l'équipe. Le choix sera guidé par l'animateur, en fonction des possibilités locales. L'action choisie sera écrite sur le cahier de chaque enfant avec ce titre : « Aujourd'hui encore, Dieu appelle des témoins, nous décidons d'agir à la manière des prophètes… ».

### Étape 5   Prière

■ Se regrouper dans l'espace prière. Chacun choisit une attitude (assis sur une chaise ou par terre, à genoux ou debout…). Chanter le refrain : *Nous levons les yeux vers ta lumière, Notre Père écoute nos prières.*

■ L'animateur prie avec les enfants : *Seigneur, écoute nos prières. Nous te remercions d'appeler des personnes qui parlent et agissent à la manière des prophètes. Nous avons découvert au caté Martin Luther King, qui a combattu pour que les personnes noires aient les mêmes droits que les blancs.*

■ Prendre ici un temps de silence et inviter ensuite les enfants à donner les prénoms et les noms de personnes connues qui, pour eux, agissent comme des témoins et des prophètes.

■ Se mettre tous debout pour poursuivre la prière. Chanter le refrain. L'animateur poursuit la prière : *Notre Père, être debout, c'est pour nous le signe que, nous aussi, nous acceptons d'être appelés par toi pour être témoins et prophètes. Nous tournons nos yeux et nos cœurs vers ta lumière. Éclaire-nous, que nous soyons courageux, pour réaliser l'action que nous avons choisie en équipe. Que des personnes soient disponibles pour nous y aider.* (Un enfant ou plusieurs redisent l'action choisie auparavant.)

■ Chanter, pour clore ce temps de prière.

---

**Rêver ?**

*Il ne s'agit pas de n'importe quel rêve.*
*Le rêve de Martin Luther King et l'espérance des prophètes les transportent dans un monde renouvelé à réaliser. En proposant aux enfants de rêver à un monde meilleur, on leur permettra de regarder ce qu'ils vivent et d'exprimer des attentes profondes capables de les mobiliser.*

**Pour une action locale**

*Pour la réalisation de l'action choisie par l'équipe, l'implication de l'animateur est essentielle. Ce sera une façon de témoigner, près des enfants, de sa foi en Dieu.*

**Quelques pistes pour agir**

• *Se documenter auprès des associations caritatives.*
• *S'informer des initiatives locales.*
• *Vivre ces actions avec d'autres équipes ou d'autres mouvements paroissiaux.*

*Cf. Fiche « Prier avec les enfants de 8-11 ans » p. 237.*

# Annexe 3

# La vie de Jésus

Naissance de Jésus

Baptême de Jésus

Appel des disciples

Guérison d'un paralytique

La Résurrection

Mort de Jésus sur une croix

La Cène

Zachée

# Annexe 4

# Joue avec les prophètes

Réponses aux mots croisés présentés dans le livre de l'enfant p. 41.

|  | A |  |  | B |  |  | A |  |
|---|---|---|---|---|---|---|---|---|
| I | P | E | T | I | T | ■ | N | E |
| II | O | R | ■ | M | O | I | S | E |
| III | R | I | O | ■ | O | S | E | E |
| IV | T | U | ■ | P | H | A | R | E |
| V | E | Z | E | C | H | I | E | L |
| VI | P | A | R | O | L | E | ■ | ■ |
| VII | ■ | A | M | O | S | ■ | T | ■ |
| VIII | ■ | J | E | R | E | M | I | E |

# RENCONTRE 2

# Préparez les chemins du Seigneur

## But de la rencontre

Les enfants font l'expérience de l'attente et de la préparation. Pour donner de l'importance à un événement, par exemple un anniversaire, on s'y prépare, matériellement, psychologiquement, spirituellement. En s'appuyant sur cette expérience, les enfants pourront découvrir que la venue de Jésus ne se fait pas sans préparation. Dernier des prophètes, Jean-Baptiste est le prophète de l'urgence : il invite les gens à se convertir pour accueillir le Messie ; ils seront prêts à suivre Jésus, Parole de Dieu.

Nous voulons aider les enfants à vivre l'Avent comme ce temps de la préparation joyeuse à l'accueil de Jésus dans leur vie.

## Repères pour Animateurs

### 1. Dans la lignée des prophètes

« *Au terme de lignée des prophètes, Jean-Baptiste prépare la venue de Jésus en ouvrant les cœurs* » (*Catéchisme pour adultes* n° 159). Auprès de leur peuple, les prophètes ont été les porte-parole de Dieu, dénonçant les situations injustes, proclamant la fidélité de Dieu et annonçant le salut. Jean-Baptiste, le dernier des prophètes de l'Ancien Testament, oriente les regards vers celui qui réalise cette promesse de salut, celui qui est lui-même la Parole de Dieu.

### 2. Jean-Baptiste prêche au désert

Le désert est une terre aride, un lieu inhabité. Dans l'événement fondateur du peuple de Dieu (la libération d'Égypte avec Moïse), le désert est un passage : passage de l'esclavage à la liberté, passage d'un pays où on ne possède rien à une terre, don de Dieu, où coulent le lait et le miel. Ce fut un temps d'épreuve pour le peuple de Dieu : il y a vécu des infidélités ; ce fut un temps de gloire pour Dieu, car là s'est manifestée sa miséricorde.

Plus tard, on a fait mémoire de cette expérience du peuple de Dieu : dans le désert, il a été appelé à se convertir et à faire confiance à son Dieu. Le désert devient lieu de ressourcement (voir par exemple le prophète Élie en 1 R 19).

C'est dans le désert que Jean proclame son message de conversion : ceux qui viennent à lui pour le baptême de pénitence, il les renvoie à leurs activités, en leur demandant de les vivre de manière nouvelle, pour se préparer à accueillir le Messie.

## 3. Jean-Baptiste est le prophète de l'urgence

Le moment attendu est venu : « *Le règne de Dieu est proche* » (Mc 1,15). Il faut se préparer à vivre le temps de la fête, à accueillir celui qui sauve. Pour cela, il est nécessaire de faire de la place dans sa vie, de la réorienter pour être prêt : c'est le temps de la conversion.

## 4. Jésus, le Messie

« Messie » est un mot hébreu qui signifie « Oint du Seigneur » : celui qui a reçu l'onction en vue d'une mission. Le mot « Christ » (grec) a le même sens. Dans l'Ancien Testament, c'est le titre des rois, qui sont consacrés par l'onction pour conduire le peuple de Dieu (David). Avec les prophètes, dans l'épreuve de l'exil, cette image du Messie s'approfondit : alors se creuse l'attente d'un Messie venant de Dieu, un roi idéal qui sauvera non seulement Israël, mais tous les peuples de la terre. Jean-Baptiste désigne Jésus : il est le Messie-Sauveur, qui donne la vraie vie (*Pierres Vivantes* p. 39) ; celui en qui Dieu se dit totalement, son Fils unique.

# RENCONTRE 2

# Préparez les chemins du Seigneur

## NIVEAU 1

**OBJECTIFS**
▸ Se préparer à vivre Noël.
▸ Découvrir le personnage et la mission de Jean-Baptiste qui désigne Jésus comme le Messie.

**MATÉRIEL**

≋ Frise « Parole de Dieu à travers les âges » Éditions CRER.

▢ Album 5 *Calendrier liturgique*.

▢ Album 8 *La lampe de l'Avent*.

▢ Annexe 5 *Préparez les chemins du Seigneur*.

**CHANT**

◉ *Nous levons les yeux vers ta lumière*.

## DÉROULEMENT

### Étape 1  Se préparer

**Se préparer**
*Il s'agit de faire apparaître un double aspect : préparer des choses matérielles (gâteau, bougies, pour un anniversaire) et préparer son cœur, son être (vouloir participer, accueillir les autres). Les enfants s'ouvriront ainsi au sens de « Préparez les chemins du Seigneur ».*

■ Ouvrir le livre de l'enfant p. 46. Inviter les enfants à découvrir les moments de la vie représentés dans les dessins.

■ Demander à l'équipe d'évoquer une situation d'attente (personnelle ou de l'équipe).

■ Repérer ce qui est nécessaire pour vivre une attente.

### Étape 2  Se préparer à Noël : l'Avent

■ Regarder la p. 48 du livre de l'enfant. Décrire l'illustration en cherchant ce que font les personnes pour se préparer à Noël.

■ Donner le sens de l'Avent en lisant sur la p. 50 du livre de l'enfant « C'est le moment… ».

■ Colorier en violet le temps de l'Avent sur l'Album 5 *Calendrier liturgique*.

**L'Avent**
*Le temps de l'Avent, que l'Église propose chaque année, est un temps privilégié pour se convertir et pour se préparer à la fête de Noël qui approche.
Il ne s'agit pas seulement de découvrir le sens de l'Avent mais de le vivre. Les enfants sont invités à réaliser en famille la lampe de l'Avent qui les guidera vers Noël (Cf. Étape 4).*

### Étape 3  Jean le Baptiste ?

■ Introduire en précisant que, dans ce temps de l'Avent, nous, les chrétiens, nous sommes invités par le dernier des prophètes, Jean le Baptiste, à nous préparer à accueillir Jésus Christ. Qui est Jean le Baptiste ? Quel est son message ?

■ Situer Jean le Baptiste sur la frise soit de la p. 59 du livre de l'enfant, soit de « Parole de Dieu à travers les âges ».

■ Lire la bande dessinée de la p. 47 du livre de l'enfant. Relever le contenu du message de Jean le Baptiste : « Préparez les chemins du Seigneur : convertissez-vous » et aussi « Voici celui qui vient de la part de Dieu. Suivez-le ».

■ À l'aide de l'Annexe 5 *Préparez les chemins du Seigneur* se remémorer l'histoire et les messges de Jean le Baptiste : présenter les silhouettes et les bulles, découpées, au fur et à mesure de l'histoire.

5

■ Pour découvrir avec les enfants ce que signifie « se convertir », proposer de vivre, avec le corps, un mouvement de retournement, de conversion.

Les enfants se mettent debout, les inviter à marcher dans la même direction, et, au signal : « Convertissez-vous ! » à se retourner rapidement.

Ainsi, le lien entre ce mouvement de retournement et cette expression « se convertir » est réalisé.

■ *Jean le Baptiste nous appelle à la conversion : c'est pour suivre Jésus.*

## Étape 4  Prière

■ Demander aux enfants ce qui est nécessaire pour se préparer à la prière : une bougie, une croix, une image du Christ, une Bible, mais aussi le silence, un chant, et être prêt à écouter… Aménager ensemble le lieu pour la prière.

■ Faire le signe de croix.

■ Chanter : *Nous levons les yeux vers ta lumière.*

■ Dire ensemble la prière p. 50 du livre de l'enfant.

■ Remettre à chaque enfant l'Album 8 *La lampe de l'Avent* (on pourra proposer aux enfants de la fabriquer sur place en équipe ou de la faire chez eux en famille).

8

*Se convertir*
*Ce n'est pas seulement faire des efforts, c'est aussi se confier à Dieu pour qu'il donne son Souffle : c'est l'Esprit Saint qui donne la vie nouvelle.*

Cf. *Repères pour Animateurs n° 1, 2, 3 et 4.*

Cf. *Fiche « Prier avec les enfants de 8-11 ans » p. 237.*

*Attendre Noël*
*C'est accueillir l'Esprit de Dieu dans nos vies. C'est laisser Dieu agir. C'est aussi, dans la prière, ouvrir notre cœur et notre intelligence à cette action de Dieu.*

# RENCONTRE 2

# Préparez les chemins du Seigneur

## NIVEAU 2

**OBJECTIFS**
▸ Vivre un temps de silence.
▸ Découvrir Jean-Baptiste et son message.
▸ Situer l'Avent, un temps privilégié d'attente et de préparation.

**MATÉRIEL**

≋ Une grande feuille de papier (42 x 29,7 cm minimum).

≋ Frise « Parole de Dieu à travers les âges » Éditions CRER.

Album 5 *Calendrier liturgique*.

Album 8 *La lampe de l'Avent*.

Annexe 5 *Préparez les chemins du Seigneur*.

**CHANT**

Nous levons les yeux vers ta lumière.

## DÉROULEMENT

### Étape 1  Expérience du silence

■ Écrire le mot « Silence » sur la grande feuille (qui sera complétée tout au long de la rencontre).

■ Proposer à chaque enfant de vivre un temps de silence. Ils peuvent s'isoler ou rester en silence quelques instants sur place.

■ Pendant ce temps les enfants observent en silence la photo de la p. 45 de leur livre.

■ Après ce temps de silence, revenir ensemble sur l'expérience vécue : est-ce difficile ? Qu'ont-ils ressenti ? Vivent-ils parfois cette expérience dans leur vie ?

### Étape 2  Jean le Baptiste

**Le Désert**
*On invitera les enfants à entrer dans la symbolique du désert, lieu où l'on se désencombre, pour orienter son regard vers le don de Dieu :
la terre promise, pour Moïse et son peuple ; la venue du Messie, pour Jean-Baptiste.*

■ Lire les textes des pp. 44-45 du livre de l'enfant.

■ Ajouter le mot « désert » sur la grande feuille. Faire le lien entre silence et désert.

■ Relever avec les enfants les mots qui sont en rapport avec le désert. Écrire ces mots sur la grande feuille en notant en plus gros et d'une autre couleur le mot « conversion ».

■ Lire la bande dessinée p. 47 du livre de l'enfant et colorier le message de Jean-Baptiste. Reporter sur la grande feuille le nom de Jean-Baptiste et son message.

■ À l'aide de l'Annexe 5 *Préparez les chemins du Seigneur* se remémorer l'histoire et les messges de Jean le Baptiste : présenter les silhouettes et les bulles, découpées, au fur et à mesure de l'histoire.

■ Pour découvrir avec les enfants ce qui signifie « se convertir », proposer de vivre avec le corps, un mouvement de retournement, de conversion.

Les enfants se mettent debout, les inviter à marcher dans la même direction, et au signal : « Convertissez-vous ! » à se retourner rapidement.

Ainsi le lien entre ce mouvement de retournement et cette expression « se convertir » est réalisé.

■ Conclure en disant pourquoi Jean le Baptiste nous appelle à la conversion : c'est pour accueillir et suivre Jésus.

## Étape 3  C'est le temps de l'Avent

■ Introduire en disant que nous, les chrétiens, nous sommes appelés à vivre un temps de conversion tout particulièrement pendant l'Avent. Lire le texte p. 50 du livre de l'enfant (« C'est le moment... »).

■ Regarder la p. 48 du livre de l'enfant. Décrire l'illustration en cherchant ce que font les personnes pour se préparer à Noël. Il ne s'agit pas uniquement d'éléments matériels, mais aussi d'une préparation des personnes.

■ Repérer et colorier en violet sur la fiche 5 de l'Album *Calendrier liturgique*, la période de l'Avent.

## Étape 4  Prière

■ Demander aux enfants ce qui est nécessaire pour se préparer à la prière : une bougie, une croix, une image du Christ, une Bible, mais aussi le silence, un chant, être prêt à écouter... Aménager ensemble le lieu pour la prière.

■ Faire le signe de croix en silence.

■ Chanter : *Nous levons les yeux vers ta lumière.*

■ Dire la prière de la p. 50 du livre de l'enfant.

■ Remettre à chaque enfant l'Album 8 *La lampe de l'Avent* (on pourra proposer aux enfants de la fabriquer sur place en équipe ou de la faire chez eux en famille).

Cf. *Repères pour Animateurs n° 2.*

**Se convertir**
*Ce n'est pas seulement faire des efforts, c'est aussi se confier à Dieu pour qu'il donne son Souffle : c'est l'Esprit Saint qui donne la vie nouvelle.*

**L'Avent**
*Le temps de l'Avent, que l'Église propose chaque année, est un temps privilégié pour se convertir et pour se préparer à la fête de Noël qui approche.*
*Il ne s'agit pas seulement de découvrir le sens de l'Avent mais de le vivre. Les enfants sont invités à réaliser en famille la lampe de l'Avent qui les guidera vers Noël (Cf. Étape 4).*

**Se préparer**
*Il s'agit de faire apparaître un double aspect : préparer des choses matérielles (gâteau, bougies, pour un anniversaire) et préparer son cœur, son être (vouloir participer, accueillir les autres). Les enfants s'ouvriront ainsi au sens de « Préparez les chemins du Seigneur ».*

# RENCONTRE 2

# Préparez les chemins du Seigneur

## NIVEAU 3

**OBJECTIFS**
▶ Situer l'Avent, un temps privilégié d'attente et de préparation.
▶ Vivre l'Avent selon le message de Jean le Baptiste et à la manière de Marie.

**MATÉRIEL**

≋ Frise « Parole de Dieu à travers les âges », Éditions CRER.

≋ Une votive par enfant.

☐ Album 5 *Calendrier liturgique*.

☐ Album 8 *La lampe de l'Avent*.

☐ Album 9 *C'est le temps de l'Avent*.

**CHANT**

💿 *Magnifique est le Seigneur.*

## DÉROULEMENT

**Lien entre Avent et Avènement**
*C'est le temps de préparation pour accueillir l'avènement (la venue) de Jésus le Messie.
(Cf. Repères pour Animateurs n° 4).*

### Étape 1   C'est le temps de l'Avent

■ Avant la rencontre, écrire sur une grande feuille le mot « Avènement ». Les enfants découvrent ce mot. Doubler ensuite certaines lettres du mot pour faire apparaître le mot « Avent ».

■ Expliquer ce qu'est un avènement. Et leur demander pourquoi on a fait apparaître un autre mot : « Avent ».

■ Lire la p. 50 du livre de l'enfant en cherchant le sens du mot « Avent ».

☐ 9 ■ Donner l'Album 9 *C'est le temps de l'Avent*. Réaliser un scrabble à partir des mots proposés. Utiliser les lettres numérotées pour découvrir le mot secret (Avent).

☐ 5 ■ Repérer et colorier en violet sur l'Album 5 *Calendrier liturgique*, la période de l'Avent.

**L'Avent**
*Temps de l'attente : quatre semaines pour préparer l'esprit et le cœur des chrétiens à la fête de Noël ; pour être attentif à la présence du Seigneur dans la vie de tous les jours.*

### Étape 2   Vivre l'Avent

■ Faire remarquer que dans le scrabble réalisé à l'étape 1 se trouvent deux noms « Jean » et « Marie ». *Ces deux personnages nous proposent de vivre ce temps de l'Avent. Comment ?*

## Selon le message de Jean le Baptiste

■ Situer Jean le Baptiste comme le dernier des prophètes soit sur la frise de la p. 59 du livre de l'enfant, soit à partir de la frise « Parole de Dieu à travers les âges ».

■ Lire la bande dessinée de la p. 47 du livre de l'enfant en repérant le message de Jean le Baptiste : « Convertissez-vous… suivez-le ».

■ Faire repérer que le mot « conversion » se trouve aussi dans le scrabble du début, et qu'il y a un autre mot qui le croise : « changer ». Reprendre en quelques mots le sens de ce mot « conversion ».

■ Chaque enfant complète, sur l'Album 9 *C'est le temps de l'Avent*, la phrase : « Seigneur, dans ce temps de l'Avent, j'ai besoin de changer dans ma vie… ».

9

## Comme Marie

■ Lire à la p. 49 du livre de l'enfant « Élisabeth attend… » et « Pour préparer Noël… ». Souligner l'attitude de merci et de joie que suscite la venue de Jésus.

■ Proclamer ou chanter le Magnificat (*Cf.* p. 49 du livre de l'enfant).

■ Proposer aux enfants de dire à haute voix un mot ou une expression qu'ils retiennent du Magnificat.

■ Compléter l'Album 9 *C'est le temps de l'Avent* en écrivant la phrase « *Comme Marie… Donne-nous ton Esprit pour qu'il nous remplisse de ta joie* ».

9

## Étape 3  Prière

■ Inviter les enfants à s'asseoir par terre en cercle avec leur Album 9 *C'est le temps de l'Avent*.

■ Faire le signe de croix pour se mettre en présence du Seigneur.

9

■ Chaque enfant lit la prière qu'il a composée (Étape 2 : « *Seigneur, dans ce temps de l'Avent…* »). Après chaque intention, l'animateur allume une votive et la dépose au centre du cercle. On peut rythmer ce temps par le refrain : *Magnifique est le Seigneur*.

■ Remettre à chaque enfant l'Album 8 *La lampe de l'Avent*. Donner le sens à cette lampe à réaliser à la maison.

8

---

*Le temps de l'Avent, que l'Église propose chaque année, est un temps privilégié pour se convertir et pour se préparer à la fête de Noël qui approche.*
*Il ne s'agit pas seulement de découvrir le sens de l'Avent mais de le vivre. Les enfants sont invités à réaliser en famille la lampe de l'Avent qui les guidera vers Noël (Cf. Étape 4).*

*Cf. Repères pour Animateurs n° 1, 2 et 3.*

**Se convertir**
*Ce n'est pas seulement faire des efforts, c'est aussi se confier à Dieu pour qu'il donne son Souffle : c'est l'Esprit Saint qui donne la vie nouvelle.*

**Magnificat**
*Ne pas entrer dans une explication de ce texte pour rester dans une attitude de louange.*

*Cf. Fiche « Prier avec les enfants de 8-11 ans » p. 237.*

# Annexe 5

# Préparez
## les chemins du Seigneur…

Annexe 5

# Préparez les chemins du Seigneur…

Réalisation finale : sur un fond de paysage de montagne, coller les bulles et placer les silhouettes à l'avant.

# RENCONTRE 3

# Jésus, lumière pour tous les peuples

## But de la rencontre

Quand Noël approche, les enfants et leurs familles sont diversement sollicités, dans un environnement marqué par l'aspect commercial, l'aspect festif (arbres de Noël, préparation de la fête familiale, illuminations), l'aspect de trêve (échange de cadeaux, dimension de partage, de paix).

Dans cette rencontre, avec l'évangile de Matthieu, les enfants s'ouvriront à une autre dimension : reconnaître l'enfant de la crèche comme le Vivant, le Messie, lumière pour tous les hommes ; le célébrer et se découvrir invités à être lumière au milieu des autres.

## Repères pour Animateurs

### 1. Les récits de l'enfance : Mt 1-2 ; Lc 1-2

Ces récits n'ont pas d'abord pour but de raconter les événements entourant la naissance d'un nouveau-né à Bethléem, mais de nous donner, dès le début de l'évangile, l'identité de Jésus, qui s'est dévoilée pleinement dans sa mort et sa résurrection. Ils témoignent de la foi des premières communautés chrétiennes et sont écrits à la lumière de l'événement pascal. Ils ont été rédigés tardivement, après le reste de l'évangile.

Pour lire le récit de la visite des mages en Matthieu et ne pas en rester à une lecture naïve ou merveilleuse, il ne faut pas l'isoler des deux premiers chapitres ni même de l'ensemble de l'évangile ; comparer par exemple Mt 2,11 les mages se prosternent devant l'enfant, et Mt 28,17 les disciples se prosternent devant le Ressuscité.

### 2. Mt 1-2 nous fait découvrir qui est Jésus, d'où il vient

Cet enfant est de la lignée de David, comme Joseph qui lui donne son identité sociale en lui donnant un nom (1,25). Il est fils d'Abraham, fils de David (1,1).

Nouveau Moïse, il est le Messie (2,5 ; *cf.* Mi 5,1-3). Il est le Sauveur ; son nom, Jésus, signifie « le Seigneur sauve » (1,21).

Cet enfant est né de Dieu (1,20). Son nom est Emmanuel, « Dieu-avec-nous » (1,23). En lui, Dieu se manifeste à tous les hommes, Dieu visite son peuple.

Les païens se prosternent devant lui (2,11), comme on se prosterne devant le Seigneur, le Christ ressuscité (Rm 1,3-4).

## 3. Universalisme et division

Matthieu écrit pour une communauté de chrétiens issus du judaïsme qui ont du mal à accueillir les païens. Les mages, dans ce récit, représentent le monde païen venu d'Orient. Ils viennent adorer le Messie. Et ils annoncent que celui-ci est venu pour tous, juifs et païens. Aussi les mages (c'est-à-dire le monde entier) éprouvent « *une très grande joie* » (2,10). Le thème de l'universalisme religieux est déjà présent dans l'Ancien Testament : voir par exemple Ps 72,11 ; Is 60,1-6. Mais c'est Jésus, le Ressuscité, qui envoie ses disciples à toutes les nations (Mt 28,19) : en lui, le Vivant, tous ont accès auprès de Dieu. Pourtant, la venue de Jésus opère une division : « *Entre le roi Hérode, entouré des chefs religieux de Jérusalem, et le roi qui vient de naître, se joue déjà tout le drame de la vie de Jésus et de sa mission : les juifs le refusent et les païens l'adorent comme le fera la communauté rassemblée autour du Ressuscité* » (*Cahiers Évangile* n° 9, p. 23).

## 4. L'étoile

Le thème de l'étoile apparaissant à la naissance d'un roi était répandu dans les traditions orientales. Déjà présent dans le livre des Nombres (24,17), ce langage est compris immédiatement par la communauté de Matthieu. L'étoile désigne Jésus comme roi attendu qui guide tous les peuples : « *Le peuple qui marchait dans les ténèbres a vu se lever une grande lumière* » (Is 9,1).

## 5. Mages et Épiphanie, *(Théo, Encyclopédie catholique pour tous, Droguet-Ardant/Fayard, Paris, 1992, p. 271 a)*

Le nom de mages, donné aux prêtres perses, pouvait aussi bien désigner savants, astrologues ou devins, étrangers au monde juif. Le récit de Matthieu les montre venus d'Orient (l'Arabie ?) pour rendre hommage à Jésus nouveau-né. L'imagination populaire, se référant au Psaume 72,10-11, en a fait des rois, fixant même leur nombre à trois à cause des trois présents mentionnés (or, encens, myrrhe). À partir du 8e siècle, on leur donne un nom (Melchior, Balthazar, Gaspard), puis on précise que l'un d'eux était de race noire ! Le tout s'est amalgamé en une fête folklorique des rois mages prolongeant la fête liturgique de l'Épiphanie : galette, fève et couronne de papier doré. La liturgie chrétienne a gardé à la fête de l'Épiphanie (en grec : manifestation) son sens originel : le Christ sauveur se manifeste aux nations païennes.

# RENCONTRE 3

# Jésus, lumière pour tous les peuples

Il est conseillé de vivre cette rencontre après Noël.
Comme les mages, nous invitons les enfants à venir adorer le Seigneur.

## NIVEAU 1

### OBJECTIFS

▸ Comprendre, avec l'évangéliste Matthieu, que l'étoile des mages est le signe de la naissance du Sauveur : Jésus, Fils de Dieu.
▸ Prendre conscience que la fête de Noël et son message concerne le monde entier.
▸ Reconnaître en Jésus le Sauveur.

### MATÉRIEL

≋ Frise « Parole de Dieu à travers les âges », Éditions CRER.

▢ Album 5 *Calendrier liturgique*.
▢ Album 10 *Jésus ?*
▤ Annexe 6 *L'adoration des mages*.

≋ Une bougie.
≋ Une croix.

### CHANT

◉ *Suivre l'Étoile qui mène jusqu'à Dieu.*

## DÉROULEMENT

*Cf. Repères pour Animateurs n° 4.*

### Étape 1   Suivre l'Étoile

◉ ■ Écouter le chant : *Suivre l'Étoile qui mène jusqu'à Dieu.* Demander aux enfants de repérer l'événement dont il est question.

■ Situer la Nativité sur la frise « Parole de Dieu à travers les âges ».

■ Demander aux enfants ce qu'ils ont vécu à Noël.

*Cf. Repères pour Animateurs n° 5.*

■ Reprendre en quelques mots l'histoire de Noël.

▢ ■ Colorier en jaune sur l'Album 5 *Calendrier liturgique* la
5 période de Noël en notant les dates des fêtes de Noël et de l'Épiphanie.

### Étape 2   Les mages

*Cf. Annexe 6 L'adoration des mages.*

■ Regarder le tableau de la p. 54 du livre de l'enfant. Observer les personnages, leurs attitudes, ce qu'ils font, ce qu'ils portent, le décor…

■ Raconter Mt 2,1-12 (p. 55 du livre de l'enfant).

■ Insister sur l'attitude d'adoration des mages et le message : « *Jésus est le Messie, le Sauveur* ».

■ Chercher sur le tableau l'objet insolite que l'on ne trouve pas habituellement dans une crèche : la croix accrochée sur la maison. Et faire le lien entre Noël et Pâques.

■ Compléter l'Album 10 *Jésus ?* avec les noms de Jésus découverts dans le texte de la p. 55 du livre de l'enfant. Et terminer avec la phrase : « *Jésus, Fils de Dieu Sauveur de tous les hommes* ».

**10**

■ Regarder les pp. 52-53 du livre de l'enfant : cette fête, et par conséquent son message, s'adresse à l'ensemble du monde.

## Étape 3   Prière

■ Disposer une croix près d'un livre de l'enfant p. 54 pour contempler le tableau.

■ Faire le signe de croix.

■ Chanter : *Suivre l'Étoile qui mène jusqu'à Dieu.* Pendant ce chant, allumer une bougie.

■ Proposer aux enfants de choisir un geste pour exprimer l'adoration et signifier que Jésus est le Sauveur : se prosterner, se mettre à genoux, s'incliner…

■ En silence, chaque enfant fait le geste qu'il a choisi.

*Cf. Fiche « Raconter en catéchèse » p. 253.*

**Noël et Pâques**
*Dans l'évangile de Matthieu, tous n'ont pas la même attitude que les mages : certains, comme Hérode, rejettent déjà Jésus.
Un jour, beaucoup de gens s'opposeront à lui et le feront mourir sur une croix.
Nous chrétiens, nous savons que l'enfant de la crèche est le Christ mort et ressuscité.*

**Les noms de Jésus**
*Roi des Juifs, Messie, Chef, Berger d'Israël.
Cf. Repères pour Animateurs n° 2.*

**Prière**
*Cette dernière étape peut être aussi vécue devant la crèche de l'église.
Laisser les enfants choisir le geste par lequel ils pourront exprimer une attitude d'adoration.*

*Cf. Fiche « Prier avec les enfants de 8-11 ans » p. 237.*

# RENCONTRE 3

# Jésus, lumière pour tous les peuples

Il est conseillé de vivre cette rencontre après Noël.
Comme les mages, nous invitons les enfants à venir adorer le Seigneur.

## NIVEAU 2

**OBJECTIFS**

▸ Avec les mages, découvrir que Jésus vient pour tous les hommes ; il est le Messie, le Sauveur ; il vient de Dieu.

▸ Repérer les noms donnés à Jésus.

▸ Faire le lien entre l'enfant de la crèche et Jésus mort et ressuscité.

▸ Reconnaître en Jésus le Sauveur.

### MATÉRIEL

≋ Frise « Parole de Dieu à travers les âges », Éditions CRER.

☐ Album 5 *Calendrier liturgique*.

☐ Album 11 *Les noms de Jésus*.

☐ Album 10 *Jésus ?*

▤ Annexe 6 *L'adoration des mages*.

≋ Une bougie.

≋ Une croix.

### CHANT

◉ *Suivre l'Étoile qui mène jusqu'à Dieu.*

---

## DÉROULEMENT

*Cf. Repères pour Animateurs n° 4 et 5.*

### Étape 1  La visite des mages selon Matthieu

◉ ▪ Introduire en écoutant le chant : *Suivre l'Étoile qui mène jusqu'à Dieu.*

▪ Situer la Nativité sur la frise « Parole de Dieu à travers les âges ».

*Cf. Annexe 6 L'adoration des mages.*

▪ Observer l'adoration des mages dans le livre de l'enfant p. 54 : les visages et attitudes des personnages, ce qu'ils font, ce qu'ils portent, le décor.

▪ Raconter Mt 2,1-12 p. 55.

▪ Revenir au tableau : les enfants disent pourquoi, à leur avis, les mages se prosternent. *Qui sont les mages ?* Observer leur visage. *Ont-ils le même âge ?* (Jésus vient pour les hommes quel que soit leur âge, leur origine.)

*Cf. Fiche « Raconter en catéchèse » p. 253.*

☐ ▪ Colorier en jaune sur l'Album 5 *Calendrier liturgique* la période de Noël en notant les dates des fêtes de Noël et de l'Épiphanie.

5

## Étape 2  Les noms de Jésus

■ Chercher sur le tableau l'objet insolite que l'on ne trouve habituellement pas dans une crèche : la croix accrochée sur la maison. Et faire le lien entre Noël et Pâques.

■ Donner l'Album 11 et faire la grille des mots mêlés pour découvrir le mot « Sauveur ».

■ Compléter l'Album 10 avec les noms de Jésus (*Cf.* le texte p. 55 du livre de l'enfant) et terminer avec la phrase : « *Jésus, Fils de Dieu Sauveur de tous les hommes* ».

■ Regarder les pp. 52-53 du livre de l'enfant. Insister sur le fait que cette fête, et par conséquent son message, s'adresse à l'ensemble du monde.

## Étape 3  Prière

■ Disposer une croix près d'un livre de l'enfant p. 54 pour contempler le tableau.

■ Faire le signe de croix.

■ Chanter : *Suivre l'Étoile qui mène jusqu'à Dieu.* Pendant ce chant, allumer une belle bougie.

■ Proposer aux enfants de choisir un geste pour exprimer l'adoration et signifier que Jésus est le Sauveur : se prosterner, se mettre à genoux, s'incliner…

■ En silence, chaque enfant fait le geste qu'il a choisi et il dit un des noms de Jésus découvert dans la rencontre.

■ Lire les paroles du chant *Comme les mages* p. 56 du livre de l'enfant.

**Noël et Pâques**

*Dans l'évangile de Matthieu, tous n'ont pas la même attitude que les mages : certains, comme Hérode, rejettent déjà Jésus.*
*Un jour, beaucoup de gens s'opposeront à lui et le feront mourir sur une croix. Nous chrétiens, nous savons que l'enfant de la crèche est le Christ mort et ressuscité.*

**Les noms de Jésus**

*Roi des Juifs, Messie, Chef, Berger d'Israël.*
Cf. *Repères pour Animateurs n° 2.*

**Prière**

Cf. *Fiche « Prier avec les enfants de 8-11ans » p. 237.*

*Laisser les enfants choisir le geste par lequel ils pourront exprimer une attitude d'adoration.*
*Cette dernière étape peut être aussi vécue devant la crèche de l'église.*

11

10

# RENCONTRE 3

# Jésus, lumière pour tous les peuples

Il est conseillé de vivre cette rencontre après Noël.
Comme les mages, nous invitons les enfants à venir adorer le Seigneur.

## NIVEAU 3

### OBJECTIFS

▸ Découvrir que Jésus vient pour tous les hommes.
▸ Reconnaître Jésus comme Messie et Fils de Dieu.
▸ Faire le lien entre l'enfant de la crèche et le Christ ressuscité.
▸ Reconnaître en Jésus le Sauveur.

### MATÉRIEL

≋ Frise « Parole de Dieu à travers les âges », Éditions CRER.

▯ Album 5 *Calendrier liturgique*.

▯ Album 10 *Jésus ?*

▯ Album 11 *Les noms de Jésus*.

▤ Annexe 6 *L'adoration des mages*.

▤ Annexe 7 *Paroles de sauvés*.

≋ Une bougie.

≋ Une croix.

### CHANT

◉ *Suivre l'Étoile qui mène jusqu'à Dieu*.

## DÉROULEMENT

Cf. *Repères pour Animateurs n° 4 et 5.*

### Étape 1  Jésus lumière pour le monde entier

■ Situer la Nativité sur la frise « Parole de Dieu à travers les âges ».

■ Observer l'adoration des mages dans le livre de l'enfant p. 54 : les visages et attitudes des personnages, ce qu'ils font, ce qu'ils portent, le décor.

Cf. *Annexe 6 L'adoration des mages.*

■ Raconter Mt 2,1-12 p. 55.

■ Revenir au tableau : les enfants disent pourquoi, à leur avis, les mages se prosternent. Qui sont les mages ? Observer leur visage. *Ont-ils le même âge ?* (Jésus vient pour les hommes quel que soit leur âge, leur origine.)

Cf. *Fiche « Raconter en catéchèse » p. 253.*

■ Regarder les pp. 52-53 du livre de l'enfant. Insister sur le fait que cette fête, et par conséquent son message, s'adresse à l'ensemble du monde.

▯
5
■ Colorier en jaune sur l'Album 5 *Calendrier liturgique* la période de Noël en notant les dates des fêtes de Noël et de l'Épiphanie.

## Étape 2  Jésus le Sauveur

■ Chercher sur le tableau l'objet insolite que l'on ne trouve pas habituellement dans une crèche : la croix accrochée sur la maison. Et faire le lien entre Noël et Pâques.

■ Compléter l'Album 10 avec les noms de Jésus (*Cf.* le texte p. 55 du livre de l'enfant). Et terminer avec la phrase : « *Jésus, Fils de Dieu Sauveur de tous les hommes* ».

■ Lire les témoignages de l'Annexe 7 *Paroles de sauvés* et du discours de Pierre (Ac 2,22-41).

■ Répartir les enfants par binôme. Faire réagir les enfants sur ces témoignages en leur demandant de quoi ils ont été sauvés, qui les a aidés, comment ils ont réagi, et ce qu'ils disent maintenant.

■ Poser aux enfants la question : *Et moi ? De quoi ai-je besoin d'être sauvé ?* Mettre en commun.

■ Chaque enfant complète l'Album 10 en écrivant : « Seigneur, j'ai besoin d'être sauvé de … ».

## Étape 3  Prière

■ Disposer près d'un livre de l'enfant p. 54 pour contempler le tableau une croix.

■ Faire le signe de croix.

■ Chanter : *Suivre l'Étoile qui mène jusqu'à Dieu*. Pendant ce chant, allumer une bougie.

■ Proposer aux enfants de choisir un geste pour exprimer l'adoration et signifier que Jésus est le Sauveur : se prosterner, se mettre à genoux, s'incliner…

■ En silence, chaque enfant fait le geste qu'il a choisi.

■ Inviter les enfants qui le souhaitent à lire leur prière écrite à l'étape 2 : « Seigneur, j'ai besoin d'être sauvé de … ».

■ Reprendre le refrain du chant : *Suivre l'Étoile qui mène jusqu'à Dieu*.

### Noël et Pâques
*Dans l'évangile de Matthieu, tous n'ont pas la même attitude que les mages : certains, comme Hérode, rejettent déjà Jésus. Un jour, beaucoup de gens s'opposeront à lui et le feront mourir sur une croix. Nous chrétiens, nous savons que l'enfant de la crèche est le Christ mort et ressuscité.*

### Les noms de Jésus
*Roi des Juifs, Messie, Chef, Berger d'Israël.*
*Cf. Repères pour Animateurs n° 2.*

### Témoignages
*Il est possible aussi de visionner les témoignages de l'Annexe 7 (Cf. K7 vidéo « Vers la communion », 2002, Siloë).*

### Prière
*Cf. Fiche « Prier avec les enfants de 8-11ans ». p. 237.*
*Laisser les enfants choisir le geste par lequel ils pourront exprimer une attitude d'adoration. Cette dernière étape peut être aussi vécue devant la crèche de l'église.*

Annexe 6

# L'adoration des mages

Rogier van der Weyden est un peintre flamand du 15e siècle. L'adoration des mages fait partie d'un triptyque (le retable Columba) peint pour l'église Sainte-Colombe de Cologne, et qui met en scène trois épisodes de l'enfance du Christ : l'annonciation (à gauche), l'adoration des mages (au centre), la présentation au temple (à droite).

Au fond, un paysage avec une ville de l'époque du peintre ; au premier plan se détache la scène évangélique avec les personnages en costumes du 15e siècle (élégance du drapé) ; l'étoile est là : Jésus est lumière pour les contemporains du peintre. Le salut est pour toutes les époques.

Les trois mages représentent les trois âges de la vie : « *Le plus jeune, debout, n'a pas encore perçu l'importance de l'événement et salue simplement la jeune mère avec courtoisie. L'homme mûr s'interroge et déjà s'incline tandis que le vieillard, pleinement conscient d'être devant le roi des cieux, s'agenouille et baise avec respect la menotte divine* ». Le salut est pour tous les âges.

L'auréole de Jésus est cruciforme ; un crucifix est accroché dans l'étable : l'enfant, devant qui se prosternent les mages, est le Fils de Dieu qui nous sauve par la croix. Un lien est fait avec l'eucharistie ; les personnages semblent venir de l'arrière-plan en procession ; certains portent de la vaisselle liturgique. Une grande tendresse unit la mère et l'enfant ; Marie est tout habitée par l'événement.

Annexe 7

# Paroles de sauvés

## Comment j'ai été sauvé...

Témoignage de René, ancien pêcheur aux Sables d'Olonne en Vendée.

C'était il y a plusieurs années, en rentrant au port par mauvais temps. Le bateau de René va vite, très vite, surfe sur la vague et se couche. René se retrouve alors sous l'eau, il s'accroche à une barre de fer pour ne pas être emporté par le « coup de mer ».

Le bateau roule et René sent la mort à portée de main. Il pense à sa femme, ses enfants, le film de sa vie défile en quelques instants. Mais René reste accroché à sa barre.

C'est depuis ce naufrage que René a vu les choses d'une autre manière.
Avant, il était chrétien, sans plus, et croyait, dit-il, au « Dieu de son enfance ».
Pendant quinze ans, il va se sentir interpellé et aujourd'hui, voici ce qu'il affirme :
« Le sens de ma vie, c'est Dieu. Dieu, c'est la vie. Dieu est ma boussole, sans lui je ne pourrai pas vivre. Quand on a goûté, trempé, adoré, contemplé... on ne peut que continuer !
Dieu m'a libéré de beaucoup de chaînes. Avant je me serais noyé pour mes poissons !
Aujourd'hui, un poisson c'est secondaire, c'est le pain au quotidien.
Mais Dieu... c'est l'éternité ! »

D'après le document *Vers la communion*, Siloë Éditions.

# Paroles de sauvés

## Discours de l'apôtre Pierre (Ac 2,22-41)

Hommes d'Israël, écoutez ce message. Il s'agit de Jésus le Nazaréen, cet homme dont Dieu avait fait connaître la mission en accomplissant par lui des miracles, des prodiges et des signes au milieu de vous, comme vous le savez bien. Cet homme, livré selon le plan et la volonté de Dieu, vous l'avez fait mourir en le faisant clouer à la croix par la main des païens. Or, Dieu l'a ressuscité en mettant fin aux douleurs de la mort, car il n'était pas possible qu'elle le retienne en son pouvoir.

En effet, c'est de lui que parle le psaume de David :

*Je regardais le Seigneur sans relâche,*
*s'il est à mon côté, je ne tombe pas.*
*Oui, mon cœur est dans l'allégresse,*
*ma langue chante de joie ;*
*ma chair elle-même reposera dans l'espérance :*
*tu ne peux pas m'abandonner à la mort*
*ni laisser ton fidèle connaître la corruption.*
*Tu m'as montré le chemin de la vie,*
*tu me rempliras d'allégresse par ta présence.*

Frères, au sujet de David notre père, on peut vous dire avec assurance qu'il est mort, qu'il a été enterré, et que son tombeau est encore aujourd'hui chez nous. Mais il était prophète, il savait que Dieu lui avait juré *de faire asseoir sur son trône un de ses descendants.* Il a vu d'avance la résurrection du Christ, dont il a parlé ainsi : *Il n'a pas été abandonné à la mort, et sa chair n'a pas connu la corruption.* Ce Jésus, Dieu l'a ressuscité ; nous tous, nous en sommes témoins. Élevé dans la gloire par la puissance de Dieu, il a reçu de son Père l'Esprit Saint qui était promis, et il l'a répandu sur nous : c'est cela que vous voyez et que vous entendez. David, lui, n'est pas monté au ciel, bien que le psaume parle ainsi :

*Le Seigneur a dit à mon Seigneur :*
*Siège à ma droite,*
*tes ennemis, j'en ferai ton marchepied.*

Que tout le peuple d'Israël en ait la certitude : ce même Jésus que vous avez crucifié, Dieu a fait de lui le Seigneur et le Christ. »

Ceux qui l'entendaient furent remués jusqu'au fond d'eux-mêmes ; ils dirent à Pierre et aux autres Apôtres : « Frères, que devons-nous faire ? » Pierre leur répondit : « Convertissez-vous, et que chacun de vous se fasse baptiser au nom de Jésus Christ pour obtenir le pardon de ses péchés. Vous recevrez alors le don du Saint-Esprit. C'est pour vous que Dieu a fait cette promesse, pour vos enfants et pour tous ceux qui sont loin, tous ceux que le Seigneur notre Dieu appellera. » Pierre trouva encore beaucoup d'autres paroles pour les adjurer, et il les exhortait ainsi : « Détournez-vous de cette génération égarée. et vous serez sauvés. »

Alors, ceux qui avaient accueilli la parole de Pierre se firent baptiser. La communauté s'augmenta ce jour-là d'environ trois mille personnes.

# CÉLÉBRATION

*Tous niveaux*

# « Je suis la lumière du monde »

Dieu veut le bonheur de l'homme. Par la voix des prophètes, il a annoncé un Sauveur. En Jésus, son Fils, qui naît à Noël, il se dit totalement.

Enfants, parents, catéchistes se retrouvent pour célébrer le mystère de Noël, pour reconnaître en Jésus la lumière du monde, et l'adorer. Ils sont envoyés porter la lumière du Christ.

## Points d'attention

• On invitera les enfants à célébrer la fête de Noël en paroisse, avec la communauté chrétienne. La célébration proposée ici est prévue pour le temps de l'Épiphanie, après les vacances.

## Préparation

• Une grosse bougie par équipe ; une veilleuse pour chaque enfant.

• Crèche.

• Grandes étoiles préparées à l'avance par chaque équipe ainsi que par les parents.

– Sur les cinq branches de l'étoile, visualiser le monde entier (cinq continents) à l'aide de photos, symbole, dessins.

– Au centre, écrire la prière de l'équipe, faite à partir des expressions de chacun. Elle s'adresse à Dieu le Père : prière de louange pour le don qu'il nous fait à Noël ; prière de demande pour qu'il nous donne de marcher dans la lumière de Jésus.

• Musique.

• Avant la célébration, l'animateur aura présenté aux catéchistes la marche derrière l'étoile (point 2 du déroulement) : à la manière des mages, enfants et adultes, nous marcherons vers la crèche. Nous écouterons, en trois étapes, le récit de la visite des mages, dans l'évangile de Matthieu. Après chaque passage du texte, pendant le chant *Comme les mages...*, nous nous mettrons en marche, derrière nos étoiles, jusqu'à la crèche : d'abord une première partie des équipes ; puis, après le deuxième passage de l'évangile, le reste des équipes ; enfin les parents. Arrivés à la crèche, un enfant de chaque équipe (ou un parent pour le dernier groupe) allumera une bougie, et quelques-uns proclameront la phrase ou la prière écrite sur leur étoile.

# Déroulement

## 1. Temps d'accueil

• Dans le fond de la salle ou de l'église, parents et enfants se rassemblent. Il n'y a pas de lumière (ou très peu s'il fait nuit). Mettre un fond musical (musique ou chants de Noël).

  • Le président de l'assemblée accueille :

  – Nous sommes rassemblés au nom du Christ ressuscité.

  – Il y a des moments dans notre vie où il nous arrive d'être tristes. Nous voudrions alors que quelqu'un nous aide à être plus heureux.

    – Dans le monde, des gens, des peuples entiers attendent d'être sauvés (évoquer des peuples opprimés, des enfants qui ont faim).

    – Comme les mages autrefois, nous tous, que nous soyons riches ou pauvres, grands ou petits, nous avons besoin d'une étoile qui nous guide vers la lumière. *allumer étoile crèche*

  • Chant exprimant l'attente des hommes, par exemple : *Peuples qui marchez* E 127.

  • Le président de l'assemblée invite à la prière :

  *Seigneur notre Dieu,*

    *tu as guidé les mages par la lumière de l'étoile.*

    *Aujourd'hui, ouvre notre cœur,*

    *guide-nous vers Jésus, ton Fils, notre lumière,*

    *lui qui est vivant avec toi et le Saint Esprit*

    *pour les siècles des siècles. Amen.*

## 2. Marche derrière l'étoile

  • Illuminer la crèche.

  • L'animateur présente la démarche : comme les mages qui ont marché jusqu'à Bethléem, guidés par l'étoile, nous nous mettons en route vers la crèche.

  • Le lecteur proclame : « Lecture de l'évangile selon saint Matthieu ». Il lit Mt 2,1-2.

  • Chant : *Comme les mages, de tout notre cœur* (couplet 1), livre de l'enfant p. 56 (*Épiphanie* cassette *Aux quatre chemins de l'Évangile* BPSA 1021).

Pendant le chant, la moitié des équipes (niveaux 1, 2 et 3) se mettent en marche derrière leurs étoiles, jusqu'à la crèche. Là, un enfant par équipe allume une bougie. Quelques enfants proclament la phrase écrite sur leur étoile (niveaux 1 et 2) ; un enfant lit la prière écrite sur l'étoile de son équipe (niveau 3).

  • Lecteur : Mt 2,3-6.

  • Chant : *Comme les mages* (couplet 2).

Le reste des équipes se met en marche (même déroulement).

  • Lecteur : Mt 2,7-11.

  • Chant : *Comme les mages* (couplet 3).

Les parents se mettent en marche. Arrivés à la crèche, ils allument quelques bougies. Un parent lit une prière préparée à l'avance.

• Chant : dernier couplet.

## 3. Profession de foi

• L'animateur reprend : « *Quand ils virent l'étoile, les mages éprouvèrent une très grande joie. En entrant dans la maison, ils virent l'enfant avec Marie sa mère ; et, tombant à genoux, ils se prosternèrent devant lui* ».

• Le président de l'assemblée : Nous aussi, comme les mages, nous nous prosternons devant Jésus : dans le petit enfant de la crèche, nous reconnaissons le Fils de Dieu qui nous donne la lumière. Aujourd'hui, il est vivant, ressuscité.

(Si le nombre et l'espace le permettent : Nous mettons un genou à terre). Dans le silence, nous disons au Seigneur Jésus que nous croyons en lui et nous lui confions toutes les personnes dont nous avons écrit les noms sur nos étoiles, ceux que nous connaissons, et aussi les gens du monde entier pour qui Jésus est venu.

• Temps de prière silencieuse.

• Le président de l'assemblée invite tout le monde à reprendre après lui une prière choisie parmi les étoiles (niveau 3) ou inspirée par exemple du Psaume 97 :

> *Seigneur, nous te louons,*
> *car tu as fait des merveilles.*
> *Aux yeux du monde entier tu as révélé ta justice.*
> *Tu t'es rappelé ta fidélité envers ton peuple.*
> *Que la terre entière acclame le Seigneur,*
> *qu'éclatent les chants de joie*
> *car le Seigneur vient pour gouverner la terre.*
> *Il gouvernera le monde avec justice,*
> *il guidera les peuples avec droiture.*

• Chant joyeux (acclamation), par exemple *Alléluia*.

## 4. Envoyés porter aux autres la lumière du monde

• L'animateur : La joie de Noël, la lumière de Noël, Dieu nous la donne comme un grand cadeau, pour qu'elle brille encore aujourd'hui dans notre monde. Écoutons ce que Jésus nous dit dans l'évangile de Matthieu.

• Un catéchiste ou un parent lit Mt 5,14-16.

• Le président de l'assemblée invite enfants et parents à se déplacer pour recevoir une petite veilleuse. Quand tous ont la lumière, il peut dire cette prière :

> *Dieu notre Père, nous te disons merci.*
> *À Noël, une lumière a brillé,*
> *une grande joie pour tous les hommes :*
> *c'est Jésus, ton Fils, notre Sauveur,*
> *qui est vivant pour les siècles des siècles.*

• Envoi (président de l'assemblée) : « *Vous êtes la lumière du monde* », disait Jésus à ses amis. C'est à nous maintenant de vivre de cette lumière et de la porter auprès des autres, là où nous vivons (à la maison, à l'école, au travail). Cette petite veilleuse que vous allez emporter chez vous vous le rappellera. Vivez de la joie de Noël, vivez de la lumière du Christ.

• Chant de Noël.

# Histoire de l'alliance
# Une histoire mouvementée

## Buts

- Situer dans le temps les grandes étapes de l'histoire de Dieu avec son peuple.
- Explorer la grande crise de l'histoire de cette alliance : l'exil, épreuve de la foi.
- Découvrir, que dans l'épreuve, des gens perçoivent la fidélité de Dieu et continuent à croire en lui.

### Fondements

L'homme, dans sa quête de bonheur, est continuellement en recherche d'un sens pour sa vie, il cherche Dieu. La Bible nous révèle un autre mouvement, étonnant et libérateur. Dieu lui-même se fait proche, il rencontre l'homme, il se dit et se donne à lui pour qu'il vive : c'est l'alliance. Pour cela, il se choisit un peuple, le peuple d'Israël. L'histoire de ce peuple n'est pas une longue ligne droite, elle est pleine d'imprévus, de guerres et d'alliances humaines, de joies et de douleurs, de naissances et de morts. Dans cette histoire mouvementée, les prophètes rappellent l'amour et la fidélité de Dieu, sa promesse de salut. Jérémie annonce une nouvelle alliance, qui sera éternelle : elle se réalise en Jésus, dans sa vie, sa mort et sa résurrection. L'Église est le peuple de la nouvelle alliance.

Ce Caté-découvertes permettra aux enfants de plonger dans cette histoire, de la découvrir comme l'histoire de Dieu parmi les hommes. Il leur permettra en particulier de mieux connaître la période de l'exil, période de crise profonde pour le peuple de Dieu. Ils pourront percevoir que la foi est une aventure où Dieu fait le premier pas, et qui se vit avec d'autres, dans un peuple.

### Documentation

- *Catéchisme pour adultes* n° 51-54 ; 133-140.

## Mises en œuvre

Au choix :
1. Une fresque de l'histoire biblique
2. Les grands amis de Dieu
3. Jérémie, le prophète
4. L'exil.

## Mise en œuvre 1
## Une fresque
## de l'histoire biblique

### But

Se repérer dans la chronologie de l'histoire biblique, et situer plus particulièrement les prophètes et leur environnement.

### Destinataires

Cette mise en œuvre est à vivre au niveau de l'équipe de catéchèse.

Les équipes d'enfants du niveau 2 et du niveau 3 qui ont déjà commencé cette fresque les années précédentes la reprennent pour la compléter.

## Matériel nécessaire
• 10 feuilles de papier canson (ou papier épais) 21 x 29,7 cm.

## Déroulement **(durée : 1 heure)**
• Assembler les feuilles par le côté largeur (21 cm) pour constituer une bande longue de 3 m. Diviser cette bande en trois parties :

– Couloir du haut : écrire les dates, par centaines d'années (une centaine tous les 15 cm), en commençant à 1900 av. Jésus Christ pour finir à 100 ap. Jésus Christ.

– Couloir du bas : on inscrira les noms des personnages de l'histoire biblique : les patriarches, Moïse, David, ... Jésus.

– Au centre : on pourra coller des silhouettes évoquant les personnages bibliques, les dessiner, coller des photos évoquant des lieux (par exemple Babylone), des événements (par exemple l'exode, l'exil), d'autres personnages.

| Années (- 1900....... + 100) |
| --- |
| Lieux, périodes, autres personnages, silhouettes, dessins, photos... |
| Personnages (les patriarches, Moïse, David... Jésus) |

• Les enfants ont découvert les prophètes dans la rencontre 1 de cette unité. Illustrer plus particulièrement cette période allant de 900 à 500 av. Jésus Christ.

*Remarques :* Suivant le niveau des enfants, la fresque sera plus ou moins remplie ; elle devra être complétée au fur et à mesure des années de catéchèse. Il est important que la fresque soit illustrée par les enfants eux-mêmes.

### Documentation
• *Panorama d'histoire biblique* (Éditions de l'École).
• *Pierres Vivantes* pp. 12-13.
• Tableaux chronologiques des Bibles.

# Mise en œuvre 2
# Les grands amis de Dieu

## But
Avec Abraham, Moïse, David, comprendre le projet de Dieu qui fait alliance avec un peuple.

## Destinataires
Cette piste est destinée aux enfants qui n'ont pas encore eu de contact avec l'Ancien Testament. Il sera nécessaire de l'explorer avant de parler des prophètes.

## Matériel nécessaire
• Une Bible illustrée pour enfants ou, dans la série *Ce que nous dit la Bible*, les livrets sur Abraham, la sortie d'Égypte, le roi David (regroupés dans le livre *Grains de Bible*, pp. 36-45, 70-81, 106-117) ou les trois séries de diapositives *Palettes bibliques* : Abraham, la sortie d'Égypte, le roi David (reprenant les dessins de *Ce que nous dit la Bible*) ; écran, projecteur.

## Déroulement (durée : 1 h 30)

Raconter l'histoire d'Abraham, Moïse, David. Abraham, le croyant : Dieu l'appelle à quitter son pays et lui promet une descendance aussi nombreuse que les étoiles du ciel.

Moïse, le libérateur : Dieu l'envoie libérer son peuple réduit en esclavage pour le conduire à la terre promise ; il lui donne sa loi d'amour.

David, le roi : Dieu le choisit pour qu'il soit le chef de son peuple et qu'il le conduise, comme un berger, dans l'amitié de Dieu et dans la paix.

### 1er temps :

S'il utilise une Bible illustrée ou les livrets *Ce que nous dit la Bible*, l'animateur raconte d'abord l'histoire d'Abraham ; puis les enfants découvrent les images du livre ; l'animateur les invite à raconter à leur tour l'histoire.

Même cheminement pour Moïse et David.

S'il utilise les diapositives, l'animateur raconte l'histoire à partir de celles-ci. Après une première séquence sur Abraham, il invite les enfants à partager leurs découvertes.

Même cheminement pour Moïse et David.

### 2e temps :

Inviter les enfants à dessiner un moment qu'ils ont bien aimé dans cette histoire des grands amis de Dieu.

Classer les dessins par personnage et les rassembler dans le cahier d'équipe (ou sur un panneau) dans l'ordre correspondant à l'histoire biblique.

On peut chercher un titre pour chaque séquence ainsi réalisée.

# Mise en œuvre 3
# Jérémie le Prophète

## But

Mieux comprendre la période de l'exil et la mission des prophètes, en faisant vivre Jérémie de façon active (il ne s'agit pas de faire une étude de textes bibliques).

## Destinataires

Cette mise en œuvre est prévue dans le cadre d'un regroupement de plusieurs équipes d'enfants (plutôt de niveaux 2 et 3).

## Matériel nécessaire

• Grand panneau.

• Chutes de tissu, ou papier crépon, ou peinture.

• Textes à mettre sous enveloppe (si possible la traduction liturgique) :

| Jr 1,1-10 | la vocation de Jérémie (pourra être présentée sous forme de mime) |
| 13,1-11 | la ceinture (mime ou sketch) |
| 18,1-10 | le potier (affiche) |
| 20,7-9 | la plainte de Jérémie (mime) |
| 24,1-10 | les corbeilles de figues (affiche) |
| 31,7-9 | le retour des exilés (mime) |
| 31,31-34 | l'alliance nouvelle |

## Déroulement (durée : 1 h 30)

Chaque équipe reçoit une enveloppe dans laquelle se trouve un passage du livre de Jérémie.

### 1er temps :
### Travail en équipe

• Lire le texte.

• Entrer dans la compréhension du texte en faisant ressortir :

– L'attitude de Jérémie (il écoute, il fait confiance, il doute, il est découragé).

– Les images utilisées dans le texte, quand il y en a : que permettent-elles de comprendre ?

– Le message : l'écrire en une phrase, qui pourra être proclamée.

• Préparer une présentation aux autres :

Sous forme de sketch ou de mime.

Ou sur une affiche (sous forme de dessin ou de peinture, ou avec des bouts de tissu ou de papier crépon collés, ou autre technique).

L'équipe qui a Jr 31,31-34 prépare une proclamation de ce texte (qui peut être gestué).

## 2e temps :
## Mise en commun

• Chaque équipe présente aux autres son mime ou son affiche. Un enfant lit le message découvert. Puis, pendant que l'équipe vient fixer sa phrase ou son affiche sur un grand panneau « Jérémie », on peut chanter un refrain. Par exemple *Fais lever le soleil* (T 158, cassette *Signes par milliers*, SM K 468) ou *Jérémie* (paroles et musique de Louis Duret, cassette *Séquences*, SM K 591).

Le dernier texte (Jr 31,31-34) sera proclamé en entier (avec gestuelle possible).

• Chercher avec les enfants quels rapprochements l'on peut faire entre les paroles et les actions de Jérémie, et celles de Jésus.

Jérémie ne cherche pas à plaire au roi et aux puissants : c'est un homme libre. La parole qu'il annonce ne plaît pas aux habitants de Jérusalem ; il en souffrira ; il sera rejeté : il annonce la passion de Jésus. Il annonce une nouvelle alliance, qui sera inscrite dans le cœur de l'homme (et non plus sur la pierre, comme la loi du Sinaï) : c'est en Jésus Christ que s'accomplit cette nouvelle alliance, éternelle.

• Après avoir affiché une belle représentation du Christ en croix, on peut terminer par une prière : faire le lien entre Jérémie et Jésus, rendre grâce pour l'alliance que Dieu a voulu faire avec son peuple, l'alliance rappelée par les prophètes, l'alliance nouvelle accomplie en Jésus, le Vivant, pour toujours.

### Documentation

• *Points de repère* n° 114, novembre 1990.

• *Le livre de la Bible*, Ancien Testament, pp. 214-217, Gallimard.

# Mise en œuvre 4
# L'exil

## But

Connaître les événements qui ont marqué l'histoire du peuple de Dieu au temps de l'exil.

## Destinataires

Regroupement de quelques équipes de caté-chèse (tous niveaux confondus).

## Matériel nécessaire

• Phrase découpée en 5 éléments (assez grands pour être lisibles par tous) :

| Dieu | abandonne-t-il | son | peuple | ? |
|------|----------------|-----|--------|---|

• Texte écrit en grand et découpé en 16 morceaux numérotés de 1 à 16 :

| Nous | avions oublié | Dieu. | Nous |
|------|---------------|-------|------|
| avons cru | qu'il nous | abandonnait. | |
| Mais lui | ne nous | oublie pas. | |
| Quelle joie | de revenir | chez nous ! | |
| Notre foi | est encore | plus grande ! | |

• Grande feuille avec cases numérotées pour recevoir les éléments du texte :

| 1 | 2 | 3 | 4 |
|---|---|---|---|
| 5 | 6 | 7 | |
| 8 | 9 | 10 | |
| 11 | 12 | 13 | |
| 14 | 15 | 16 | |

## Déroulement

Faire des équipes de 5 à 6 enfants (niveaux mélangés).

### 1ᵉ temps :

• Les enfants sont regroupés. L'animateur affiche, dans le désordre, les éléments de la phrase : « Dieu abandonne-t-il son peuple ? ». Il invite à la reconstituer.

L'animateur explique que le peuple de Dieu s'est posé cette question lorsque Jérusalem a été détruite. Nous allons chercher une réponse à cette question.

• « Raconte-nous Babylone » : un conteur dit l'histoire du vieux Zacharie (livre de l'enfant pp. 60 à 63 : ne pas lire, mais raconter ; on peut avoir préalablement enregistré le texte et passer la bande son).

• L'animateur fait réagir les enfants : Qui sont les personnages ? Où se passent ces événements ? Que vit le peuple de Dieu à cette époque ?

### 2ᵉ temps :

• L'animateur pose une série de questions concernant l'époque de l'exil. Les enfants, en équipe, recherchent les réponses. L'équipe qui répond la première à une question reçoit un élément (numéroté) de la réponse à la phrase affichée « Dieu abandonne-t-il son peuple ? ». Lorsque les 16 morceaux de phrases ont été distribués, les équipes viennent les fixer sur la grande feuille prévue à cet effet.

**Questions** (on peut en inventer d'autres)

À quelle date Jérusalem a-t-elle été détruite ?

Quel roi régnait à Jérusalem à l'époque de sa destruction ?

De quel royaume Jérusalem était-elle la capitale ?

Dans quel pays le peuple est-il emmené en exil ?

Qu'est-ce que l'exil ?

À quel dieu est dédié le temple de Babylone ?

Quel fleuve coule à Babylone ?

Que faisaient les exilés au bord du fleuve ?

Pourquoi les exilés refusent-ils de chanter ?

Comment s'appelle la grande porte de Babylone ?

Combien d'années le roi Nabuchodonosor a-t-il régné ?

Qu'est-ce qu'une idole ?

Quels sentiments les juifs ont-ils pu avoir par rapport aux habitants de Babylone ?

Quel prophète était en exil avec le peuple juif ?

Quel roi permettra aux juifs de rentrer dans leur pays ?

À quelle date les juifs sont-ils revenus d'exil ?

• Pour terminer, on peut prendre un chant. Par exemple, *Appelés à la liberté* (cassette SM K 835 ou 888).

• Lire le Psaume (livre de l'enfant p. 58).

• Chanter le refrain : *Merveilles, merveilles, que fit pour nous le Seigneur !* (Z 125-6).

# Le Royaume est proche

Par ses paroles, ses actes et sa prière,
Jésus annonce et inaugure le Royaume de Dieu.
Il l'ouvre à tous les hommes
et les invite à y participer.
Jésus révèle la relation qu'il a avec Dieu, son Père :
il est son Fils bien-aimé.
Il nous introduit dans sa relation filiale avec Dieu ;
avec lui nous disons : « Notre Père ».

## RENCONTRE 1
« Le Royaume des cieux est comme... »

## RENCONTRE 2
Jésus ouvre le Royaume à tous les hommes

## RENCONTRE 3
La prière de Jésus, le *Notre Père*

 Célébration
« Celui-ci est mon fils bien-aimé »

Caté-découvertes
La Bible : un livre pas comme les autres

### RENCONTRE 1
◎ *Points de Repère* n° 165, sept./oct.1998, Bayard.
◎ *Les dossiers de la Bible* n° 14, septembre 1986, Cerf.
◎ *Les dossiers de la Bible* n° 61, janvier 1996, Cerf.
◎ *Catéchisme de l'Église catholique* n° 543-546.
◎ *Catéchisme pour adultes* n° 164-168.

### RENCONTRE 3
◎ *Points de Repère* n° 153, sept./oct. 1996, Bayard.
◎ *Points de Repère* n° 188, mai/juin 2002, Bayard.
◎ *Les dossiers de la Bible* n° 40, novembre 1991, Cerf.
◎ *Catéchisme pour adultes* n° 79-89, 149-150 et 558.
◎ *Catéchisme de l'Église catholique* n° 2759-2856.

## Bibliographie

# Lettre aux parents

## Le Royaume de Dieu est proche

Lorsque nous voyons nos enfants pleins de vie comme le sont les enfants de huit à onze ans, nous nous interrogeons : Que leur apportera l'avenir ? Devant les difficultés nombreuses, prévisibles, qu'ils vont rencontrer, sauront-ils garder leur goût de vivre ?

La foi chrétienne peut, pour eux et pour nous, être une force vive : Dieu ne nous laisse pas seuls, il est toujours présent au monde et aux hommes.

Cette présence agissante de Dieu, Jésus Christ la proclame au début de sa vie publique quand il dit : « *Convertissez-vous, le Royaume de Dieu est proche !* » Certes, le Royaume est à venir : c'est le monde tourné vers Dieu, celui de la fin des temps quand règneront à jamais la paix, la justice et l'amour ; mais ce Royaume est aussi à notre portée : il s'est approché de nous en la personne de Jésus, il est là dans le présent de nos vies.

En Jésus, en effet, le Royaume devient une réalité. « Quand Jésus est là, le Royaume est là ». C'est le titre des pp. 72 et 73 du livre de l'enfant. Là où Jésus se trouve, un monde nouveau est en train de naître : les malades, les pauvres, les pécheurs sont accueillis et trouvent leur place dans la société ; des témoins de l'action de Jésus orientent leur regard vers Dieu et vers leurs frères. Aujourd'hui encore, le Royaume est expérience vécue pour beaucoup ; on peut le voir à travers de multiples signes (p. 77).

Pour dévoiler la mystérieuse action de Dieu dans le monde et dans le cœur des hommes, Jésus raconte des paraboles (pp. 68, 69 et 70). Elles ont l'air d'histoires toutes simples, mais elles disent comment Dieu ne se lasse pas de semer sa parole, comment il la fait croître ; elles montrent combien nous pouvons avoir confiance en lui.

Dans le récit de la guérison de la fille de la Cananéenne (pp. 74-75), il est aussi question de confiance. « *Ta foi est grande* », dit Jésus à la femme et, à cause de cette foi, Jésus vient à son secours et au secours de sa fille.

Ce même épisode nous apprend encore que c'est grâce à Jésus, le Sauveur, que le Royaume nous est offert, qu'il est offert à tous les hommes (p. 76). Pour que l'expression « tous les hommes » n'évoque pas une foule anonyme, parlez avec votre enfant des gens qu'il rencontre et qui sont ses frères en Jésus Christ.

Lisez p. 79 et les suivantes. Le maître du Royaume est un Père dont on ne peut mesurer la bonté. Jésus Christ nous a appris à nous tourner vers lui. Dire le *Notre Père*, c'est à la fois faire confiance à Dieu qui nous aime et nous disposer à accueillir le Royaume.

Apprenez le *Notre Père* à votre enfant afin qu'il puisse le réciter, en faire sa propre prière.

# RENCONTRE 1

# « Le Royaume des cieux est comme... »

## But de la rencontre

Au long de sa vie publique, Jésus proclame la venue du Royaume. En lisant quelques-unes des paraboles, nous essaierons de percevoir comment nous sommes invités à prendre part à la vie de ce Royaume.

### Repères pour Animateurs

### 1. Le Royaume

L'expression « *le Royaume de Dieu* » ou l'expression équivalente « *le Royaume des cieux* » (les juifs évitaient, par respect, de prononcer le nom de Dieu) revient souvent dans les évangiles, une cinquantaine de fois chez Matthieu. Cette fréquence montre que le Royaume des cieux est au cœur même de l'enseignement de Jésus. Parfois le mot Royaume est remplacé par Règne, deux mots qui désignent deux aspects de la même réalité. Royaume : territoire, état, peuple gouverné par un roi. Règne : exercice du pouvoir du roi, temps pendant lequel il l'exerce.

« *Le Royaume de Dieu* » n'est pas une expression créée par Jésus Christ : pendant plusieurs siècles, le peuple de Dieu a eu ses rois (David, Salomon...). Au temps de Jésus, les juifs attendaient un Messie « fils de David » qui délivrerait Israël et restaurerait « *le Règne de Dieu* » annoncé par les prophètes. Le Royaume de Dieu que Jésus proclame n'est pas un royaume de la terre, limité dans l'espace et le temps. Promis pour l'au-delà, il est déjà, pour ici-bas, un monde selon Dieu où les hommes tournés vers lui écoutent sa parole et la mettent en pratique. Il « *se présente comme l'instauration "d'un monde nouveau", parfaitement réconcilié, qui serait pénétré de l'amour et de la présence de Dieu, et où les hommes vivraient en frères* » (*Catéchisme pour adultes* n° 165). Par ses actes, son attitude concrète envers ceux qu'il rencontre et en particulier les pauvres, les petits, les rejetés, et aussi par ses paroles, Jésus manifeste que le Royaume arrive, qu'il est déjà là. Dans le même temps, Jésus, Fils de Dieu, réalise concrètement, par sa vie, sa mort, sa résurrection, le salut offert par Dieu à tous les hommes : Jésus inaugure le Royaume.

## 2. Les paraboles du Royaume (Cf. ci-après l'Annexe 9 p.119).

Dans l'évangile de Matthieu, les paraboles du Royaume sont au chapitre 13. Depuis le début de sa vie publique, Jésus étonne ceux qu'il rencontre. Les pharisiens le contestent (Mt 12). Des disciples, et parmi eux les apôtres, le suivent avec fidélité, d'autres l'écoutent sans saisir son message. C'est pour renforcer la foi des uns et donner à comprendre aux autres ce qu'est la Bonne Nouvelle que Jésus se met à raconter ces paraboles du Royaume. Il ne les raconte pas pour piéger ses auditeurs, mais pour les ouvrir au mystère du Royaume. Matthieu a regroupé sept paraboles. Les cinq premières ont pour thème la croissance du Royaume, les deux dernières, le trésor et la perle, mettent l'accent sur la nécessité de la décision. Celui qui a découvert le Royaume n'hésite pas et s'engage à être disciple de Jésus.

## 3. La graine de moutarde (Mt 13,31-32)

L'attention est attirée par le contraste entre la petite graine semée dans le champ et le grand arbuste qui dépasse toutes les plantes. Dans la parabole, il devient même un arbre ! Le côté excessif du terme (en Galilée un moutardier ne peut atteindre plus de trois mètres de haut !) montre la splendeur de la plante arrivée à son plein épanouissement : les oiseaux du ciel peuvent venir s'y nicher. La petitesse du commencement est soulignée, s'opposant à la magnificence finale. Jésus a conscience de vivre les débuts du Royaume. Certains s'opposent à lui ; d'autres le comprennent mal ; mais des gens s'émerveillent en l'écoutant : les enfants, les pauvres, les malades s'approchent de lui, ses disciples le suivent.

La parabole racontée par Jésus permet plusieurs découvertes :

• Le Royaume de Dieu est là, dans ces petits commencements. Il va grandir jusqu'à son achèvement dans la gloire : aussi vrai que la graine devient arbre.

• Il est ouvert à tous les hommes. Tous peuvent y trouver leur place, comme les oiseaux dans les feuillages.

• C'est Dieu lui-même qui est l'agent de la croissance du Royaume, comme il est celui qui fait pousser la plante : c'est Dieu qui donne la croissance ! (Cf. 1 Co 3,6).

Comme le jardinier, le disciple de Jésus est invité à la patience : la plante ne grandit pas en un jour, le Royaume de Dieu non plus. Le disciple de Jésus est invité à la confiance. L'Esprit de Dieu est à l'œuvre dans le monde ; des hommes vivent et agissent selon l'Évangile ; c'est l'un des signes de sa présence. Chacun est appelé à être fidèle à l'Esprit, à faire grandir le Règne de Dieu en soi, autour de soi. Jésus Christ, Fils de Dieu, Sauveur, montre et ouvre le chemin.

## 4. Le semeur (Mt 13,4-9)

Il sème à la volée, comme on le faisait en ce temps-là. Il sème généreusement. Chacun des versets précise où tombent les graines et ce qu'elles deviennent. Il y a d'abord une série d'échecs mais, une fois entrée dans la bonne terre, la semence donne du fruit. Le rendement est excellent. À bien regarder, les insuccès soulignent le succès final.

Pour les juifs, familiers des Écritures, la semence évoquait d'emblée la Parole de Dieu telle qu'elle retentit dans la prédication de Jésus. Que dit Jésus du sort de cette Parole ? Elle va porter du fruit en abondance, malgré tous les signes d'insuccès. Les nombreuses difficultés rencontrées par Jésus et, à sa suite, par tous ses disciples, ne compromettront pas l'efficacité de la Parole de Dieu. La Parole de Dieu transforme le monde.

Derrière la figure du semeur, le rôle de Jésus transparaît ; il est le semeur : celui qui parle au nom de Dieu, celui dont toute la vie révèle le Père. De même que le semeur répand généreusement la semence, de même Jésus donne sa parole sans compter, sa vie sans compter.

La dernière phrase du texte est un peu mystérieuse : « *Celui qui a des oreilles, qu'il entende !* ». Ici, le verbe entendre semble en contenir deux autres : écouter et comprendre. « *Si je leur parle en paraboles, c'est parce qu'ils regardent sans regarder, qu'ils écoutent sans écouter et sans comprendre* » (Mt 13,13). « *Écoutez et comprenez bien !* » (Mt 15,10). Être un auditeur fidèle de Jésus Christ est nécessaire pour se faire instruire par lui. Mais écouter et savoir ne suffisent pas, il faut comprendre, connaître du dedans. Les disciples sont ceux qui comprennent, non en vertu d'une intelligence particulièrement éclairée, mais en vertu du don de Dieu. Ce don n'est pas arbitraire ; l'Esprit de Dieu vient à la rencontre de celui qui s'ouvre à lui, qui laisse pénétrer en soi la Parole, la rumine et désire en vivre. D'où l'invitation à peine sous-entendue à être « *la bonne terre* », à mettre en pratique ce que suggère la Parole de Dieu, à s'engager sur le chemin de conversion.

# RENCONTRE 1

# « Le Royaume des cieux est comme... »

## NIVEAU 1

**OBJECTIFS**
▸ Percevoir ce qu'est le Royaume des cieux.
▸ Découvrir ce que signifie la parabole de la graine de moutarde (Mt 13,31-32).

**MATÉRIEL**

📓 Album 12 *Le Pays de Jésus*.

〰 Page du cahier d'équipe « Le Royaume des cieux ? » ou une grande feuille (29,7 x 42 cm minimum).

📄 Annexe 8 *Jeu graine – plante*.

📄 Annexe 9 *Les Paraboles de Jésus*.

📓 Album 13 *Le Royaume de Dieu est comme...* (dessin d'un arbre avec des oiseaux).

〰 Un petit sachet de graines pour chaque enfant.

〰 Un grand pot pour planter les graines.

**CHANT**

💿 *Un arbre va grandir*.

## DÉROULEMENT

**Se souvenir**

*« Jésus a grandi à Nazareth. Il a appris un métier. Vers 30 ans, il est parti sur les routes de Galilée. Quand il a marché au bord du lac de Tibériade, il a appelé des hommes pour le suivre (Cf. p. 7 du livre de l'enfant)... Plus tard, il s'est rendu à nouveau au bord de ce lac. Il a parlé à la foule. Il a raconté des paraboles pour expliquer le Royaume des cieux (Cf. p. 68 du livre de l'enfant). »*

*Cf. Repères pour Animateurs n° 1.*

### Étape 1 Se souvenir

■ Rappeler la naissance de Jésus (*Cf.* Rencontre 3 Unité 2).

■ Raconter en quelques mots ce qui s'est passé après en situant les événements sur une carte de la Palestine de l'Album 12 *Le Pays de Jésus*.

### Étape 2 Le Royaume des cieux ?

■ Écrire sur une page du cahier d'équipe ou sur la grande feuille : « *Le Royaume des cieux ?* ».

■ Demander si un enfant peut répondre à la question (*Qu'est-ce que le Royaume des cieux ?*). Et accueillir sa réponse.

■ Remettre à chaque enfant un sachet de graines. Ne pas leur dire à quoi va servir ce sachet.

■ Faire constater qu'on ne sait pas trop comment en parler. Le seul qui peut nous apporter une explication, c'est Jésus, Fils de Dieu. Par ses actes et ses paroles, il nous dit quelque chose de ce Royaume des cieux.

■ Regarder avec les enfants la p. 72 de leur livre. Les faire réagir : *Que fait, que dit Jésus ?* Noter les découvertes sur la page « *Le Royaume des cieux ?* » Préciser qu'en regardant vivre Jésus, on découvre comment vivre dans le Royaume de Dieu : « *Quand Jésus est là, le Royaume est là.* »

## Étape 3   Le Royaume des cieux est comme...

■ À partir de l'Annexe 8 *Jeu graine - plante.*

■ Faire constater que ce n'est pas toujours la plus grosse graine qui donne la plus grosse plante.

■ Introduire en disant que pour parler du Royaume, Jésus a utilisé aussi beaucoup de comparaisons. C'est ce qu'on appelle « parler en paraboles ». Une parabole surprend ses auditeurs, et elle les amène aussi à se poser des questions sur leur vie présente.

■ Raconter ou lire la parabole de la graine de moutarde (*Cf.* p. 69 du livre de l'enfant).

■ Gestuer cette parabole en insistant sur l'enfouissement, la germination, le développement, le plein épanouissement.

■ Demander aux enfants ce qu'on peut maintenant rajouter sur la page « *Le Royaume des cieux ?* ».

■ Remettre à chaque enfant l'Album 13 *Le Royaume de Dieu est comme...* sur lequel il écrit son prénom et colorie un des oiseaux qui se trouvent dans l'arbre. Il peut le passer ensuite à son voisin, et ainsi de suite.

## Étape 4   Prière

■ Faire lentement le signe de croix.

■ Inviter à la prière en s'appuyant sur l'image p. 71 du livre de l'enfant.

■ Semer dans un grand pot les graines remises aux enfants. Le faire dans le calme en mettant en sourdine le chant : *Un arbre va grandir.*

■ Chanter : *Un arbre va grandir.* On peut reprendre une gestuelle s'inspirant de l'étape 3.

△ Variante : ***agrandir la fiche album et coller la photographie de chaque enfant dans l'arbre pour représenter l'ensemble de l'équipe.***

**8** Cf. *Repères pour Animateurs n° 2, 3 et 4.*

**9** Cf. *Annexe 9 Les Paraboles de Jésus.*

**13**

### Gestuer
*Il est important que les enfants puissent expérimenter avec leur corps la dynamique de cette parabole, et trouver les gestes qui leur correspondent le mieux. Exemples : la surabondance, le bonheur, la beauté... : être debout.*
Cf. *Fiche « Gestuer un texte biblique » p. 251.*

### Prière
*On peut demander à Dieu de faire germer la graine qu'il a semée en nous : en écoutant sa Parole, en jouant avec ses amis, en étant dans une équipe de caté, en famille... Tout au long de cette unité, il faudra revenir à ce grand pot pour voir les graines germer et grandir, comme le Royaume des cieux. Il pourra aussi être utilisé pour la célébration.*
Cf. *Fiche « Prier avec les enfants de 8-11 ans » p. 237.*

# RENCONTRE *1*

# « Le Royaume des cieux est comme... »

## NIVEAU *2*

**OBJECTIFS**
▸ Distinguer le Royaume de Dieu des royaumes de la terre et percevoir ce qu'il est.
▸ Découvrir la parabole du semeur en Mt 13,3-9.
▸ Reconnaître que la Parole de Dieu produit du fruit.
▸ Être en attitude d'écoute de la Parole de Dieu.

**MATÉRIEL**

 Une grande feuille de papier (42 x 29,7 cm minimum).

Annexe 10 *Le Semeur*.

 Album 14 *Le Semeur*.

 Annexe 11 *Cantilène biblique*.

**CHANT**

 *Le semeur est sorti.*

## DÉROULEMENT

### Étape 1  Le Royaume terrestre

**Le Royaume terrestre**
*Cette double page représente un parc, un espace qui est réservé aux enfants, comme un territoire, un royaume. On peut y voir un enfant déguisé en roi, un père avec des enfants, des enfants handicapés qui sont accueillis.*

Cf. *Annexe 9 Les Paraboles de Jésus.*
Cf. *Repères pour Animateurs n° 1 et 2.*
Cf. *Repères pour Animateurs n° 3 et 4.*

■ Regarder les pp. 66-67 du livre de l'enfant, et observer les détails.

■ Réfléchir sur le mot « Roi » à partir de trois questions : *Qu'est-ce qu'un roi ? Qu'est-ce qu'un Royaume ? Que font les sujets d'un roi ?* L'animateur peut écrire les réponses des enfants sur une grande feuille.

### Étape 2  Le Royaume des cieux est comme...

■ Prendre le temps d'expliquer ce qu'est une parabole.

■ Raconter la parabole du semeur (p. 70 du livre de l'enfant).

 ■ Remplir le tableau (Annexe 10 *Le Semeur*).

10

## Étape 3 La Parole de Dieu produira du fruit

■ Prendre avec les enfants une grande feuille sur laquelle on écrit le titre «Semence». Écrire ce que disent les enfants de cette semence, ce qu'elle est d'après eux.

■ Souligner au crayon fluorescent ce qui concerne la Parole de Dieu.

■ Reprendre ensuite la grande feuille sur laquelle on écrit le mot « Fruit ». Noter les expressions des enfants.

■ Souligner avec eux, dans ce qu'ils ont dit, les bienfaits de la Parole constatés autour de nous et en nous.

■ Lire Ga 5, 22-23 p. 70 du livre de l'enfant. Compléter le panneau.

■ Prendre la grande feuille sur laquelle on écrit «Semeur». Écrire dessus ce que les enfants suggèrent.

■ Conclure ce temps en parlant de la façon dont un chrétien peut transmettre la Parole de Dieu, et comment Dieu donne sa Parole.

■ Chaque enfant complète la phrase «Le Royaume de Dieu, c'est un monde où...» de l'Album 14 *Le Semeur*. Il ne la lit pas.

**14**

## Étape 4 Prière

■ Créer un climat de calme. Un fond musical peut y aider.

■ Chanter : *Le semeur est sorti*. On peut aussi faire la gestuelle qui est proposée dans l'Annexe 11 *Cantilène biblique*.

■ Lire la prière du haut de la p. 73 du livre de l'enfant.

**11**

---

**Semence**

*La semence, c'est Jésus. Jésus, Parole de Dieu, a connu l'enfouissement de la mort, mais Dieu l'a ressuscité. Jésus nous a ouvert les portes du Royaume.*

**Semeur**

*Jésus nous a transmis la Parole de Dieu d'une manière tout à fait spéciale. Il est le « Semeur », le porteur de la Parole.*

**Semer**

*C'est le rôle de tout baptisé de transmettre la Parole de Dieu.*

*Comme le semeur, Dieu sème généreusement, il sème à tout vent. Il désire que sa Parole se répande même près de ceux qui ne l'entendent pas (Cf. Fiche « La Parole de Dieu» p. .241).*

**Porter du fruit**

*Jésus manifeste par ses actes ce qu'est la vie dans le Royaume qu'il annonce : vie au service de l'amour, de la communion entre les hommes, vie d'union à Dieu.*

*Cf. Fiche «Gestuer un texte biblique» p. 251.*

*Cf. Fiche «Prier avec les enfants de 8-11 ans» p. 237.*

# RENCONTRE *1*

# « Le Royaume des cieux est comme... »

## NIVEAU 3

**OBJECTIFS**
▶ Distinguer le Royaume de Dieu des royaumes de la terre et percevoir ce qu'il est.
▶ Découvrir la structure de la parabole du semeur en Mt 13,3-9.
▶ Entendre l'appel à la conversion.

**MATÉRIEL**

≋ Une grande feuille de papier (42 x 29,7 cm minimum).

▤ Annexe 10 *Le Semeur*.

▢ Album 14 *Le Semeur*.

**CHANT**

◉ *Le semeur est sorti*.
*Vivre debout !*

## DÉROULEMENT

|  | Pour Jésus... |
|---|---|
| Un roi ? | Le Roi ? |
| Un royaume ? | Le Royaume ? |
| Les sujets d'un roi ? | Les sujets du roi ? |
| Le Royaume de Dieu, c'est... | |

**Exemples**
*Être servi – servir, dominer – aimer puissance–pauvreté...*

Cf. *Repères pour Animateurs n° 1 et 2*.

**Le Royaume de Dieu**
*Le Royaume de Dieu, c'est un monde où...*
*Le Royaume de Dieu, c'est quand...*

### Étape 1  Le Royaume de Dieu

■ Demander aux enfants de regarder le titre de la rencontre p. 68 de leur livre. Citer des rois connus et répondre aux trois questions : *Qu'est-ce qu'un roi ? Qu'est-ce qu'un Royaume? Que font les sujets d'un roi ?* Noter les réponses sur une grande feuille (minimum 42 x 29,7 cm).

■ Écrire en parallèle, sur la même feuille, ce que les enfants ont déjà appris du Royaume de Dieu au cours de l'année précédente, en voyant vivre Jésus Christ, en l'écoutant parler. Pour compléter cette recherche, regarder la p. 72 du livre de l'enfant.

■ Comparer les deux colonnes : regarder les ressemblances, les différences, rapprocher certains termes selon ce que les enfants auront exprimé.

■ Chercher et trouver avec les enfants une phrase qui résumerait ce qui vient d'être dit du Royaume de Dieu. Écrire la phrase choisie par les enfants sur la grande feuille qui a été remplie auparavant.

## Étape 2  La Parabole du semeur

■ Après une présentation rapide pour situer la scène et les paraboles (*Cf.* p. 68 du livre de l'enfant), lire Mt 13,3-9 du livre de l'enfant p. 70.

■ Distribuer à chaque enfant le tableau de l'Annexe 10 *Le Semeur*. À l'aide du texte, chacun le remplit.

**10**

■ Mettre en commun. Noter sur une grande feuille les expressions des enfants.

■ Reprendre avec les enfants, à partir de quelques questions, les différents éléments de cette parabole.

## Étape 3  « Celui qui a des oreilles, qu'il entende ! »

■ Proposer aux enfants d'essayer de comprendre cette dernière phrase de la Parabole du semeur en regardant ce qui se passe dans quelques scènes des évangiles. Écrire les références des textes à chercher et les répartir entre les enfants (une par enfant) :

> Mt 9,9 : Jésus appelle Matthieu, le publicain.
>
> Mt 9,1-8 : Jésus guérit un paralytique.
>
> Mt 12,10-14 : Le maître du sabbat.
>
> Mt 19,16-22 : Le jeune homme riche.

■ Les enfants les lisent tout bas. Repérer les attitudes des personnes dont il est question.

■ Mettre en commun. Relever ce que les enfants disent et compléter si besoin.

■ Avec des crayons fluorescents différents, souligner les phrases qui montrent les attitudes de refus et les attitudes d'acceptation de la parole de Jésus.

■ Réfléchir sur les motifs de ces attitudes.

■ Chaque enfant complète la phrase « *Le Royaume de Dieu, c'est un monde où...* » de l'Album 14 *Le semeur*. Il ne lit pas ce qu'il a écrit.

**14**

## Étape 4  Prier

■ Créer un climat de calme. Un fond musical peut y aider.

■ Écouter le chant : *Le semeur est sorti*.

■ Lire la prière du haut de la p. 73 du livre de l'enfant.

■ Chanter : *Vivre debout !*

---

Cf. *Annexe 9* Les Paraboles de Jésus.
Cf. *Repères pour Animateurs n° 4.*

**La Semence**
*La semence dont parle Jésus c'est la Parole de Dieu. Cela peut être aussi Jésus qui a connu l'enfouissement de la mort, mais Dieu l'a ressuscité. Jésus nous ouvre les portes du Royaume.*
*De quel semeur Jésus parle-t-il ? Par Jésus, c'est Dieu qui parle. Jésus nous a transmis la Parole de Dieu d'une manière tout à fait spéciale. Il l'a fait en tant que Fils de Dieu, Dieu lui-même. Il est le « Semeur », le porteur de la Parole.*

Cf. *Fiche « La Parole de Dieu » p. 241.*

**Celui qui a des oreilles, qu'il entendent**
**Mt 9,9** *Matthieu écoute Jésus et le suit.*
**Mt 9,1-8** *Le paralytique et ses amis font confiance à Jésus. Certains sont choqués : « Cet homme blasphème ». La foule est étonnée, mais rend gloire à Dieu.*
**Mt 12,10-14** *Les pharisiens se réunissent contre Jésus et veulent le faire périr.*
**Mt 19,16-22** *Le jeune homme a confiance en Jésus, mais il n'a pas le courage de le suivre.*

**La Parole de Dieu**
*Elle n'est pas magique. Pour l'entendre vraiment, c'est-à-dire pour la suivre, la mettre en pratique, cela demande une conversion : il faut se tourner vers Dieu. C'est d'abord sur Dieu qu'il faut compter. C'est Dieu qui fait grandir en nous la vie d'enfant de Dieu qu'il nous a donnée. Le jour du baptême, nous avons reçu l'Esprit Saint. C'est lui qui nous aide à écouter, la Parole de Dieu et à la mettre en pratique, et ainsi porter du fruit.*

Cf. *Fiche « Prier avec les enfants de 8-11 ans » p. 237.*

Annexe 8

# Jeu
# Graine-Plante

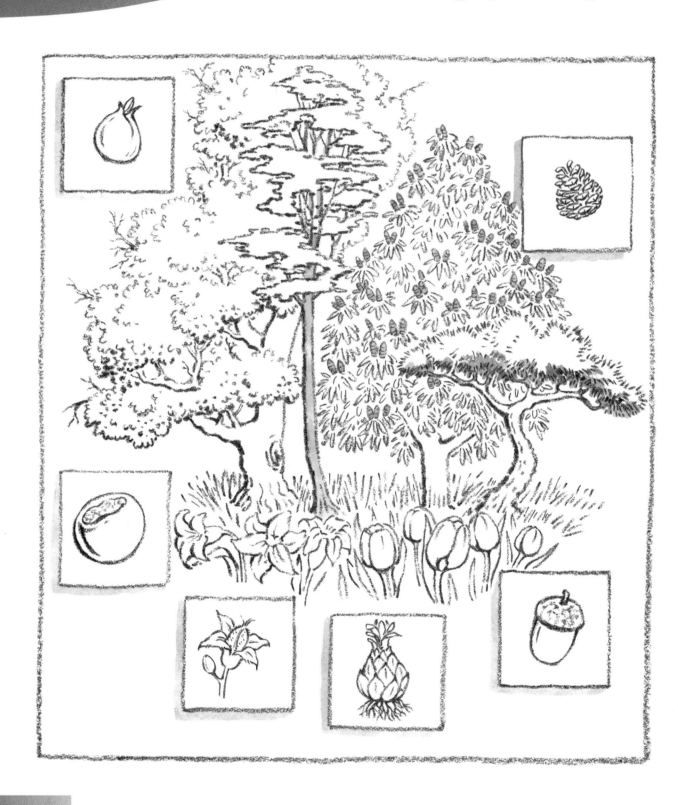

# Annexe 9

# Les Paraboles de Jésus

*Jésus dit « beaucoup de choses en paraboles »* Mt 13,3

## 1. Comment se présente une parabole ?

Parabole vient d'un mot grec qui veut dire comparaison.

• Dans les évangiles, une parabole est une histoire racontée par Jésus. Comme eux, la parabole est marquée par le contexte : un lieu, la Palestine ; une époque, le temps de Jésus. En outre, elle est située par l'évangéliste à un certain moment de son récit : en réponse à une question posée à Jésus ou dans la suite d'un enseignement.

• C'est une histoire qui se présente comme un récit de la vie quotidienne : un paysan qui sème son blé, un homme attaqué par des bandits, des fils qui ont des rapports difficiles avec leur père. Pour rendre la réalité plus évidente, Jésus utilise un vocabulaire plein de contrastes : petit-grand, enfouir-lever, chercher-trouver, passer-s'arrêter.

• À un certain moment, le récit déroute. Il y a une rupture, une exagération dans le récit, une anomalie : le moutardier devient un arbre, le semeur est particulièrement maladroit, un père fait un festin pour son fils prodigue, le Samaritain s'arrête pour venir en aide à un étranger, l'ouvrier de la dernière heure est payé comme celui qui a travaillé depuis le matin. L'auditeur perçoit que Jésus ne parle plus de la vie de tous les jours, il est amené à s'interroger : Que veut dire Jésus par la comparaison qu'il emploie ?

## 2. Pourquoi Jésus utilise-t-il la parabole ?

• La parabole capte l'attention, le cœur, car elle rejoint l'auditeur dans sa vie.

• Dans la parabole, Jésus cherche à communiquer quelque chose de profond, son expérience intérieure. La parabole est, de ce fait, intraduisible. Certes, une explication a tendance à la transformer en allégorie : *« La semence, c'est... » ; « Le semeur, c'est... »* (Mt 13,18-23.36-43), mais tout ne peut être dit de ce qui est caché dans la comparaison. Plus qu'un enseignement, la parabole est révélation, elle dévoile quelque chose du mystère de Dieu.

• De plus, elle laisse l'auditeur libre. Jésus invite : *« Celui qui a des oreilles, qu'il entende ! »* (Mt 13,9). Il invite à comprendre et à se convertir au monde nouveau du règne de Dieu ; la parabole provoque l'auditeur, elle le pousse à prendre une décision, mais elle le laisse libre de son choix.

## 3. Quand on raconte une parabole

• Ne pas oublier :

– de la situer dans le temps et le lieu. La parabole est pour nous aujourd'hui. Des manières de faire ou de dire doivent être expliquées pour qu'elles ne fassent pas écran à la compréhension de l'histoire ;

– de montrer comment elle s'inscrit dans le récit évangélique, à quelle question Jésus répond ;

– de découvrir la dynamique du récit : lieux, personnages, actions. Et d'en voir le côté surprenant.

• Éviter :

– d'entrer trop vite dans le jeu des comparaisons et de donner une clé d'interprétation pour chaque élément de l'histoire ;

– d'en tirer une conclusion moralisante à la place de l'auditeur. Exemple : « Pour être la bonne terre, il faut être comme ceci ou comme cela, faire ceci ou faire cela... ». Suit alors un appel à se regarder soi-même. Même si la distinction peut paraître minime au niveau de l'agir, la démarche de conversion chrétienne suit un autre processus : elle invite à sortir de soi pour regarder, écouter Jésus Christ ; elle est réponse personnelle à l'incitation de l'Esprit.

# Annexe 10

# Le Semeur

Qui a semé ? . . . . . . . . . . . . . . . . . . . . . . . . . . . .
. . . . . . . . . . . . . . . . . . . . . . . . . . . . . . . . . . . . .
. . . . . . . . . . . . . . . . . . . . . . . . . . . . . . . . . . . . .

| Où la graine est-elle tombée ? | Qu'est-il arrivé dans un premier temps ? | Qu'est-il arrivé ensuite ? |
|---|---|---|
| 1er terrain | | |
| 2e terrain | | |
| 3e terrain | | |
| 4e terrain | | |

Si tu étais le semeur, comment réagirais-tu ? . . . . . . . . . . . . . . . . . . . . . . . .
. . . . . . . . . . . . . . . . . . . . . . . . . . . . . . . . . . . . . . . . . . . . . . . . . . . . .
. . . . . . . . . . . . . . . . . . . . . . . . . . . . . . . . . . . . . . . . . . . . . . . . . . . . .

# Annexe 11

# Cantilène Biblique

Cette cantilène biblique peut être chantée et gestuée selon la proposition décrite. La mélodie et la partition se trouvent sur le *Fais jaillir la vie*, année rouge.

Dans chacune des parties, une alternance des voix est souhaitable entre les vers 2/3 et 4/5.

La première ligne de la première partie est toujours à chanter par tous.

Au couplet 4, qui a deux lignes en plus, on répète les deux dernières incises musicales.

1. Le Semeur sortit pour semer.
Tandis qu'il semait sa semence,
il en tomba près du chemin :
des oiseaux sont arrivés
et bientôt tout fut mangé.

2. Le Semeur sortit pour semer.
Tandis qu'il semait sa semence,
il en tomba dans les cailloux :
aussitôt qu'elle eut poussé,
sans racines, elle a séché.

3. Le Semeur sortit pour semer.
Tandis qu'il semait sa semence,
il en tomba dans les buissons :
les ronces ont tout envahi,
le bon grain a dépéri.

4. Le semeur sortit pour semer.
Tandis qu'il semait sa semence,
il en tomba dans du terreau :
peu à peu, elle a grandi
et produit de beaux épis ;
le grain s'est multiplié
jusqu'à trente et cent pour un.

Paroles et musique : Joseph Gélineau.
Avec l'aimable autorisation du Studio SM.

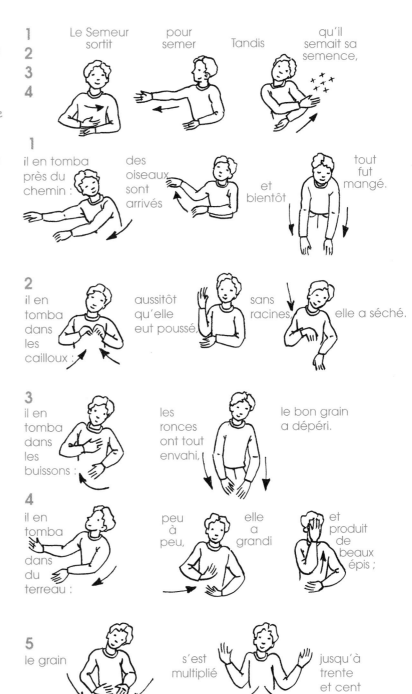

# RENCONTRE 2

# Jésus ouvre le Royaume à tous les hommes

## But de la rencontre

Nous regarderons la guérison de la fille de la Cananéenne (Mt 15,21-28), un miracle qui authentifie et illustre la venue du Règne de Dieu et annonce l'universalité du salut.

## Repères pour Animateurs

### 1. Quand ? Où ?

Matthieu place le récit de guérison après le conflit avec les pharisiens (Mt 15,1-20). Il nous dit que Jésus s'était retiré dans la région de Tyr et de Sidon, en territoire étranger.

Pour les juifs, le monde se divisait en deux : d'un côté les juifs, de l'autre « *les nations* », le monde étranger et païen. Certes, la loi demandait d'accueillir les étrangers, d'annoncer le Dieu unique aux nations. Mais, au temps de Jésus, l'attitude par rapport aux étrangers s'était durcie : il fallait les éviter, surtout ceux qui ne vivaient pas habituellement en Palestine. Les contacts avec les étrangers étaient considérés comme impurs et interdits.

### 2. Une femme

Une femme venue de ces territoires criait. C'était une Cananéenne. Depuis des siècles, les gens du pays de Canaan étaient considérés par les juifs comme des ennemis, comme des « chiens de païens ». Païenne, étrangère, la Cananéenne ne pouvait être bien accueillie.

Cette femme représente le monde païen sémitique, quand le centurion romain représente le monde païen romain : double intention du narrateur, qui fait repérer que le message de Jésus n'est pas accueilli par les siens, alors que les étrangers païens (sémites ou gréco-latins) accueillent son message.

De plus, c'était une femme. Parler à une femme dans un lieu public était l'une des attitudes honteuses qui appelait un rite de purification. Il n'est donc pas étonnant que les disciples soient excédés par la présence de la Cananéenne et par ses cris.

La femme supplie Jésus, elle l'appelle « *Seigneur, fils de David* » (*Cf.* ci-dessus rencontre « Jésus lumière pour tous les peuples » p. 73, Repères pour Animateurs n° 2). Elle sait donc qui il est, d'où il vient. Elle a entendu parler de ses guérisons, elle vient avec confiance lui demander la guérison de sa fille : « *Aie pitié, ma fille est tourmentée par un démon* ».

### 3. Le premier contact

Jésus fait la sourde oreille, il ne répond pas. Les disciples interviennent : « *Donne-lui satisfaction* ». Ils ont hâte de la voir s'en aller. Jésus leur dit qu'il ne peut rien faire ; il est le Messie promis au peuple de Dieu. Sa vie et sa mission s'inscrivent d'abord dans son pays, au milieu de son peuple : « *Je n'ai été envoyé qu'aux brebis perdues d'Israël* » (Mt 15,24).

## 4. Dialogue entre la Cananéenne et Jésus

Mais la femme insiste, elle se prosterne, supplie : *« Seigneur, viens à mon secours ! »*. La réponse de Jésus est rude : le Messie doit d'abord nourrir les enfants d'Israël et non les *« petits chiens »* que sont les païens. Le terme *« petits »* adoucit un peu la formule, mais elle aurait pu décourager la femme. Celle-ci au contraire répond avec réalisme et beaucoup d'à propos : *« Les petits chiens mangent les miettes »*. Et c'est alors le temps de la vraie rencontre. Jésus admire la foi de la Cananéenne : *« Femme, ta foi est grande »*, et à l'heure même sa fille est guérie.

*Remarque :* le mot «Femme» n'a rien d'irrespectueux, c'est une formule grecque souvent employée dans l'évangile de Jean : à Cana, avec la Samaritaine, la femme adultère, au pied de la croix.

## 5. La guérison

Dans ce récit, on trouve les caractéristiques habituelles des guérisons dans les évangiles :

• C'est une action étonnante. Jésus guérit à distance la fille de la Cananéenne. Chaque guérison faite par Jésus est un acte de puissance, comme une irruption de Dieu, de sa puissance de vie. En outre, le miracle révèle quelque chose de la personnalité de Jésus, de son enseignement ou de sa mission. Ici, c'est la mission de Jésus qui se précise et s'ouvre à l'universel.

• C'est une action faite simplement. Le récit du miracle lui-même tient en deux lignes : *« Ma fille est tourmentée par un démon »* ; et *«À l'heure même sa fille fut guérie »*. Pas de longue narration, pas de place pour le merveilleux.

• C'est un geste de bonté, de miséricorde : Jésus accomplit un miracle non pour attirer l'attention, l'admiration, mais en réponse à une demande. Ici, une mère était malheureuse de la souffrance de sa fille.

• C'est une réponse à la foi, à la confiance. Tout le dialogue entre la Cananéenne et Jésus montre combien la foi de la femme était grande, comme indestructible. Il l'exauce à cause de cette foi qu'elle a mise en lui.

• C'est un geste qui restaure l'homme dans sa dignité. Au temps de Jésus, toute maladie était considérée comme une conséquence du péché. La manière dont s'exprime la Cananéenne montre qu'elle voyait en Jésus Christ celui qui avait la puissance sur le mal. Jésus guérit et répare les désordres de l'être tout entier. *« Jésus se révèle comme le Serviteur annoncé par les prophètes. Exorcismes et guérisons sont réalisés pour que s'accomplisse la parole prononcée par le prophète Isaïe : Il a pris nos souffrances, il a porté nos maladies »* (Catéchisme pour adultes n° 170).

## 6. Jésus ouvre le Royaume à tous les hommes

En lisant le récit évangélique, on dirait que c'est l'insistance de la Cananéenne qui obtient de Jésus un élargissement de sa mission. En fait, s'il y a eu rencontre, c'est bien parce que Jésus était là. C'est de sa propre initiative qu'il a franchi les frontières du peuple élu, il s'est laissé interpeller, il s'est laissé émouvoir.

Signe d'ouverture du Royaume à tous les hommes, cette rencontre de Jésus avec la Cananéenne est aussi un acte de salut. Quand Jésus guérit les malades, il les sauve, *« le retour à la santé physique est le signe du salut total de la personne »* (Catéchisme pour adultes n° 250).

Jésus Christ n'annonce pas seulement le Royaume, il vient l'instaurer : il apporte aux hommes la délivrance de tout mal, maladie et péché ; il leur fait don de la vie même de Dieu. Aujourd'hui encore, l'Esprit de Jésus est à l'œuvre dans le monde. Des hommes, chrétiens ou non, vivent et agissent pour qu'il y ait, sur cette terre, plus d'amour, de justice, de paix. Les chrétiens reconnaissent dans cette action le Royaume qui grandit et témoignent de Jésus Christ.

# RENCONTRE 2

# Jésus ouvre le Royaume à tous les hommes

## NIVEAU 1

**OBJECTIFS**
▶ Comprendre l'attitude des disciples de Jésus, de la Cananéenne en Mt 15,21-28.
▶ Admirer la foi de la Cananéenne.
▶ Découvrir que Jésus ouvre le Royaume à tous les hommes.

**MATÉRIEL**

Album 12 *Le pays de Jésus.*

Annexe 12 *La Cananéenne.*

Feuille du cahier d'équipe : carte et phrase « Jésus ouvre le Royaume à tous les hommes ».

**CHANT**

 *Vivre debout !*

## DÉROULEMENT

**Qu'est-ce qui dérange ?**
*Il s'agit de constater que, dans toute existence, des événements, des personnes viennent nous déranger dans notre vie « bien réglée ». Malgré cela, c'est l'occasion de s'ouvrir à la nouveauté. L'animateur note pour lui quelques expressions des enfants. Il pourra les reprendre pour le temps de prière.*

*Cf. Repères pour Animateurs n° 1 et 5.*

### Étape 1 Qu'est-ce qui dérange ?

■ Poser aux enfants la question suivante : *Est-ce que parfois je me sens dérangé, gêné dans ma vie ?*

■ Après un temps de réflexion, chacun raconte une situation où il est dérangé, par qui, pour quoi ?

### Étape 2 La guérison de la fille de la Cananéenne

■ Lire ou raconter Mt 15,21-28 de la p. 75 du livre de l'enfant.

■ Laisser les enfants s'exprimer. Noter leurs commentaires, leurs questions.

■ Situer la Palestine (ses limites), Tyr et Sidon. Repérer avec eux le pays des « Juifs » et celui des « Païens » (*Cf.* Album 12 *Le pays de Jésus*). La coller sur le cahier d'équipe. Les enfants collent aussi cette carte sur leur cahier personnel.

■ À l'aide de la bande dessinée, p. 74 du livre de l'enfant, relire le texte évangélique (Mt 15,21-28). Faire observer les images les unes après les autres. Dans chacune d'elles, repérer les différents personnages : qui sont-ils ? Où se trouvent-

**12**

ils les uns par rapport aux autres ? Quelle est leur attitude ?
Que disent-ils ? Noter aussi ce qui change d'une image à
l'autre.

### Étape 3  Prier et admirer la foi de la Cananéenne

■ Mimer le texte en affichant les bulles de l'Annexe 12 *La
Cananéenne,* pour que les enfants puissent les lire. Délimiter
avec eux l'espace nécessaire pour le mime. Les aider à s'organiser : Combien y a-t-il de tableaux ? Quel est le rôle de
chacun ? Afficher les bulles sur un mur, face aux enfants, de
telle sorte que ceux-ci puissent les lire. Quand tout est prêt, le
narrateur annonce le récit : « *L'Évangile de Jésus Christ
selon saint Matthieu* », et continue. Les enfants prennent les
attitudes des personnages et disent leurs paroles.

■ S'arrêter sur la dernière parole de Jésus « *Femme, ta foi est
grande...* » (Mt 15,28).

■ Lire la prière de la p. 76 du livre de l'enfant.

■ L'animateur reprend les expressions des enfants de l'étape 1.

■ Se mettre debout pour signifier que Jésus nous relève et
nous met en marche. Chanter : *Vivre debout !*

Cf. *Repères pour Animateurs
n°4.*

Cf. *Fiche
«Prier avec les enfants
de 8-11 ans » p. 237.*

### Étape 4  Jésus ouvre le Royaume à tous les hommes

■ Demander aux enfants ce qu'ils ont découvert des disciples,
de la Cananéenne, de Jésus.

■ S'arrêter sur l'attitude de la Cananéenne, sa prière.

■ Montrer comment Jésus admire la confiance de cette
étrangère, cette païenne, et, en réponse, guérit sa fille.

■ Écrire en grand sur le cahier de l'équipe « *Jésus ouvre le
Royaume à tous les hommes* ». Ce titre chevauche
Palestine et autres royaumes.

■ Faire le lien avec l'arbre qui accueille les oiseaux (*Cf.* Unité 3
Rencontre 1). Et regarder si les graines semées à la rencontre
précédente ont commencé à germer.

Cf. *Repères pour Animateurs
n° 2 et 6.*

**Le Royaume de Dieu**
*Comme ce récit de la
Cananéenne nous le montre,
Jésus nous parle du
Royaume de Dieu comme
un lieu ouvert à tous les
hommes, comme un grand
arbre où tout le monde peut
venir s'y abriter.*

# RENCONTRE 2

# Jésus ouvre le Royaume à tous les hommes

## NIVEAU 2

### OBJECTIFS
▶ Comprendre l'attitude des disciples de Jésus, de la Cananéenne, de Jésus en Mt 15,21-28.
▶ Admirer la foi de la Cananéenne.
▶ Découvrir en Jésus Christ celui qui ouvre le Royaume à tous les hommes.

### MATÉRIEL
▢ Album 12 *Le pays de Jésus*.
▢ Album 15 *Jésus guérit la fille de la Cananéenne*.

▤ Annexe 13 *Jésus guérit la fille de la Cananéenne* (réponse de l'Album 15).
▤ Annexe 14 *Mise en commun*.

### CHANT
💿 *Vivre debout !*

## DÉROULEMENT

**Qu'est-ce qui dérange ?**
*Il s'agit de constater que, dans toute existence, des événements, des personnes viennent nous déranger dans notre vie « bien réglée ». Malgré cela, c'est l'occasion de s'ouvrir à la nouveauté. L'animateur note pour lui quelques expressions des enfants. Il pourra les reprendre pour le temps de prière.*

*Cf. Repères pour Animateurs n° 1 et 5.*

### Étape 1  Qu'est-ce qui dérange ?

■ Poser aux enfants la question suivante : *Est-ce que parfois je me sens dérangé, gêné dans ma vie ?*

■ Après un temps de réflexion, chacun raconte une situation où il est dérangé, par qui, pour quoi ?

### Étape 2  La guérison de la fille de la Cananéenne

■ En quelques mots, situer le récit qui va suivre : rencontre de Jésus avec une étrangère, lieu de la rencontre.

■ Situer la Palestine (ses limites), Tyr et Sidon. Repérer avec eux le pays des «Juifs» et celui des «Païens» (*Cf.* Album 12 *Le pays de Jésus*). Observer que ces villes sont en territoire étranger. Expliquer l'attitude des Juifs de l'époque de Jésus par rapport aux étrangers.

■ Lire la bande dessinée p. 74 du livre de l'enfant. L'animateur pourra en même temps raconter ce récit en s'aidant du texte de la p. 75.

■ Par binôme, les enfants remplissent l'Album 15 *Jésus guérit la fille de la Cananéenne.*

**15**

■ Mettre en commun. Les enfants disent ce qu'ils ont noté. L'animateur anime ce dialogue avec les Annexes 13 et 14.

**13-14**

## Étape 3 Prier et admirer la foi de la Cananéenne

■ Se mettre devant une croix ou une représentation du Christ. Commencer la prière par une inclination du corps et demander aux enfants de s'asseoir calmement.

■ Reprendre la dernière phrase de l'évangile : *Que fait Jésus en réponse à la foi de cette femme ? Quelle attitude a eu la Cananéenne devant Jésus ?*

■ Lire la prière de la p. 76 du livre de l'enfant. Proposer aux enfants qui le souhaitent d'exprimer ce qui a été dit à l'étape 1 : *Est-ce que parfois je me sens dérangé, gêné dans ma vie ?* L'animateur peut les aider.

■ Se mettre debout pour signifier que Jésus nous relève et nous met en marche.

■ Chanter : *Vivre debout !*

## Étape 4 Jésus ouvre le Royaume à tous les hommes

■ Amener les enfants à se souvenir de cette phrase : « *Jésus ouvre le Royaume à tous les hommes* ». Les faire feuilleter leur livre et retrouver les pages de la rencontre « *Jésus, lumière pour tous les peuples* » (pp. 51 et suivantes).

■ Insister sur le verbe qui est dans le titre de la rencontre p. 74 : ouvrir. Pourquoi dit-on que c'est Jésus qui ouvre les portes du Royaume ?

■ Regarder l'illustration p. 76 du livre de l'enfant. Les enfants écrivent sur leur cahier la phrase « *Les hommes sont tous invités par Dieu* ». Et ils notent en dessous tous ceux qui sont invités.

---

*Cf. Repères pour Animateurs n° 4.*
*Cf. Fiche « Prier avec les enfants de 8-11 ans » p. 237.*
*Cf. Repères pour Animateurs n° 2 et 6.*

### La foi de la Cananéenne
*Jésus exauce la Cananéenne car elle a une grande foi. Elle l'exprime en venant se prosterner devant lui. Les mages (Cf. Unité 2 Rencontre 3) ont aussi fait ce geste. La venue des mages annonce que Jésus ouvre le Royaume à tous les hommes. Promesse rappelée par Jésus lui-même dans les paraboles (Cf. Unité 3 Rencontre 1). Rappeler ce qui a été vu au temps de Noël : Jésus est le Sauveur. Ce qui est annoncé, le fait : il sauve. Il le montre en redonnant la santé et la paix à la fille de la Cananéenne (Cf. Repères pour Animateurs n° 6). Ce jour-là, Jésus a effectivement quitté son pays, il est sorti de son peuple, il a montré que le salut est pour tous, que le Royaume est ouvert à tous les hommes.*

# RENCONTRE 2

# Jésus ouvre le Royaume à tous les hommes

## NIVEAU 3

**OBJECTIFS**
▶ Comprendre le récit évangélique de la guérison de la fille de la Cananéenne Mt 15,21-28.
▶ Découvrir en Jésus Christ celui qui ouvre le Royaume à tous les hommes.
▶ Percevoir que cette Bonne Nouvelle demande la réponse de chacun.

### MATÉRIEL

 Album 12 *Le pays de Jésus.*

Annexe 12 *La Cananéenne.*

Annexe 15 *Schéma.*

 Une grande feuille (42 x 29,7 cm minimum).

### CHANT

 *Vivre debout !*

## DÉROULEMENT

### Étape 1  La guérison de la fille de la Cananéenne

Cf. *Repères pour Animateurs n° 1 et 5.*

Cf. *Fiche « Raconter en catéchèse » p. 253.*

**Les verbes**
*Verbes exprimant le mouvement :*
*se retirer, venir, s'approcher, se prosterner.*
*Verbes de dialogue :*
*demander, crier, répondre.*
*Jésus et la Cananéenne sont dans un même lieu.*
*Les disciples ne parlent pas du tout à la Cananéenne, ils s'adressent à Jésus.*
*La Cananéenne parle deux fois avant d'avoir une réponse.*
*Un seul verbe est utilisé pour dire que Jésus parle :*
*« Il répondit ».*

■ En quelques mots, situer le récit qui va suivre : rencontre de Jésus avec une étrangère, lieu de la rencontre.

**12** ■ Donner aux enfants l'Album 12 *Le pays de Jésus*, et leur demander de montrer les limites de la Palestine. Ils peuvent les surligner. Repérer Tyr et Sidon. Observer que ces villes sont en territoire étranger. Expliquer l'attitude des Juifs de l'époque de Jésus par rapport aux étrangers.

■ Lire la bande dessinée p. 74 du livre de l'enfant. L'animateur pourra en même temps raconter ce récit en s'aidant du texte de la p. 75.

**15** ■ Faire découvrir, en s'aidant du texte de Mt 15,21-28, tous les verbes qui montrent ce que font les disciples, Jésus, et la Cananéenne. Les écrire sur trois colonnes espacées (*Cf.* Annexe 15 *Schéma*) sur une grande feuille (42 x 29,7 cm minimum). Préciser le sens des verbes qui expriment le mouvement et à quel moment du récit on les emploie. Même chose avec les verbes de dialogue.

■ Répartir les bulles entre les enfants (Cf. *Annexe 12 La Cananéenne*), et les poser entre les colonnes.

**12**

■ Inviter les enfants à exprimer ce qu'ils remarquent. L'animateur s'aidera du schéma de l'Annexe 15.

**15**

■ À partir de ces constats, faire réfléchir sur l'attitude des disciples, sur la rencontre entre la Cananéenne et Jésus. Insister sur la foi de la Cananéenne.

## Étape 2 Jésus ouvre le Royaume à tous les hommes

■ Amener les enfants à se souvenir de cette phrase : « *Jésus ouvre le Royaume à tous les hommes* ». Les faire feuilleter leur livre et retrouver les pages de la rencontre « *Jésus, lumière pour tous les peuples* » (pp. 51 et suivantes).

■ Insister sur le verbe qui est dans le titre de la rencontre p. 74 : ouvrir. *Pourquoi dit-on que c'est Jésus qui ouvre les portes du Royaume ?*

■ Regarder l'illustration p. 76 du livre de l'enfant. Les enfants écrivent sur leur cahier le titre « *Les hommes sont tous invités par Dieu* ».

■ Poser aux enfants la question suivante : *Comme la Cananéenne a su trouver le chemin du Royaume, comment pouvons-nous l'accueillir ?* Regarder la p. 77 du livre de l'enfant en évoquant les quelques situations dont elle témoigne.

■ *Et vous ? Aujourd'hui ?* Les enfants écrivent dans leur cahier leur réponse. Ceux qui le souhaitent peuvent la dire.

## Étape 3 Prier et répondre à l'invitation du Seigneur

■ Se mettre devant une croix ou une représentation du Christ.

■ Reprendre la dernière phrase de l'évangile : *Que fait Jésus en réponse à la foi de cette femme ? Quelle attitude a eu la Cananéenne devant Jésus ?*

■ Commencer la prière par une inclination du corps.

■ Lire la prière de la p. 78 du livre de l'enfant.

■ Ceux qui le souhaitent peuvent dire ce qu'ils ont écrit à la question : « *Et vous ? Aujourd'hui ?* ».

■ Chanter : *Vivre debout !*

### L'attitude des disciples
*Ils sont agacés par les cris de la femme, ils s'approchent de Jésus, ils s'en remettent à lui ; il est celui en qui ils ont confiance.*

### La rencontre entre la Cananéenne et Jésus
*La Cananéenne avait entendu parler de Jésus, elle lui donne même le nom que lui donnent les juifs : « fils de David ». Jésus, lui, ne connaissait pas cette femme. Pour lui, elle était une étrangère. D'où son silence. Jésus rappelle aux disciples qu'il vient pour sauver le peuple d'Israël. C'est dans son peuple qu'il a jusqu'ici rempli sa mission. La femme se prosterne, supplie. D'une manière imagée, la Cananéenne répond à Jésus en se situant bien : certes, elle est étrangère, une païenne, mais comme un petit chien, n'a-t-elle pas droit à avoir part à ce salut donné aux enfants d'Israël ? Pour Jésus, elle cesse alors d'être une païenne. Il l'appelle « Femme ». Il admire sa grande foi et guérit sa fille à cause de cette confiance qu'elle a mise en lui. Cf. Repères pour Animateurs n° 2 et 6.*

### La foi de la Cananéenne
*Jésus exauce la Cananéenne car elle a une grande foi. Comme les mages elle l'exprime en venant se prosterner devant lui. (Cf. Unité 2 Rencontre 3).*

*Les mages annoncent que Jésus ouvre le Royaume à tous les hommes. Promesse rappelée par Jésus lui-même dans les paraboles (Cf. Unité 3 Rencontre 1).*

*À Noël, Jésus est présenté comme le Sauveur. Ici, il le fait : il sauve en redonnant la santé et la paix à la fille de la Cananéenne (Cf. Repères pour Animateurs n° 6).*

*Ce jour-là, Jésus a montré que le salut est pour tous, que le Royaume est ouvert à tous les hommes.*

*Cf. Fiche « Prier avec les enfants de 8-11 ans » p. 237.*

Annexe 12

# La Cananéenne

Aie pitié de moi,
Seigneur,
fils de David,
ma fille
est tourmentée
par un démon.

Donne-lui satisfaction !

Je n'ai été
envoyé
qu'aux brebis
perdues
d'Israël.

Il n'est pas bien
de prendre
le pain des enfants
pour le donner
aux petits chiens.

Seigneur, viens
à mon secours !

C'est vrai, Seigneur,
mais justement
les petits chiens mangent
les miettes qui tombent
de la table
de leurs maîtres.

Femme,
ta foi est grande.
Qu'il soit fait
comme tu veux.

# Annexe 13

# Jésus guérit la fille de la Cananéenne

## CORRIGÉ DE L'ALBUM 15

**1.** Mets une croix devant les bonnes réponses :

*« Jésus s'était retiré »*

en Galilée ☐

au désert ☐

en territoire étranger ☒

*« Les disciples de Jésus »*

accueillent la Cananéenne ☐

demandent à Jésus d'intervenir ☒

renvoient la Cananéenne ☐

**2.** 1. Qui vient rencontrer Jésus ?
    **Une femme.**

2. Elle est du pays de Canaan ;
    c'est une **Cananéenne.**

3. Elle n'est pas du même pays que Jésus ;
    elle est une **étrangère.**

4. Elle n'est pas juive ;
    elle est donc une **païenne.**

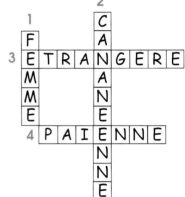

**3.** Complète : Jésus, Fils de Dieu, est né et a vécu dans un pays.
Lequel ? **Palestine.**
Il vit au milieu d'un peuple, il en a la nationalité, la religion ; il est **juif.**
Quelle phrase du texte montre que Jésus est bien d'un peuple et que c'est dans son peuple qu'il veut d'abord remplir sa mission ?
Écris-la : **Je suis venu sauver les brebis d'Israël.**

**4.** La Cananéenne dont la fille est malade vient trouver Jésus. Cherche les deux noms qu'elle donne à Jésus et qui montrent qu'elle a entendu parler de lui.
**Seigneur**          **Fils de David**

**5.** Complète : la Cananéenne parle. Qui lui répond ?
    une première fois : **personne**
    une deuxième fois : **Jésus**
    une troisième fois : **Jésus**

**6.** *« Ta foi est grande »*. Voici des phrases ; toutes sauf une disent autrement la parole de Jésus ; trouve la phrase qui ne convient pas, barre-la. Colorie celle qui te paraît la plus exacte.

« Tu crois que je suis bon »

« Tu sais que je veux le bonheur des hommes »

« Tu es sûre que je m'intéresse à toi »

« Tu me fais confiance »

« ~~Tu comprends tout ce que je dis, tout ce que je fais~~ »

« Tu crois ce que je dis »

Annexe 14

# Mise en commun

**Des points d'attention pour animer le dialogue avec les enfants à partir de l'Album 15 Jésus guérit la fille de la Cananéenne**

## Points 1-2 :

L'attitude des disciples est-elle compréhensible ? Ils ont le comportement normal des juifs par rapport aux étrangers, ils se tournent vers Jésus comme vers le maître qui les guide *(Cf.* Repères pour Animateurs n° 1 et 2*)*.

## Point 3 :

On vit dans une famille, une école, un quartier ; qui connaît-on d'abord ? Ses proches, ceux avec lesquels on vit. Jésus a d'abord aimé, accueilli ceux de son peuple.

## Points 4-5 :

Sur le sens des titres donnés à Jésus, voir la rencontre « Jésus, lumière pour tous les peuples » p. 73, *Cf.* Repères pour Animateurs n° 2. La Cananéenne sait un peu qui est Jésus, comment il est, bon, accueillant. Lui, Jésus, sait seulement d'elle qu'elle est une étrangère.

• Regarder la bande dessinée, livre de l'enfant p. 74, et lire le dialogue entre la Cananéenne et Jésus. La Cananéenne se prosterne, supplie. Jésus lui résiste. Se laisse-t-elle décourager ? Quelle phrase d'admiration prononce Jésus ? Quel en est le sens ?

## Point 6 :

Demander aux enfants de lire les phrases. Les aider dans leur réflexion. S'appuyer sur leur expérience : y a-t-il des gens autour d'eux en qui ils ont foi, à qui ils font confiance ?
L'animateur montre que faire confiance, c'est parfois ne pas tout comprendre (avant-dernière phrase du point 6). Faire préciser tout ce qui montre la foi de la Cananéenne en Jésus *(Cf.* Repères pour Animateurs n° 4).

• Reprendre les dernières phrases de l'évangile : que fait Jésus en réponse à la foi de cette femme ?

# Annexe 15

# Schéma

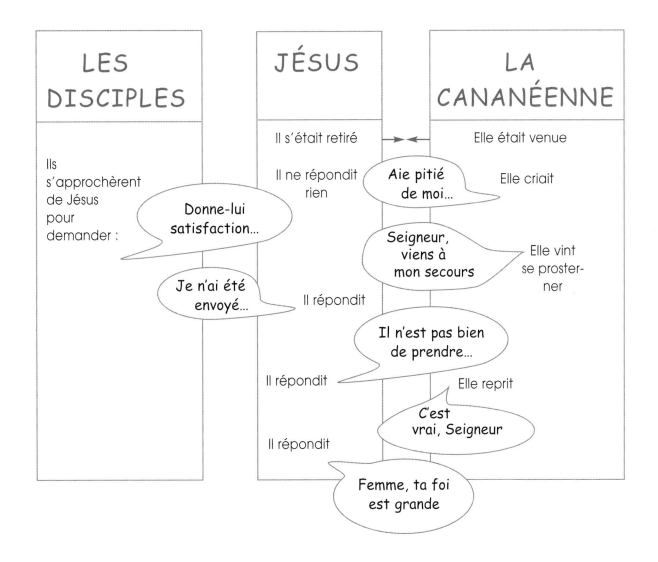

LES DISCIPLES

JÉSUS

LA CANANÉENNE

Ils s'approchèrent de Jésus pour demander :

Donne-lui satisfaction...

Je n'ai été envoyé...

Il s'était retiré

Elle était venue

Il ne répondit rien

Aie pitié de moi...

Elle criait

Seigneur, viens à mon secours

Elle vint se proster-ner

Il répondit

Il n'est pas bien de prendre...

Il répondit

Elle reprit

C'est vrai, Seigneur

Il répondit

Femme, ta foi est grande

# RENCONTRE 3

# La prière de Jésus : Le Notre Père

## But de la rencontre

Le *Notre Père* « *n'est pas une prière comme les autres, fût-ce là plus belle, car Jésus lui-même l'a apprise à ses disciples... Elle est à la fois prière et école de prière* » (*Catéchisme pour adultes* n° 558).

Nous nous proposons donc de faire découvrir aux enfants le sens des mots du *Notre Père*, de leur faire percevoir « *par les demandes formulées* » quelques-unes des attitudes fondamentales de la prière des chrétiens et de leur donner ainsi le désir de prier.

### Repères pour Animateurs

### 1. La prière du Seigneur

La prière du Seigneur se trouve, à peu près telle que nous la récitons, dans l'évangile de Matthieu 6,9-13, au centre du discours sur la montagne (Luc 11,2-4 en donne une version plus brève). Après avoir souligné quelques-unes des déviations de la prière, Jésus donne des conseils pour prier, puis il affirme avec l'autorité d'un maître : « *Vous donc, priez ainsi* », et il apprend à ses disciples la prière qui est devenue celle de tous les chrétiens, celle de l'Église.

### 2. « Notre Père, qui es aux cieux »

Dieu considéré comme Père est un thème que l'on trouve dans l'Ancien Testament. Chez les prophètes d'Israël, Yahvé est le père du peuple : « *Tu es, Seigneur, notre Père, notre rédempteur : tel est ton nom depuis toujours* » (Isaïe 63,16). Mais Jésus Christ, Fils de Dieu depuis toujours, « *engendré non pas créé* », manifeste aux yeux des hommes la relation unique qu'il a avec son Père. Cette relation transparaît quand il appelle Dieu : « *Abba, Père bien-aimé* » (« *Abba* », en araméen est l'équivalent de papa). C'est à cette relation toute filiale que Jésus veut associer ses disciples. Dieu est notre Père : « *Voyez comme il est grand, l'amour dont le Père nous a comblés : il a voulu que nous soyons appelés enfants de Dieu – et nous le sommes* » (1 Jean 3,1).

Parler des cieux, ce n'est pas localiser Dieu. C'est une manière de dire que Dieu est au-delà de tout, une manière de reconnaître que ce Père auquel nous nous adressons, c'est celui qui crée le ciel et la terre.

Dire « *Notre Père qui es aux cieux* », c'est nous mettre en présence de Dieu, faire silence, être attentifs comme des enfants émerveillés et confiants. Chacun peut le dire en se sachant aimé pour lui-même. En même temps, le « *notre* » exprime que nous prions avec et pour tous nos frères les baptisés, ceux qui reconnaissent Dieu pour Père, avec aussi tous ceux qui ne savent pas que Dieu est un Père qui les aime.

• Après cette adresse à Dieu, Jésus nous demande de nous mettre à l'écoute des désirs de Dieu pour les faire nôtres avec l'aide de l'Esprit.

## 3. « Que ton nom soit sanctifié »

Chez les juifs, le nom est bien plus qu'une appellation, il désigne la personne elle-même en tant qu'elle est connue. Le nom de Dieu, c'est Dieu lui-même. « *Je leur ai fait connaître ton nom* » (Jean 17,26), dit Jésus dans la prière sacerdotale. Prier pour que le nom de Dieu soit sanctifié, c'est souhaiter que le Dieu de Jésus Christ soit reconnu comme saint, le Tout-Autre : celui qui sauve, qui pardonne ; c'est demander que son nom soit respecté, aimé, magnifié : « *Saint, saint, saint est le Seigneur !* » (Isaïe 6,3).

## 4. « Que ton règne vienne ! Que ta volonté soit faite sur la terre comme au ciel ! »

Les cris d'espoir d'un peuple en marche rejoignent les désirs de Dieu. Nous aspirons à la venue du Seigneur à la fin des temps, mais nous souhaitons qu'il vienne dès maintenant. Le « *ciel* », ce sera le règne de Dieu pleinement réalisé. Sur la terre, il dépend des hommes que le dessein de Dieu se réalise.

Nous prions pour que tous les enfants de Dieu vivent ensemble comme des frères, œuvrent pour que l'amour et la justice habitent la terre. Nous prions pour que tous les hommes se tournent vers Dieu.

• Dans la première partie du *Notre Père*, Jésus nous a fait nous tourner vers Dieu, entrer dans le projet de Dieu. Dans la deuxième partie, avec Jésus, nous disons à Dieu les besoins des hommes, nos besoins.

## 5. « Donne-nous aujourd'hui, notre pain de ce jour »

« *Donne* » : cet impératif, qui pourrait être signe d'impolitesse (il n'est pas suivi d'un « *s'il te plaît* », d'un « *si tu veux bien* »), est ici le signe de la confiance absolue de l'enfant qui s'adresse à son Père.

Le Père qui nous donne la vie ne peut pas nous refuser le pain, la nourriture, ce qui est nécessaire à cette vie. Nous nous fions à lui ; c'est au jour le jour que nous faisons cette demande. Nous la faisons pour nous et pour nos frères ; nous nous préoccupons des autres, en particulier de ceux qui ont faim.

Outre le pain et les autres biens matériels dont nous avons besoin, nous demandons que Dieu nous donne le pain de sa Parole. « *Ce n'est pas seulement de pain que l'homme doit vivre, mais de toute parole qui sort de la bouche de Dieu* » (Mt 4,4).

Nous le prions de nous donner aussi le pain de vie, le corps du Christ, afin que nous soyons unis à Jésus Christ et à nos frères.

## 6. « Pardonne-nous nos offenses comme nous pardonnons à ceux qui nous ont offensés »

Dieu sauve l'homme du péché : « *La preuve que Dieu nous aime, c'est que le Christ est mort pour nous alors que nous étions encore pécheurs* » (Rm 5,8).

Dieu est notre Père et il nous aime. Plus nous en avons conscience, plus nous avons envie de lui demander pardon, car nous sommes des enfants peu soucieux de son amour et de sa loi. Nous nous reconnaissons pécheurs. Nous ne faisons pas avec Dieu une sorte de marchandage : « Pardonne-nous parce que nous, nous pardonnons ». Ce serait comprendre la demande dans la perspective d'un donnant-donnant, comme si l'attitude de Dieu dépendait de celle de l'homme. Dieu est toujours prêt à pardonner. Mais celui qui ne pardonne jamais ou qui n'a jamais fait l'expérience d'être pardonné peut-il entrevoir ce qu'est le pardon de Dieu ?

## 7. « Ne nous soumets pas à la tentation mais délivre-nous du mal »

Dans la Bible, le mal c'est Satan. Satan (voir *Pierres Vivantes* p. 57) est un nom commun (qui veut dire adversaire, comme dans un procès) devenu un nom propre : celui de l'ennemi de Dieu et des hommes. On constate l'existence de cette force qui pousse à diviser (diable = diviseur). Nous sentons le mal en nous : « *Ce que je voudrais faire, ce n'est pas ce que je réalise ; mais ce que je déteste, c'est cela que je fais* » (Rm 7,15). Nous voyons le mal autour de nous : violences, injustices, guerres...

Nous demandons à Dieu de ne pas nous laisser emprunter la route du péché, de nous libérer si nous l'avons prise. Nous le supplions de délivrer les hommes de l'emprise du mal : le péché, les malheurs causés par la méchanceté des hommes. Nous lui faisons confiance : Dieu seul est Dieu, la force de son Esprit Saint est avec nous.

# RENCONTRE 3

# La prière de Jésus : Le Notre Père

## NIVEAU 1

### OBJECTIFS

▸ Adopter la prière des chrétiens qui, à la suite de Jésus prient : « Notre Père qui es aux cieux ».

▸ Découvrir, à partir du Notre Père que prier, c'est entrer en relation avec Dieu.

▸ Commencer à mémoriser le Notre Père.

### MATÉRIEL

▢ Album 16 *Notre Père*.

▤ Annexe 16 *La prière du Notre Père*, à agrandir pour le cahier d'équipe.

▤ Annexe 17 *Dominos « Notre Père »*.

### CHANT ◗

◉ *Un signe de la main*.

## DÉROULEMENT

Cf. *Repères pour Animateurs n° 1 à 7*.

Cf. *Fiche «Prier avec les enfants de 8-11 ans » p. 237*.

**La prière du Notre Père**

*En une rencontre, tout ne sera pas dit du Notre Père. Ses paroles auront à être reliées, au cours des rencontres suivantes, à la vie de Jésus et à l'expérience des chrétiens ; c'est ainsi que peu à peu elles s'éclaireront et se graveront dans l'intelligence et le cœur des enfants.*

**Lecture d'image**

*La peinture « Jésus en prière », p. 79 du livre de l'enfant, mérite attention. Faire parler les enfants : Où se passe la scène ? Que voit-on ? Quelle attitude de Jésus ? Jardin, arbres, un arbre épanoui,*

### Étape 1  Prier ?

■ Chercher avec les enfants dans leur livre des images qui évoquent pour eux la prière.

■ Repérer avec eux les attitudes qui montrent que ces personnes prient, les lieux et les différentes façons de prier.

■ Leur demander quand et comment ils prient.

### Étape 2  Quand Jésus prie

■ Regarder avec les enfants la reproduction de la peinture p. 79 de leur livre. Lire le texte qui l'accompagne.

### Étape 3  Jésus nous donne sa prière : le Notre Père

■ Deux propositions : **A ou B**

▤ **16**

**A.** Colorier ou surligner le texte du Notre Père (*Cf. Annexe 16 La prière du Notre Père*). Mettre en rouge la première phrase : je m'adresse à Dieu ; les phrases suivantes en jaune : je lui fais trois souhaits ; les dernières en vert : je lui fais quatre demandes.

**B.** Remettre à chaque enfant un ou deux dominos en fonction du nombre (*Cf.* Annexe 17 *Dominos «Notre Père»*). Ensemble, colorier selon le code de la proposition A et reconstituer le texte du Notre Père.

**17**

■ S'arrêter sur quelques mots : Notre Père, Règne, Pain.

– Notre Père : pour tous, Jésus nous dit que nous sommes tous enfants du Père.

– Règne (Royaume / Roi) : faire référence aux rencontres 1 et 2 de l'unité.

– Pain : il en était question dans la rencontre 2 de l'unité. Ici, il s'agit de la nourriture et du pain eucharistique.

## Étape 4  Prier avec Jésus le Notre Père

■ Afficher le texte du Notre Père contenant la gestuelle.

■ Disposer près du texte le pot contenant les graines semées à la fin de la rencontre 1.

■ Chanter : *Un signe de la main* pour introduire le signe de croix.

■ Introduire en s'inspirant ce qui est écrit à la p. 79 du livre de l'enfant.

■ Dire lentement le Notre Père en faisant la gestuelle proposée.

■ Remettre solennellement à chaque enfant le Notre Père illustré (*Cf.* Album 16 *Notre Père*).

**16**

*dressé. Jésus est grand, son manteau est rouge ; Jésus est à genoux ; pourtant son corps est droit, étiré vers le ciel. Son regard est tourné vers le haut, ses mains sont tendues comme pour offrir et recevoir. Amener les enfants à donner un sens à tous ces signes, à les interpréter à leur façon. Cf. Fiche «Lire une image » p. 249.*

### Dieu notre Père
*Quand on présente aux enfants Dieu comme le Père, il est bon de se demander : Quelle idée du père ont les enfants ? Cela afin de les aider à prendre de la distance par rapport à l'idée qu'ils en ont, idée liée à leur expérience au sein de la famille et à la connotation psycho-affective qui est la leur. Dieu Père aime d'un amour parfait, total et laisse libres ceux qu'il aime. Ne pas enfermer Dieu dans une image exclusivement masculine ! Dieu aime «comme une mère » (Cf. Os 11,1-9). Dieu porte sur tout homme un regard de Père. Par Jésus il ouvre le Royaume à tous les hommes. (Cf. Unité 3 Rencontre 2). Cette relation père-enfant ne peut exister que si l'enfant accepte cette relation. Par le baptême cette relation est scellée.*

# RENCONTRE 3

# La prière de Jésus : Le Notre Père

## NIVEAU 2

**OBJECTIFS**
▶ Percevoir que Dieu est Père, que chacun peut s'adresser à lui comme un enfant s'adresse à son père.
▶ Entrer dans les souhaits de Dieu.
▶ Reconnaître ce dont on a besoin pour vivre et le dire à Dieu.

**MATÉRIEL**
Album 16 *Notre Père*.
Annexe 16 *La prière du Notre Père* (à agrandir pour le mettre sur une feuille 29,7 x 42 cm).

Annexe 17 *Dominos « Notre Père »*.
Un nouveau testament.

**CHANT**
*Un signe de la main.*

## DÉROULEMENT

*Cf. Repères pour Animateurs n° 1 à 7.*
*Cf. Fiche «Prier avec les enfants de 8-11 ans » p. 237.*

### La prière du Notre Père
*En une rencontre, tout ne sera pas dit du Notre Père. Ses paroles auront à être reliées, au cours des rencontres suivantes, à la vie de Jésus et à l'expérience des chrétiens ; c'est ainsi que peu à peu elles s'éclaireront et se graveront dans l'intelligence et le cœur des enfants.*

### Lecture d'image
*La peinture « Jésus en prière », p. 79 du livre de l'enfant, mérite attention. Faire parler les enfants : Où se passe la scène ? Que voit-on ? Quelle attitude de Jésus ? Jardin, arbres, un arbre épanoui, dressé. Jésus est grand, son manteau est rouge. ; Jésus est à genoux ;*

### Étape 1 — Jésus prie

■ Regarder avec les enfants la reproduction de la peinture p. 79 du livre de l'enfant. Lire le texte qui l'accompagne.

### Étape 2 — Jésus donne sa prière : le Notre Père

■ Situer le contexte dans lequel Jésus va exprimer sa prière (*Cf.* p. 80 du livre de l'enfant).
■ Chercher, dans l'évangile de Matthieu chapitre 6, combien de fois on retrouve « ton père », « notre père » (douze fois).
■ Demander aux enfants : Pourquoi « notre père » ? Pourquoi ce nom ? Dans l'Évangile, chercher Jn 8,19 et lire ce verset.
■ Surligner en rouge la première phrase du texte du Notre Père (*Cf.* Annexe 16 agrandie).

16

■ Faire remarquer aux enfants qu'il y a trois demandes en «tu » et trois demandes en « nous ».
■ Surligner en jaune les trois phrases « souhaits » et en vert les trois phrases « demandes ».

## Étape 3  Accueillir le « Notre Père »

**17**

- Distribuer aux enfants les dominos « Notre Père ».
- Colorier les dominos selon les couleurs choisies à l'étape 2.
- Reconstituer la prière.
- Repérer les mots importants (Notre Père, Règne, Pain…).

## Étape 4  Prier avec Jésus le « Notre Père »

**16**

**16**

- Afficher le texte du Notre Père surligné.
- Chanter : *Un signe de la main* pour introduire le signe de croix.
- Dire lentement le « Notre Père » en faisant la gestuelle proposée. (*Cf.* Annexe 16).
- Remettre solennellement à chaque enfant le Notre Père illustré (*Cf.* Album 16 *Notre Père*).

---

pourtant son corps est droit, étiré vers le ciel. Son regard est tourné vers le haut, ses mains sont tendues comme pour offrir et recevoir. Amener les enfants à donner un sens à tous ces signes, à les interpréter à leur façon. *Cf. Fiche «Lire une image»* p. 249.

### Dieu notre Père

*Quand on présente aux enfants Dieu comme le Père, il est bon de se demander : Quelle idée du père ont les enfants ? Cela afin de les aider à prendre de la distance par rapport à l'idée qu'ils en ont, idée liée à leur expérience au sein de la famille et à la connotation psycho-affective qui est la leur. Dieu Père aime d'un amour parfait, total et laisse libres ceux qu'il aime. Ne pas enfermer Dieu dans une image exclusivement masculine ! Dieu aime «comme une mère» (Cf. Os 11,1-9). Dieu porte sur tout homme un regard de Père. Par Jésus il ouvre le Royaume à tous (Cf. Unité 3 Rencontre 2). Cette relation père-enfant ne peut exister que si l'enfant accepte cette relation. Par le baptême cette relation est scellée.*

### Souhaits et demandes

*Les demandes en « tu » sont des souhaits qui n'en font qu'un : la réalisation du Royaume. Les demandes en « nous » sont au sujet du pain, du pardon et du bonheur. Ce n'est pas uniquement pour soi, mais pour tous. Cf. Fiche «Gestuer un texte biblique» p. 251.*

# RENCONTRE 3

# La prière de Jésus : Le Notre Père

## NIVEAU 3

**OBJECTIFS**
▶ Percevoir que Dieu est un Père plein de tendresse, notre Père, le Père de tous les hommes.
▶ S'ouvrir aux souhaits de Dieu, les accueillir.
▶ Situer la prière de demande.

### MATÉRIEL

▢ Album 16 *Notre Père*.

▤ Annexe 16 *La prière du Notre Père* (à agrandir pour le mettre sur une feuille 29,7 x 42 cm).

≋ Un nouveau testament.

### CHANT

◉ *Un signe de la main.*

## DÉROULEMENT

Cf. *Repères pour Animateurs n° 1 à 7.*
Cf. *Fiche «Prier avec les enfants de 8-11 ans» p. 237.*

**La prière du Notre Père**
*En une rencontre, tout ne sera pas dit du Notre Père. Ses paroles auront à être reliées, au cours des rencontres suivantes, à la vie de Jésus et à l'expérience des chrétiens ; c'est ainsi que peu à peu elles s'éclaireront et se graveront dans l'intelligence et le cœur des enfants.*

**Lecture d'image**
*La peinture « Jésus en prière », p. 79 du livre de l'enfant, mérite attention. Faire parler les enfants : Où se passe la scène ? Que voit-on ? Quelle attitude de Jésus ? Jardin, arbres, un arbre épanoui, dressé. Mise en valeur de*

### Étape 1 Jésus prie

■ Regarder avec les enfants la reproduction de la peinture de la p. 79 du livre de l'enfant. Lire le texte qui l'accompagne.

■ Situer le contraste dans lequel Jésus exprime cette prière, livre de l'enfant p. 80.

▤
16

■ Lire lentement le Notre Père et afficher le texte (*Cf.* Annexe 16).

■ Demander aux enfants d'en trouver les différentes parties et les surligner ou les encadrer avec des couleurs.

### Étape 2 Jésus nous parle de son Père, de Notre Père

■ Chercher, dans l'évangile de Matthieu chapitre 6, combien de fois on retrouve « ton père », « notre père » (douze fois).

■ Demander aux enfants : Pourquoi « notre père » ? Pourquoi ce nom ? Dans l'Évangile, chercher Jn 8,19 et lire ce verset.

## Étape 3  Entrer dans les souhaits de Dieu

■ Faire réagir les enfants à partir de la première série de demandes du Notre Père (*Cf.* deuxième partie du texte) : combien y en a-t-il ? (trois) ; de quel ordre sont-elles ? (ce sont des souhaits) ; de quoi parlent-elles ? (de la réalisation du Royaume).

■ Chercher dans l'évangile de Marc 1,15. Se rappeler ce qu'on a dit sur « se convertir » (*Cf.* Unité 2 Rencontre 2), sur le Royaume (*Cf.* Unité 3 Rencontres 1 et 2).

■ Proposer aux enfants de reformuler à leur manière cette partie. L'écrire sur la grande feuille « Notre Père ».

## Étape 4  Dire à Dieu nos besoins

■ Faire réagir les enfants sur la deuxième série de demandes du Notre Père (*Cf.* troisième partie du texte) : sont-elles des souhaits comme l'autre partie ? (ce sont des demandes que nous adressons à Dieu) ; que demandent-elles ? (du pain, le pardon, le bonheur pour tous).

■ Regarder la p. 83 du livre de l'enfant. Chercher avec les enfants : de quoi avons-nous besoin pour vivre ? Qu'est-ce qui nourrit le corps, l'esprit, la vie des enfants de Dieu ?

■ Écrire leurs réponses sur la grande feuille « Notre Père ».

■ Regarder la p. 84 du livre de l'enfant. Chercher avec les enfants : de quoi demande-t-on pardon ? Pourquoi dire « comme nous pardonnons » ?

■ Écrire leurs réponses sur la grande feuille « Notre Père ».

## Étape 5  Prier avec le Notre Père

■ Afficher la grande feuille « Notre Père ».

■ Chanter : *Un signe de la main* pour introduire le signe de croix.

■ Dire lentement le Notre Père avec les gestes choisis par les enfants.

■ Remettre solennellement à chaque enfant le Notre Père illustré.(*Cf.* Album 16 *Notre Père*).

---

*Jésus : il est grand, son manteau est rouge ; Jésus est à genoux ; pourtant son corps est droit, étiré vers le ciel. Son regard est tourné vers le haut, ses mains sont tendues comme pour offrir et recevoir. Amener les enfants à donner un sens à tous ces signes, à les interpréter à leur façon.*
Cf. Fiche « Lire une image » p. 249

### Dieu notre Père
*Quand on présente aux enfants Dieu comme le Père, il est bon de se demander : Quelle idée du père ont les enfants ? Cela afin de les aider à prendre de la distance par rapport à l'idée qu'ils en ont, idée liée à leur expérience au sein de la famille et à la connotation psycho-affective qui est la leur. Dieu Père aime d'un amour parfait, total et laisse libres ceux qu'il aime. « Ne pas enfermer Dieu dans une image exclusivement masculine ! Dieu aime « comme une mère »*
(Cf. Os 11,1-9).
*Dieu porte sur tout homme un regard de Père. Par Jésus il ouvre le Royaume à tous*
(Cf. Unité 3 Rencontre 2).
*Cette relation père-enfant ne peut exister que si l'enfant accepte cette relation. Par le baptême cette relation est scellée.*

### Pardonner
*Comment pourrions-nous recevoir le pardon de Dieu, l'accueillir si dans notre cœur il y avait de la rancune ou de la haine ?*
(Cf. Repères pour Animateurs n° 6).

### Gestuer le Notre Père
Cf. Fiche « Gestuer un texte biblique » p. 251 et Annexe 16.

16

Annexe 16

# La prière du Notre Père

**Notre Père, qui es aux cieux**

que ton nom soit sanctifié
que ton règne vienne
que ta volonté soit faite
sur la terre comme au ciel

donne-nous aujourd'hui
notre pain de ce jour
pardonne-nous nos offenses
comme nous pardonnons aussi
à ceux qui nous ont offensés
et ne nous soumets pas à la tentation
mais délivre-nous du mal

**Amen**

## Annexe 17

# Dominos
# « Notre Père »

**Notre Père**

Dieu, tu es notre Père
et tu es le Père
de tous les hommes.

**qui es**

**aux cieux,**

Tu domines l'univers,
tu es partout.

**que ton nom**

**soit sanctifié,**

Nous savons
que tu es saint,
que tu es grand.

**que ton règne vienne.**

Ton règne,
c'est l'Amour partout.

**Que ta volonté soit faite**
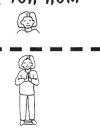

**sur la terre**

Ce que tu aimes,
ce que tu veux
pour la terre,
fais-le, avec nous.

**comme au ciel.**

**Donne-nous**

**aujourd'hui**
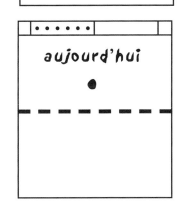

**notre pain de ce jour.**

Nourris-nous
au jour le jour
de ce dont
nous avons besoin.

# Annexe 17

# Dominos « Notre Père »

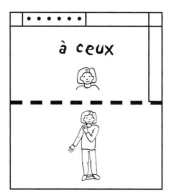

**Pardonne-nous**

Quand nous sommes partis loin de toi, pardonne-nous.

**nos offenses,**

**comme nous pardonnons aussi**

Tu nous demandes de pardonner aussi à nos frères.

**à ceux**

**qui nous ont offensés.**

**Et ne nous soumets pas**

**à la tentation,**

Protège-nous du mal, quand il vient vers nous.

**mais délivre-nous**

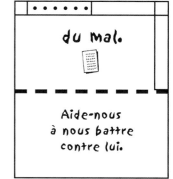

**du mal.**

Aide-nous à nous battre contre lui.

**Amen.**

Oui, je crois à tout ce que j'ai dit.

Découper chaque domino. Les plier en deux et coller.
Mettre tous les éléments à plat sur la table, le texte du « Notre Père » visible.
Poser le carton « Notre Père » au centre, puis à tour de rôle, poser les autres cartons dans le bon ordre.
À la fin, lire et expliquer les indications situées au dos des cartons.

D'après *Le caté à dix doigts*, tome 2, Anne Gravier, Cerf Jeunesse.

# CÉLÉBRATION

*Tous niveaux*

# « Celui-ci est mon fils bien-aimé »

Cette célébration est centrée sur la manifestation du Père et de l'Esprit lors du baptême de Jésus, Mt 3,16-17. Regarder vivre Jésus, se mettre à l'écoute de sa parole, c'est être amené à se poser la question : « Mais qui es-tu, Jésus ? » Dieu l'affirme : Jésus est son Fils bien-aimé. C'est ce mystère de Jésus, Fils de Dieu, que nous allons célébrer.

## Préparation

• Prévoir :
- des badges avec le prénom des enfants (sauf s'ils sont trop nombreux) ;
- les textes des chants ;
- la musique pour l'entrée, la procession, la sortie (magnétophone) ;

• Mettre en bonne place dans le lieu de célébration :
- une reproduction ou un dessin stylisé du baptême de Jésus, avec un spot pour l'éclairer. (Si l'on a un écran plein jour, on peut projeter une diapositive d'une reproduction du baptême de Jésus. Prévoir écran, projecteur.)
- l'évangéliaire sur un pupitre.
- une vasque d'eau.

## Déroulement

### 1. Temps de rassemblement

• À l'entrée de l'église ou de la salle, chacune des équipes se regroupe autour de son animateur. Celui-ci accueille chaque enfant et lui remet un badge avec son prénom.

• Musique. Les enfants s'avancent par équipe avec leur animateur et s'installent.

• L'animateur principal salue les enfants, nomme les groupes qui sont là. Il invite à chanter et prier ensemble.

• Chant de rassemblement. Par exemple *Dieu nous appelle du fond des temps* (cassette *Des poissons et du pain* n° 2 SM K 837).

• Le président de l'assemblée accueille les enfants au nom de Jésus Christ et annonce le thème de la célébration. Il invite à demander pardon, comme le faisaient ceux qui recevaient le baptême de conversion donné par Jean-Baptiste.

• Prière pénitentielle

L'animateur ou un enfant :

>*Seigneur Jésus, tu es venu nous dire de la part de Dieu :*
>*« Convertissez-vous. Le Royaume est proche ».*
>*Nous ne sommes pas toujours attentifs à écouter ta parole.*
>*Aide-nous à l'entendre, à la comprendre.*

Une voix, puis tous :

>*Seigneur, prends pitié !*

L'animateur ou un enfant :

>*Parfois, Seigneur, nous n'avons pas envie de mettre en pratique ce que ta parole*
>*nous suggère de faire. Aide-nous à suivre ton chemin.*

Une voix, puis tous :

>*Seigneur, prends pitié !*

L'animateur ou un enfant :

>*Seigneur, nous ne croyons pas assez que tu nous aides à grandir dans ton amour,*
>*dans l'amour de nos frères. Aide-nous à faire confiance à l'Esprit Saint qui est*
>*toujours avec nous.*

Une voix, puis tous :

>*Seigneur, prends pitié !*

Le président :

>*Dieu notre Père, montre-nous ta miséricorde, accorde-nous ton pardon.*
>*Ouvre nos cœurs à ta parole, aide-nous à rendre grâce.*
>*Nous te le demandons par Jésus Christ notre Seigneur,*
>*qui vit et règne avec toi dans l'unité du Saint Esprit*
>*pour les siècles des siècles.*

Tous :

>*Amen !*

## 2. Temps de la Parole

• *Alléluia.*

• Proclamation de l'évangile de Matthieu 3,16-17.

• *Alléluia.*

• Commentaire de l'évangile. Quelques éléments à partir des mots du texte : « *Dès que Jésus fut baptisé* ». Il plonge dans l'eau du Jourdain non parce qu'il se considère pécheur, mais parce qu'il est solidaire des hommes. Un jour, il sera plongé dans la mort, il passera de la mort à la vie. Ressuscité, il nous ouvrira les portes du Royaume.

« *Les cieux s'ouvrirent* ». Dieu paraît souvent lointain. Là, c'est comme si tout d'un coup il devenait proche. C'est comme si on voyait en clair comment Dieu est uni, lié à Jésus Christ venu vivre parmi les hommes.

« *Il vit l'Esprit de Dieu descendre comme une colombe* ». La colombe n'est pas une image de l'Esprit Saint, c'est sa manière d'être qui fait penser à l'Esprit. Un oiseau vole entre ciel et terre ; c'est un lien entre les deux. Présent, insaisissable, mystérieux, l'Esprit d'amour unit le Père et le Fils. « *Celui-ci est mon Fils bien-aimé* ». Jésus appelle Dieu : « *Abba, Père bien-aimé* ». Comme en écho, Dieu appelle Jésus : « *Fils bien-aimé* ». Celui que les apôtres, les gens de Palestine ont vu vivre, celui que nous découvrons dans les évangiles, c'est Jésus, le Fils de Dieu.

Au baptême de Jésus, les trois personnes de la Sainte Trinité : le Père, le Fils, le Saint Esprit manifestent la relation d'amour qui les unit. Nous-mêmes, à notre baptême, nous sommes devenus participants de cette relation d'amour qui unit les trois personnes divines.

## 3. *Temps de la réponse et de l'action de grâce*

• L'animateur principal invite les enfants à se déplacer, équipe après équipe, avec leur catéchiste, et à venir près de la vasque d'eau. Musique.

• Le président de l'assemblée accueille et nomme les enfants (sauf s'ils sont trop nombreux). Il introduit la démarche qui suit : « Depuis notre baptême, nous portons le nom de chrétiens. Plongeons la main dans l'eau et faisons le signe de la croix. Par ce geste nous disons notre foi : Nous croyons en toi, Jésus Christ. Tu es le Fils de Dieu, le Fils bien-aimé du Père, Tu nous donnes ton Esprit ». Les parents font la même démarche, après les enfants.

• Chant qui prolonge cet acte de foi. Par exemple, *Tu es le Christ, celui qui vient dans le monde* (Y 12-98, cassette *Dieu qui nous aime* SM K 933).

• Le président de l'assemblée introduit le *Notre Père* par cette prière :

« *Seigneur Dieu, tu es saint, tu es bon pour nous, tu es bon pour tous les hommes. Nous te disons merci, et nous voulons surtout te rendre grâce à cause de Jésus, ton Fils. Il est venu vivre parmi nous. Par l'Esprit Saint, il ouvre nos yeux et nos oreilles, il change notre cœur : alors nous arrivons à nous aimer, et nous reconnaissons que tu es notre Père et que nous sommes tes enfants* » (*Prière eucharistique pour assemblées d'enfants n° 3*).

• Tous récitent le Notre Père. Cette prière peut être gestuée.

## 4. *Temps de l'envoi*

• Dans le mot d'envoi, le président de l'assemblée invite les enfants à être porteurs de la Bonne Nouvelle : « Jésus est le Fils bien-aimé du Père », et à vivre ensemble comme des frères.

• Sortie : musique.

## CATÉ-DÉCOUVERTES

# La Bible
# Un livre pas comme les autres

## Buts

Les propositions de ce Caté-découvertes veulent favoriser un intérêt pour la Bible prise dans son ensemble. Elles donnent des moyens pour mieux connaître la Bible, en particulier le Nouveau Testament, et pour être en mesure de s'y retrouver et de s'en servir.

## Fondements

### 1. La Bible : un héritage culturel

La Bible fait partie de l'héritage culturel de l'humanité et elle marque notre civilisation. Pour tout enfant aujourd'hui, il est normal de savoir, même sommairement, ce qu'est la Bible et ce qu'elle contient. *« En catéchèse, l'enfant apprend à lire l'Écriture. Il le fait selon l'Esprit qui habite l'Église, en sorte qu'elle devienne Parole vivante et agissante »* (*Texte de référence. La catéchèse des enfants n° 212*). Lorsqu'un texte de l'Ancien ou du Nouveau Testament est proposé aux enfants pendant la catéchèse, c'est avec l'intention qu'ils accueillent, grâce à ce texte, la parole de Dieu. Avec ce qu'ils sont et ce qu'ils vivent, les croyants sont confrontés à cette parole de Dieu et invités à y répondre.

## 2. Bible et histoire

La Bible met en contact avec des événements historiques, mais elle ne le fait pas à la façon des journalistes ou des historiens contemporains. Dans les événements qu'ils rapportent, les croyants témoignent de leur foi en Dieu qui sauve.

Par exemple, ceux qui ont écrit les évangiles n'ont pas cherché seulement à garder mémoire de la vie de Jésus. À la lumière de sa résurrection, ils transmettent les gestes et les paroles du Christ comme l'irruption du règne de Dieu parmi les hommes.

## 3. Le Nouveau Testament

La diversité des personnes et des communautés auxquelles les auteurs des textes s'adressaient explique en partie que leurs témoignages aient mis en valeur tel ou tel aspect de la vie de la mort et de la résurrection de Jésus. C'est aussi pour cela qu'il y a plusieurs écrits. Ainsi le Nouveau Testament ressemble plus à une bibliothèque qu'à un livre unique.

Aujourd'hui, par le même Esprit qui animait Jésus et qui inspirait les évangélistes, les croyants reçoivent ces témoignages comme parole de Dieu qui les fait vivre.

## Mises en œuvre

On pourra choisir l'une des trois mises en œuvre :

1. Comment sont nés les évangiles
2. À la découverte des quatre évangélistes
3. Les traces de la Bible.

## MISE EN ŒUVRE 1

# Comment sont nés les évangiles

### Buts

• Découvrir les premiers temps de la prédication des apôtres : de la Pentecôte à la mise par écrit de leur enseignement dans les communautés chrétiennes.

• Connaître les points essentiels de la première prédication et la place de l'Évangile pour les chrétiens.

### Destinataires

Cette mise en œuvre est destinée aux enfants d'une équipe de catéchèse. Elle constitue la première étape d'une découverte de l'origine des évangiles. Elle convient aux enfants des niveaux 2 et 3. Pour le niveau 1, prendre l'étape 1 du déroulement ci-dessous et choisir un seul texte de l'étape 2.

### Matériel nécessaire

• Un Nouveau Testament.

• Un Nouveau Testament avec notes pour l'animateur ; par exemple la Traduction Œcuménique de la Bible (TOB) ou la Bible de Jérusalem (BJ).

### Déroulement
### (durée : 1 heure)

1. Regarder et commenter les illustrations et textes de la p. 91 du livre de l'enfant en faisant apparaître :
- les différentes étapes de la transmission de la Parole ; on peut donner un titre pour caractériser chacune des quatre étapes ;
- le passage de la transmission orale à la transmission écrite. Faire remarquer que, dans l'échelle du temps, les étapes ne sont pas de durée égale.

2. Chercher et découvrir dans le Nouveau Testament des textes qui témoignent de la naissance des évangiles :
- La Pentecôte : Ac 2,1-8.12-15. Repérer dans le texte les signes de la présence de l'Esprit Saint ; ce qui crée la surprise chez les auditeurs ; leur réaction (ce qu'ils pensent des apôtres).
- Voir comment et pourquoi Luc a écrit son évangile : Lc 1,1-4. Pour expliquer ce texte, on pourra s'aider du livre de l'enfant pp. 92-93 et des notes de la TOB.
- Lire 1 Co 15,1-11. Relever ce qu'on y apprend de la vie de Paul ; comparer sa prédication avec celle de Pierre à la Pentecôte : Ac 2,32-33.
- Rechercher pourquoi Jean a écrit son évangile : Jn 20,30-31.

En conclusion, à partir de ce qui aura été découvert, souligner l'importance de ces témoignages pour notre connaissance de Jésus.

## MISE EN ŒUVRE 2

# À la découverte des quatres évangélistes

### But

Découvrir et mémoriser les points essentiels de ce que l'on sait sur les évangélistes, leurs destinataires et le contenu de leur message.

### Destinataires

Cette mise en œuvre conviendrait à des équipes de niveaux mélangés où les CM pourraient aider des plus jeunes.

### Matériel nécessaire

• Une carte du bassin méditerranéen à l'époque du Nouveau Testament.

## Déroulement
### (durée : 1 heure)

### 1er temps :
### Questions sur les évangiles

Prendre le livre de l'enfant p. 90. Après avoir lu les questions, inviter les enfants à poser leurs propres questions sur la Bible et en particulier sur les évangiles. Faire en sorte que les enfants dialoguent entre eux. Apporter les éléments nécessaires pour cela. Il ne sera sans doute pas possible de répondre à toutes les questions, par manque de temps ou de documentation. Il ne s'agit ici que d'une première approche. La découverte de la Bible demande du temps.

### 2e temps :
### Les quatre évangiles

• Ouvrir les pp. 92-93 du livre de l'enfant et demander de décrire la photo centrale. Faire repérer les éléments symboliques de l'image et donner leur signification : ovale entourant le Christ (mandorle), auréole et trône : gloire du Ressuscité ; main levée : signe d'enseignement et d'autorité ; livre : signe de la parole de Dieu ; autour du Christ, les symbolisations des quatre évangélistes : visage humain, lion, taureau et aigle.

• En faisant le lien entre les paroles de Pierre Ac 2,32 et la représentation du Christ en gloire, rappeler que la résurrection constitue le point de départ de l'annonce de la Bonne Nouvelle et de la naissance des premières communautés chrétiennes.

• Lire avec les enfants les textes présentant les évangélistes pp. 92-93. Situer sur la carte affichée les différents lieux cités.

• Poser les questions ci-dessous, en demandant aux enfants de répondre à tour de rôle, ou deux par deux. Lorsqu'un enfant ne sait pas, il cherche l'information dans le texte, ou l'animateur passe la parole à un autre membre du groupe.
– Peux-tu citer les quatre évangélistes ?
– Quelle était la religion de Jésus ?
– Envers qui Matthieu se montre-t-il dur ?
– L'aigle est le symbole de quel évangéliste ?
– De qui Marc a-t-il été le confident ?
– Quelle était la profession de Luc ?
– Le lion est le symbole de quel évangéliste ?
– Pour qui Marc a-t-il écrit son évangile ?
– Dans quelle ville l'évangile de Jean a-t-il été écrit ?
– À qui Matthieu a-t-il adressé son évangile ?
– Quel évangile a été écrit le premier ?
– Quelle était la profession de Matthieu avant qu'il suive Jésus ?
– Qui Marc a-t-il suivi dans un grand voyage missionnaire ?
– Quel évangéliste parle avec des images poétiques ? (eau vive, pain de vie)
– Luc était-il juif ?
– Quel évangile a été écrit en dernier ?
– À qui Luc se montre-t-il tout particulièrement attentif ?
– De qui l'apôtre Jean est-il le fils ?
– Quel est le symbole de Matthieu ?
– Comment appelle-t-on les croyants du judaïsme ?

## MISE EN ŒUVRE 3

# Les traces de la Bible

## But

Par le repérage et la lecture des traces laissées dans notre culture par l'Ancien et le Nouveau Testaments, découvrir que la Bible a marqué et marque encore le monde dans lequel nous vivons.

## Matériel nécessaire

• Revues ou hebdomadaires présentant l'évangile du dimanche.

• Pour une mise en œuvre plus développée, faire une recherche préalable de photos, BD, chants,... à sujet biblique.

## Déroulement
### (durée : 1 heure)

• Introduire la lecture et le repérage des images pp. 94-95 du livre de l'enfant, en rappelant qu'on peut trouver en beaucoup d'endroits, et de façons variées, des traces de l'Ancien et du Nouveau Testaments.

• Jeu de repérage et d'identification.

– Deux par deux, les enfants font l'inventaire des traces de la Bible présentées pp. 94-95. Ils essaient de les identifier en indiquant, selon les cas, ce que c'est, dans quel lieu on les trouve et quels passages de la Bible sont représentés. On peut donner un titre pour chaque illustration.

– Comparer les recherches en relevant pour chaque groupe de deux enfants : le nombre de représentations identifiées, ce qui a permis de les reconnaître, les représentations qui ne sont pas connues ou qui ne renvoient pas à un passage précis de la Bible.

• On peut élargir la recherche à partir de photos prises dans des revues.

Remarque : Une autre variante est possible si on dispose de plus de temps : aller visiter une église, une cathédrale ou un musée en se faisant guider par un spécialiste pour y découvrir les représentations faisant allusion à des passages de la Bible.

Il est possible également de commencer un panneau à enrichir pendant plusieurs rencontres, au fur et à mesure des découvertes.

# Clés pour l'alliance

La loi donnée à Moïse scelle l'alliance, cette histoire d'amour entre Dieu et les hommes.

En donnant sa vie pour ses frères, Jésus accomplit parfaitement l'alliance.

En nous associant au don de sa vie, il nous permet d'aller jusqu'au bout de l'amour. Il fonde ainsi dans sa vie, sa mort et sa résurrection la manière chrétienne de vivre humainement.

## RENCONTRE 1
Jésus rappelle la loi de Moïse

## RENCONTRE 2
Aller plus loin avec Jésus

## RENCONTRE 3
Ce que Jésus dit, il le fait

## Célébration
« Ma vie nul ne la prend mais c'est moi qui la donne »

## Caté-découvertes
La solidarité, une foi qui agit

## Bibliographie

### RENCONTRE 1
◎ *Catéchisme pour adultes* n° 138-140 ; 515-518 ; 542 et suivants.
◎ *Catéchisme pour adultes* n° 2052 et suivants (partie III, section II).
◎ *Cahiers Évangile*, n° 81 « Le décalogue ».
◎ Il sera utile de lire dans la Bible : *Ex 19 ; Ex 20,1-17 ; Ex 24,3-8 ; Dt 5,1-22.*

### RENCONTRE 2
◎ *Célébrer la réconciliation avec des enfants*, CNPL-CNER, Chalet 1976.
◎ *Reçois le pardon*, CRER 1989.

### RENCONTRE 3
◎ *Les dossiers de la Bible*, n° 8 « Les sacrifices », juin 1985.
◎ *Célébrer la messe avec les enfants*, Chalet-Tardy, 1983.
◎ *Cahiers Évangile*, n° 108 « Rencontres pascales ».
◎ *Cahiers Évangile*, n° 29 « Mort et vie dans la Bible ».
◎ *Cahiers Évangile*, n° 30 « Jésus devant sa passion et sa mort ».
◎ Biblia, n° 7 « La Pâque de Jésus ».
◎ Vatican II, *Constitution sur l'Église Lumen gentium n° 14.*

# Lettre aux parents

## Quelle morale pour les chrétiens ?

Partout dans le monde, des hommes et des femmes, adultes et jeunes, travaillent pour gagner leur vie, luttent pour une société meilleure, recherchent le bonheur. Les progrès de la science et de la technique sont fulgurants et, de plus en plus, l'homme intervient dans des secteurs autrefois intouchables (génie génétique, conquête de l'espace...).

Alors, un ensemble de questions surgit avec vigueur et de manière urgente : Quelles limites au pouvoir de l'homme ? Qu'est-il permis de faire ? Quelles directions prendre ? Quels chemins choisir pour le bonheur de tous ?

L'ensemble de ces questions habite ceux qui cherchent leur bonheur et qui travaillent au développement de tout l'homme et de tous les hommes. La morale chrétienne n'a pas d'autre visée, mais le chrétien a la certitude que Dieu, en appelant les hommes à la vie, n'a qu'un seul projet, le bonheur de tous. Il sait que Jésus Christ, son Fils, indique le chemin et que son Esprit anime tous ceux qui l'accueillent en vue de ce bonheur.

Cette unité veut aider les enfants à découvrir cette manière chrétienne de vivre humainement.

La Bible raconte l'histoire d'amour entre Dieu et les hommes : l'alliance. Celle-ci est manifestée dans le don de la loi fait à Moïse. Vous pouvez relire avec votre enfant les grandes étapes de cette histoire (livre de l'enfant pp. 98 et 99) et redécouvrir les dix commandements (livre p. 100).

En donnant sa vie pour ses frères, Jésus accomplit parfaitement cette alliance. Désormais ce n'est plus la loi qui la caractérise, mais l'Esprit de Jésus ressuscité. Il l'inscrit dans le cœur de l'homme.

Suivre le chemin de Jésus, c'est accueillir le petit, le pauvre, l'étranger (livre p. 111). C'est aller jusqu'à aimer ses ennemis (p. 113), c'est pardonner sans compter (p. 109). Jésus est venu pour tous les hommes et son message s'adresse à tous, y compris les riches. Personne n'est exclu de l'alliance. Ce que Jésus dit, il le fait et cela se révèle plus fort que la mort. Il sera intéressant de présenter à votre enfant la passion de Jésus non comme un destin subi, mais comme un don de soi librement consenti : « *Ma vie, nul ne la prend, mais c'est moi qui la donne* » (pp. 116, 117 et 118).

Il sera bon d'aider votre enfant à se reconnaître pécheur avec les pp. 108 à 113 de son livre, en particulier s'il se prépare cette année à sa première célébration du sacrement de réconciliation.

De même, avec la p. 121, vous pourrez aider votre enfant à découvrir les grandes parties de la messe, surtout s'il communie pour la première fois cette année.

# RENCONTRE 1

# Jésus rappelle la loi de Moïse

## But de la rencontre

Cette rencontre propose de faire découvrir aux enfants l'alliance de Dieu avec Moïse, le don de la loi au Sinaï, et de leur montrer que Jésus n'abolit pas cette loi, mais l'accomplit.

## Repères pour Animateurs

### 1. Des lois pour quoi ?

« Il est interdit d'interdire », pouvait-on lire sur les murs de Paris, en mai 1968. Abolir les lois, vivre sans règlement, ce désir n'est-il pas encore inscrit en l'homme ? Chacun essaie de se libérer de la loi en l'ignorant, en la contournant, en se l'appropriant, en l'utilisant pour se justifier ou accuser. Et pourtant, toute société a besoin de lois pour vivre. Jésus lui-même affirme : « *Ne pensez pas que je suis venu abolir la loi ou les prophètes* » (Mt 5,17).

### 2. Quelle loi dans la Bible ?

• Habituellement, dans nos sociétés judéo-chrétiennes, on distingue :

– les lois qui relèvent du débat démocratique, du fait majoritaire ou du consensus social : le légal ;

– la loi naturelle qui s'enracine dans les interdits fondamentaux : le meurtre, le mensonge et l'inceste ;

– la Torah (la loi, en hébreu) : elle est don de Dieu qui manifeste son engagement et révèle les règles de l'alliance.

• Dans l'Ancien Testament, quand on parle de la loi on fait allusion à la Torah qui règle la vie du peuple de Dieu. Elle se trouve dans les cinq livres du Pentateuque (Genèse, Exode, Lévitique, Nombres et Deutéronome). Cette législation est complexe. Le décalogue (les dix paroles), véritable cœur de la Torah, en rappelle les exigences fondamentales (Dt 5,6-21 ; Ex 20,1-17) (*Pierres Vivantes* p. 22).

• Deux parties dans ce décalogue :

– La première partie parle de Dieu, de sa grandeur, du culte que le peuple doit lui rendre. Elle donne sens à l'autre partie, car elle définit l'attitude fondamentale du peuple de l'alliance qui doit vivre dans un dialogue constant avec le Dieu vivant.

– La seconde partie renvoie vers le prochain, elle parle de la relation avec les autres, elle décrit l'attitude des hommes entre eux.

La loi de Moïse manifeste l'alliance entre Dieu et les hommes : aimer Dieu et aimer son prochain sont proposés dans une même loi. Ce n'est peut être pas un hasard que les deux parties se trouvent articulées par « *Honore ton père et ta mère* ». La famille demeure le lieu privilégié où chacun peut apprendre à devenir dans sa chair fils et frère. Les commandements de Dieu (sauf celui qui concerne les parents) sont rédigés de manière négative, ce qui est manière de mieux laisser libre l'homme face à l'injonction divine.

## 3. « Tu dois » ; « Je suis »

Le préambule du décalogue n'a rien d'une préface occasionnelle, il appelle les dix paroles et leur donne leur véritable portée en faisant dialoguer le « tu dois » avec le « je suis ».

Avant de commander, Dieu dévoile son identité : « *Je suis le Seigneur, ton Dieu, qui t'ai fait sortir du pays d'Égypte* ». C'est d'abord un Dieu qui choisit, qui sauve et qui fait alliance, avant d'être un Dieu qui commande. Mais la loi est inséparable de l'alliance : il n'y a pas de loi sans alliance, comme il n'y a pas d'alliance sans loi.

## 4. Structure d'alliance

• On peut distinguer dans la Bible quatre alliances :

– L'alliance avec Adam, établie par Dieu avec l'humanité tout entière, manifestée depuis la création.

– L'alliance avec Noé, rappelée par le signe de l'arc-en-ciel.

– L'alliance avec Abraham qui s'inscrit dans la chair par la circoncision.

– L'alliance avec Moïse, conclue au Sinaï avec la promulgation de la loi.

• Dans chacune de ces alliances, on peut repérer quatre éléments :

– L'initiative de Dieu qui choisit, appelle et propose librement aux hommes de vivre en communion avec lui.

– La réponse de l'homme qui, par la foi, est reconnaissance et accueil de cette initiative divine.

– L'engagement réciproque de Dieu et de l'homme.

– Le signe donné pour manifester et attester cette alliance.

## 5. L'alliance

Le terme alliance veut rendre compte des relations entre Dieu et les hommes. Chacun peut en faire l'expérience : Dieu l'aime et l'invite à vivre en communion avec lui. Les chrétiens sont habitués à parler d'ancienne et de nouvelle alliances comme de deux réalités distinctes. La première recouvre l'Ancien Testament, la seconde le Nouveau. Quelles relations y a-t-il entre la première et la nouvelle alliance ?

– Elles sont en continuité l'une par rapport à l'autre : c'est toujours Dieu qui fait alliance avec les hommes.

– Mais, entre les deux, une rupture apparaît : en Jésus Christ le péché est définitivement vaincu. Le pardon et la grâce l'emportent.

– Enfin, il y a dépassement et accomplissement : Jésus Christ, mort et ressuscité, réalise en son être même l'alliance définitive. Son Esprit nous est donné pour que nous vivions nous-mêmes dans cette alliance.

## 6. Jésus n'est pas venu abolir la loi, mais l'accomplir

Il faut donc attendre la venue du Christ pour que soit réalisé ce qui était inscrit dans l'alliance du Sinaï, manifestée par le don de la loi : en son Fils Jésus, Dieu épouse l'humanité. Jésus n'est pas seulement un prophète qui, à la manière de Jérémie ou d'Ézéchiel, rappelle l'alliance. Il n'est pas seulement un bon juif qui vit l'alliance de l'intérieur. Il est le Fils de Dieu. En sa personne même se réalise la rencontre parfaite de Dieu et de l'homme, puisqu'il est « *vrai Dieu et vrai homme* ».

## 7. Quelle expression utiliser ?

Plusieurs expressions sont utilisées pour désigner la révélation de la volonté divine à Moïse et à son peuple : dix commandements, loi de Moïse, les dix paroles (décalogue), les tables de la loi. Laquelle choisir ? Dans cette unité, c'est l'expression « les dix paroles » qui est le plus fréquemment employée. Elle est la traduction du terme « décalogue » (du grec *deka* : dix, et *logos* : parole). Avant d'être prescription, commandement, la loi est révélation. Cependant l'animateur veillera à établir l'équivalence entre les différentes expressions.

# RENCONTRE 1

# Jésus rappelle la loi de Moïse

## NIVEAU 1

**OBJECTIFS**

▶ Découvrir, à travers l'histoire de l'alliance, l'amour de Dieu pour les hommes.

▶ Réaliser que la loi de Moïse (les dix paroles), puis la nouveauté de Jésus, sont la manifestation de cette alliance.

### MATÉRIEL

 Un ballon.

 Album 17 *Les dix paroles de vie*.

 Annexe 18 *Moïse et les dix paroles*.

 Annexe 19 *Ribambelle*.

 Deux bandes de papier de couleur différente : « *Aimer Dieu* », « *Aimer les autres* ».

### CHANT

🔊 *Je fais silence.*

## DÉROULEMENT

**Une attitude d'intériorisation**

*L'animateur s'efforcera de faire vivre durant cette catéchèse des temps d'intériorisation. Il ne s'agit pas de tout expliquer, de tout comprendre, mais d'aider les enfants à accueillir la loi signe de l'alliance, à créer des liens entre amour et loi.*

**Les enfants et la loi**

*Les enfants ont souvent, à cet âge, un rapport légaliste à la loi qu'ils perçoivent davantage comme un carcan, une contrainte, que comme un appel, un dynamisme à vivre et à aimer.*

### Étape 1   Un temps pour écouter

🔊 ■ Écouter le chant : *Je fais silence*.

■ Faire silence. Lire Dt 5,1-2 du livre de l'enfant p. 100 jusqu'à « pratique ».

### Étape 2   Créer des liens

■ Disposer les enfants en cercle. Donner un ballon : on se le passe sans règle de jeu. Observer ce qui se passe : il est impossible de jouer !

■ On peut se servir autrement d'un ballon : avec une règle de jeu. Celui qui lance le ballon appelle celui à qui il l'envoie. Observer ce qui se passe : on parle, on s'écoute, on peut jouer !

■ Se rappeler la nécessité d'avoir des règles pour vivre ensemble (*Cf. Album 1 Des règles pour vivre ensemble*).

 ■ Dire que Dieu a fait un peu la même chose avec nous : il a créé des liens, des signes, et donner des lois « les dix paroles de vie » pour que les hommes apprennent à vivre ensemble.

## Étape 3  Par amour

■ Raconter, à partir des images du livre de l'enfant pp. 98-99, les différents signes de l'alliance de Dieu avec le peuple d'Israël.

■ Puis prendre l'Annexe 18 *Moïse et les dix paroles* : présenter la silhouette de Moïse à qui Dieu a donné les dix paroles de vie par amour.

**18**

■ Lire le texte p. 100 du livre de l'enfant. Faire correspondre les paroles du texte à celles de l'Annexe 18. Présenter les deux bandes de couleur : « Aimer Dieu », « Aimer les autres ». Coller et colorier sous chaque bande les paroles correspondantes. Puis coller la silhouette de Moïse.

## Étape 4  Avec Jésus

■ Se souvenir, avec les enfants, de ce qu'ils ont déjà vu sur Jésus (*Cf.* Unités 2 et 3).

■ Marquer sur la ribambelle de l'Annexe 19 les noms des personnes que Jésus a rencontrées (les mages, les apôtres, la Cananéenne…).

**19**

■ Coller cette ribambelle sur le cahier d'équipe. Donner l'Album 17 *Les dix paroles de vie* et la coller sur le cahier de l'enfant.

**17**

## Étape 5  Un temps pour prier

■ Se rassembler autour d'une bible ouverte à la page du livre de l'Exode.

■ Faire le signe de croix. En silence, dire : *Seigneur, aide-nous à découvrir les signes de ton amour dans nos vies par ta Parole, par les personnes que nous rencontrons.*

■ Lire Ex 19,5 : « *Si vous gardez mon alliance, vous serez mon peuple parmi tous les peuples* ».

■ Prier le Notre Père en se tenant la main.

■ Chant : *Je fais silence.*

---

*L'animateur veillera à développer le rôle pédagogique de la loi en aidant à en chercher le sens. Il sera attentif aux liens à faire avec les règles que le groupe se donne pour vivre. En effet, la morale ne relève pas seulement des discours tenus, mais elle tient aussi aux attitudes qui en découlent.*
*Cf. Fiche « Raconter en catéchèse » p. 253.*
*Cf. Repères pour Animateurs n° 2 à 4.*

**Aimer Dieu**
*Tu n'auras pas d'autres dieux que moi /*
*Tu ne te feras aucune image /*
*Tu ne prononceras pas à tort le nom de Dieu /*
*Tu te souviendras du jour du sabbat pour le sanctifier.*

**Aimer les autres**
*Tu ne tueras pas /*
*Tu ne commettras pas d'adultère / Tu ne voleras pas / Tu ne porteras pas de faux témoignage /*
*Tu ne convoiteras pas la femme, la maison, le serviteur, rien en un mot de ce qui est à ton prochain.*
*Cf. Repères pour Animateurs n° 5 et 6.*

**Avec Jésus**
*Toutes ces personnes rencontrées par Jésus ont accepté l'alliance proposée par Dieu, et ont découvert en lui la nouveauté de l'alliance pour tous les hommes.*
*Cf. Fiche « Prier avec les enfants de 8-11 ans » p. 237.*

# RENCONTRE 1

# Jésus rappelle la loi de Moïse

## NIVEAU 2

**OBJECTIFS**

▶ Découvrir l'amour de Dieu pour les hommes en explorant « Faire alliance c'est quoi ? ».

▶ Réaliser que la loi de Moïse (les dix paroles), puis la nouveauté de Jésus, sont la manifestation de cette alliance.

### MATÉRIEL

 Un jeu de cartes.

Frise « Parole de Dieu à travers les âges », Éditions CRER.

Album 17 *Les dix paroles de vie.*

Annexe 18 *Moïse et les dix paroles.*

Trois bandes de papier de couleur : « Écoute » (bleue) ; « Aime Dieu » (rouge) ; « Aime les autres » (verte).

### CHANT

*Je fais silence.*

## DÉROULEMENT

**Une attitude d'intériorisation**
*L'animateur s'efforcera de faire vivre durant cette catéchèse des temps d'intériorisation. Il ne s'agit pas de tout expliquer, de tout comprendre, mais d'aider les enfants à accueillir la loi signe de l'alliance, à créer des liens entre amour et loi.*

**Les enfants et la loi**
*Les enfants ont souvent, à cet âge, un rapport légaliste à la loi qu'ils perçoivent davantage comme un carcan, une contrainte, que comme un appel, un dynamisme à vivre et à aimer.*

### Étape 1  Un temps pour écouter

■ Écouter le chant : *Je fais silence.*

■ Faire silence. Lire Dt 5,1-2, du livre de l'enfant p. 100.

### Étape 2  Des règles pour vivre ensemble

■ Organiser un jeu de cartes sans règle, par exemple une bataille. Observer ce qui se passe : il n'est pas possible de jouer !

■ Rejouer mais en suivant la règle du jeu : il est possible alors de jouer !

■ Observer qu'il en est de même dans l'équipe : sans règle on ne peut ni s'exprimer ni vivre ensemble. Reprendre l'Album 1 *Des règles pour vivre ensemble* rédigées en début d'année et voir comment elles nous aident à faire équipe.

1

## Étape 3  Créer des liens par amour

▪ Constater que les règles permettent de vivre ensemble et de rendre possible des liens entre les personnes.

▪ Raconter avec les enfants l'histoire d'amour entre Dieu et le peuple d'Israël à partir des signes de l'alliance du livre de l'enfant pp. 98-99.

▪ Lire le texte p. 100 du livre de l'enfant.

**18**

▪ Prendre l'Annexe 18 *Moïse et les dix paroles*. Découper chaque case et les mélanger : colorier de bleu n° 1 et 2, de rouge n° 3 à 6, de vert n° 7 à 12. Disposer les trois bandes de papier de couleur : « Écoute », « Aime Dieu », « Aime les autres ». Inviter les enfants à poser sous chaque bande, d'abord les cases bleues, puis les rouges et enfin les vertes.

## Étape 4  Avec Jésus

▪ Se souvenir, avec les enfants, de ce qu'ils ont déjà vu sur Jésus (*Cf.* Unités 2 et 3).

▪ Se rappeler ensuite de tous les prophètes, saints, témoins : Amos, François d'Assise, Mémé Yvonne… rencontrés depuis le début de l'année. Repérer ces personnes sur la frise « Parole Dieu à travers les âges » : elles se situent toutes dans la même histoire d'alliance. Faire remarquer aux enfants que la frise se termine avec « Toi ? » : chacun fait partie de cette alliance.

▪ Demander ensuite aux enfants : *Et pour toi, est-ce que Dieu est important ? Est-ce que tu respectes les autres, tes parents, tes frères et sœurs, les personnes que tu rencontres ?* Les enfants prennent un temps de réflexion personnelle. Et ils écrivent en remplissant « Et moi ? » de l'Album 17 *Les dix paroles de vie* leur réponse personnelle.

**17**

## Étape 5  Un temps pour prier

▪ Se tenir debout devant une bible ouverte à la page du Deutéronome. Faire le signe de croix.

▪ Chanter : *Je fais silence.*

▪ Dire : « *Seigneur, il n'est pas toujours facile de vivre ensemble, de se respecter, de faire une place à chacun. Apprends-nous à t'aimer et à aimer les autres comme tu l'as fait.* »

▪ Lecture du psaume du livre de l'enfant p. 106.

▪ En se donnant la main, unis les uns aux autres, prier le Notre Père.

---

*L'animateur veillera à développer le rôle pédagogique de la loi en aidant à en chercher le sens. Il sera attentif aux liens à faire avec les règles que le groupe se donne pour vivre. En effet, la morale ne relève pas seulement des discours tenus, mais elle tient aussi aux attitudes qui en découlent.*

*Cf. Repères pour Animateurs n° 2 à 6.*

**Avec Jésus**
*Toutes ces personnes rencontrées par Jésus ont accepté l'alliance proposée par Dieu, et ont découvert en lui la nouveauté de l'alliance pour tous les hommes.*

*Cf. Fiche « Prier avec les enfants de 8-11 ans » p. 237.*

# RENCONTRE 1

## « Jésus rappelle la loi de Moïse »

### NIVEAU 3

**OBJECTIFS**
▸ Découvrir l'amour de Dieu pour les hommes en explorant « Faire alliance, c'est quoi ? ».
▸ Affirmer la nécessité des lois, des règlements pour vivre ensemble et découvrir la loi de Moïse comme signe de l'alliance.
▸ Réaliser que Jésus Christ est l'alliance nouvelle et éternelle.

**MATÉRIEL**

≋ Une grande feuille de papier (42 x 29,7 cm minimum).

▭ Album 17 *Les dix paroles de vie*.

▤ Annexe 18 *Moïse et les dix paroles*.

≋ Un jeu de cartes.

≋ Frise « Parole de Dieu à travers les âges », Éditions CRER.

**CHANT**

◉ *Je fais silence*.

## DÉROULEMENT

**Une attitude d'intériorisation**
*L'animateur s'efforcera de faire vivre durant cette catéchèse des temps d'intériorisation. Il ne s'agit pas de tout expliquer, de tout comprendre, mais d'aider les enfants à accueillir la loi signe de l'alliance, à créer des liens entre amour et loi.*

**Les enfants et la loi**
*Les enfants ont souvent, à cet âge, un rapport légaliste à la loi qu'ils perçoivent davantage comme un carcan, une contrainte, que comme un appel, un dynamisme à vivre et à aimer.*

### Étape 1  Un temps pour écouter

◉ ■ Écouter le chant : *Je fais silence*.
■ Faire silence. Lire Dt 5,1-2 du livre de l'enfant p. 100.

### Étape 2  Des règles pour vivre ensemble

■ Organiser un jeu de cartes sans règle, par exemple une bataille. Observer ce qui se passe : il n'est pas possible de jouer !

■ Rejouer mais en suivant la règle du jeu : il est possible alors de jouer !

■ Observer qu'il en est de même dans l'équipe : sans règle on ne peut ni s'exprimer ni vivre ensemble. Reprendre l'Album 1 *Des règles pour vivre ensemble* rédigées en début d'année et voir comment elles nous aident à faire équipe.

■ Faire remarquer qu'il en est de même pour toutes règles pour vivre ensemble : en famille, en classe, dans la rue, en France, au Canada, dans le monde… Demander aux enfants de nommer quelques règles ou lois qu'ils connaissent. *Cf.* livre de l'enfant pp. 104-105.

## Étape 3  Une alliance heureuse

- Faire alliance, c'est quoi ? Écrire le mot « ALLIANCE » au centre d'une grande feuille. Demander aux enfants ce qu'il signifie pour eux. Bâtir un scrabble avec leurs mots.

- Aider les enfants à se souvenir et à raconter, en s'aidant du livre de l'enfant pp. 98-99, l'alliance de Dieu avec le peuple d'Israël : des liens tissés par un Dieu qui aime et qui veut aider les hommes à vivre ensemble.

- Se souvenir, avec les enfants, de ce qu'ils ont déjà découvert de Jésus.

- Repérer sur la frise « Parole Dieu à travers les âges » les prophètes, saints, témoins : Amos, François d'Assise, Mémé Yvonne… rencontrés depuis le début de l'année : elles se situent toutes dans la même histoire d'alliance. Faire remarquer aux enfants que la frise se termine avec « Toi ? » : chacun fait partie de cette alliance.

*L'animateur veillera à développer le rôle pédagogique de la loi en aidant à en chercher le sens. Il sera attentif aux liens à faire avec les règles que le groupe se donne pour vivre. En effet, la morale ne relève pas seulement des discours tenus, mais elle tient aussi très fort aux attitudes.*

## Étape 4  Les dix paroles de vie

- Lire le texte p. 100 du livre de l'enfant.

- Prendre l'Annexe 18 *Moïse et les dix paroles*. Découper chaque case et les mélanger : colorier de bleu n° 1 et 2, de rouge n° 3 à 6, de vert n° 7 à 12. Disposer les trois bandes de papier de couleur : «Écoute», «Aime Dieu», « Aime les autres ». Inviter les enfants à poser sous chaque bande, d'abord les cases bleues, puis les rouges et enfin les vertes. Demander ensuite aux enfants : *Et pour toi, est-ce que Dieu est important ? Est-ce que tu respectes les autres, tes parents, tes frères et sœurs, les personnes que tu rencontres ?* Les enfants prennent un temps de réflexion personnelle. Et ils écrivent en remplissant «Et moi ?» de l'Album 17 *Les dix paroles de vie* leur réponse personnelle.

**18**

*Cf. Repères pour Animateurs n° 2 à 6.*

**Avec Jésus**
*Toutes ces personnes rencontrées par Jésus ont accepté l'alliance proposée par Dieu, et ont découvert en lui la nouveauté de l'alliance pour tous les hommes.*

**17**

## Étape 5  Un temps pour prier

- Se tenir debout devant une Bible ouverte à la page de Deutéronome.

- Faire le signe de croix. Et dire : « *Seigneur, tes Paroles de vie nous guident et nous aident à grandir dans ton amour. Aide-nous à écouter ta Parole et à vivre de ton alliance.* »

- Les enfants qui le souhaitent, peuvent lire leur réponse personnelle à la question « Et moi ? ».

- Lire le psaume du livre de l'enfant p. 106.

- En se tenant la main, dire Notre Père.

- Chanter : *Je fais silence.*

*Cf. Fiche « Prier avec les enfants de 8-11 ans » p. 237.*

Annexe 18

# Moïse
## et les dix paroles

*Reproduire cette annexe. Découper la silhouette et les cases. Colorier en bleu les cases 1 et 2, en rouge de 3 à 6, et en vert de 7 à 12.*

Écoute, Israël,
les lois et les coutumes que je fais entendre
aujourd'hui à vos oreilles,
vous les apprendrez et vous veillerez
à les mettre en pratique.                                          1

Je suis le Seigneur ton Dieu,
qui t'ai fait sortir du pays d'Égypte,
de la maison d'esclavage.                                        2

Tu n'auras pas d'autres dieux que moi.                     3

Tu ne feras aucune image.                                        4

Tu ne prononceras pas à tort le nom de Dieu.         5

Tu te souviendras du jour du sabbat pour le sanctifier.  6

Honore ton père et ta mère.                                     7

Tu ne tueras pas.                                                      8

Tu ne commettras pas d'adultère.                            9

Tu ne voleras pas.                                                    10

Tu ne porteras pas de faux témoignage.                  11

Tu ne convoiteras pas la femme, la maison,
le serviteur, rien en un mot de ce qui est à ton prochain.  12

D'après Deutéronome 5,1...21

# Annexe 19

# Ribambelle

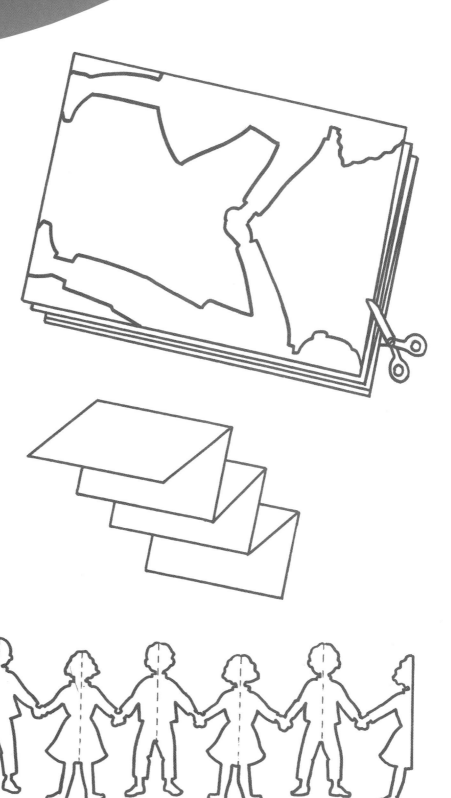

# RENCONTRE 2

# Aller plus loin avec Jésus

## But de la rencontre

Aimer Dieu, accueillir le petit, le pauvre et l'étranger, aimer ses ennemis, pardonner sans compter : c'est ainsi que Jésus accomplit la loi de Moïse et la porte à la perfection. Cette rencontre propose aux enfants de s'engager sur ces chemins, à la suite de Jésus. Elle favorise la préparation au sacrement de la réconciliation.

## Repères pour Animateurs

### 1. Jésus et la loi

Jésus veut, en accord avec son Père et par l'Esprit, mener la loi à sa perfection. Très éclairantes de ce point de vue, sont les nombreuses prises de position de Jésus à propos de la loi (Mt 12,1-8) et de la justice des scribes et des pharisiens (relire si possible Mt 23). « *Vous avez appris qu'il a été dit... Eh bien moi, je vous dis...* » (Mt 5,38-43). Un tel projet ne pouvait que scandaliser les contemporains de Jésus. Même les plus grands prophètes ne s'étaient pas attribué une telle autorité. Accomplir la loi, ce n'est pas ajouter encore davantage de préceptes, de pratiques, c'est l'inscrire dans le cœur de l'homme et dans les aspects visibles de sa vie. C'est dans le cœur et la vie de Jésus lui-même que la loi a pris visage d'homme et consistance humaine.

### 2. Aller plus loin

Aller plus loin avec Jésus ne consiste pas à se conformer extérieurement aux observances de la loi, mais à s'ajuster comme lui à la volonté de Dieu. Cela nécessite de la part du disciple une ouverture à l'Esprit Saint. Celui-ci transforme notre cœur pour le faire communier à l'amour même du Père, manifesté en son Fils Jésus Christ : « *Soyez parfaits comme votre Père céleste est parfait* » (Mt 5,48).

Déjà les prophètes Jérémie (31,31-34) et Ézéchiel (36,25-32) avaient rappelé l'importance de l'intériorisation de la loi (livre de l'enfant pp. 36 et suivantes). Cette transformation du cœur est significative de l'alliance nouvelle et éternelle que Jésus mène à son accomplissement.

Pour Jésus Christ, conduire la loi à son accomplissement, c'est aimer Dieu et, dans le même temps, accueillir les petits, aimer ses ennemis et pardonner sans compter (*Cf.* 1 Jn 4,20).

### 3. L'accueil des petits

« *Chaque fois que vous l'avez fait à l'un de ces petits qui sont mes frères, c'est à moi que vous l'avez fait* » (Mt 25,40). Les pauvres (l'étranger, la veuve et l'orphelin) tiennent une place importante dans la Bible. L'exclusion n'est pas seulement liée à la pauvreté. Ce sont l'indigent, le mendiant, l'homme abaissé, affligé, humilié, l'exclu; et Jésus reconnaît en eux les héritiers privilégiés du Royaume.

D'ailleurs lui-même s'est fait pauvre. Il est venu servir et donner sa vie pour la multitude : « *Lui qui était dans la condition de Dieu, il n'a pas jugé bon de revendiquer son droit d'être traité à l'égal de Dieu* » (Ph 2,6). L'accueil de l'un de ces petits est désormais une expression de l'amour pour Jésus ; à travers eux, on atteint Jésus lui-même et Dieu son Père.

## 4. L'amour des ennemis

« *Aimez vos ennemis et priez pour ceux qui vous persécutent* » (Mt 5,44). Déjà, la loi du talion, « *œil pour œil, dent pour dent* », mettait un frein à la vengeance arbitraire. Mais Jésus change cette loi et demande d'aller plus loin. Vivre à sa suite, c'est refuser de se laisser contaminer par la haine. Ce que Jésus demande là paraît surhumain : aller jusqu'à aimer ses ennemis et prier pour ceux qui nous persécutent. Plus qu'un commandement, c'est une invitation, un appel à vivre.

## 5. Le pardon

« *Combien de fois dois-je lui pardonner ?* » (Mt 18,21). Pardonner est sans doute l'exigence la plus difficile à vivre. Le Père Jacques Sommet, ancien déporté à Dachau, a longuement médité sur la véritable nature du pardon, qui n'est pas oubli, mais ouverture d'un avenir. Pardonner, ce n'est pas effacer, c'est offrir à l'autre une nouvelle chance en faisant la lumière sur la réalité de l'acte posé. Voici un extrait de son livre *Passion des hommes et pardon de Dieu* (Centurion, Paris 1990) :

« *Un pardon véritable est chose très difficile, car on est habité par son passé, fixé par les cicatrices reçues ou par les blessures qu'on a causées, c'est comme une sorte de mort... Pardonner, c'est faire en sorte que, là où il y a blessure et injustice, il y ait ouverture de soi et de l'autre à la découverte de la grandeur du don de Dieu, une ouverture qui passe justement par la conscience des plaies que l'un a faites à l'autre. Et, quand cela est possible, alors j'y vois déjà une promesse et une espérance là où autrement on est acculé au désespoir* ».

## 6. Se reconnaître pécheur

Aller plus loin avec Jésus, gravir à sa suite la montagne de Dieu, c'est vivre en communion avec Dieu, le prier, l'aimer, accueillir et vivre sa parole ; c'est le rencontrer dans le prochain. Aller plus loin avec Jésus, c'est nous reconnaître pécheurs, reconnaître nos refus d'amour, nos ruptures d'alliance, notre péché qui empêche d'avancer et qui brise nos relations avec Dieu, avec les autres et avec nous-mêmes. Dans le même mouvement, c'est nous tourner avec confiance vers Dieu qui pardonne.

## 7. Ce que Jésus demande est possible

Ce que Jésus demande est possible parce que Dieu aime chacun tel qu'il est, et que son pardon est toujours offert. C'est parce qu'on est aimé qu'on est capable de faire un geste d'amour. Choisir de gravir la montagne à la suite de Jésus, c'est compter sur l'amour infini du Père avant de compter sur ses propres forces ou sa propre volonté. D'ailleurs Jésus nous donne son Esprit Saint qui produit en nous « *amour, joie, paix, patience, bonté...* » (Ga 5,22-25).

# RENCONTRE 2

# Aller plus loin avec Jésus

## NIVEAU 1

**OBJECTIFS**
▶ Entendre l'invitation de Jésus à le suivre.
▶ Découvrir les attitudes proposées par Jésus : aimer Dieu ; accueillir le petit, le pauvre et l'étranger ; pardonner sans compter ; aimer ses ennemis.
▶ Commencer à inscrire le pardon dans sa vie.

**MATÉRIEL**

Annexe 19 *Ribambelle*.

Annexe 20 *Accueillir, aimer, pardonner*.

Annexe 21 *Devenir disciple*.

Plusieurs grandes feuilles de papier de couleur sombre et de couleur vive.

Album 18 *Aller plus loin avec Jésus*.
Une croix.

**CHANTS**

*Je fais silence.*
*Viens dans mon cœur, Seigneur.*

## DÉROULEMENT

*Le document* Fais jaillir la vie *propose le sacrement de pénitence et de réconciliation au niveau 2. Inviter cependant les enfants de niveau 1 à participer à la célébration.*
*Pour les paroisses qui choisiraient malgré tout de proposer le sacrement du pardon en niveau 1, la préparation sera la même que pour le niveau 2. Elle se fait sur deux rencontres, celles-ci et la deuxième rencontre de* Reçois le pardon, *Éditions CRER, p. 19, préparation animateur pp. 5-15.*

### Étape 1   Un temps pour écouter

■ Écouter le chant : *Je fais silence.*
■ Faire silence. Puis écouter le texte de Mt 22,35-39 du livre de l'enfant p. 107.

### Étape 2   Accueillir, aimer, pardonner

■ Reprendre le texte du livre de l'enfant p. 107.
**20** ■ Utiliser la silhouette de Jésus de l'Annexe 20 *Accueillir, aimer, pardonner*, ainsi que les phrases « Aimer Dieu » et « Tu aimeras ton prochain comme toi-même ».
■ Tracer sur une feuille du cahier d'équipe, plusieurs chemins : certains se traçant à la suite de Jésus, d'autres prenant des parcours différents.
■ Coller la silhouette de Jésus et les deux phrases formant des rayons autour d'elle.
■ Chercher à quoi Jésus nous invite.
**21** ■ Pour les trois double pages 108-109, 110-111, 112-113, fonctionner de la même manière (*Cf.* explication ci-contre).

■ Sur les grandes feuilles de papier sombres et claires, chaque enfant trace le contour de son pied et découpe trois pas de couleur sombre, et trois pas de couleur vive.

• **Premier pas : Pardonner sans compter.** Regarder et lire d'abord la p. 108 du livre de l'enfant. Sur un pas de couleur sombre, chaque enfant écrit ou dessine une situation de colère, de rancune ou de vengeance. Puis regarder et lire p. 109. Coller sur le chemin de Jésus, le premier pas de l'Annexe 20 : « *Pardonner sans compter* ». Leur demander : *Qu'est-ce que Jésus nous demande de faire ?* Chaque enfant prend alors son pas de couleur vive et pour signifier que, lui aussi, il peut répondre à l'appel de Jésus, il écrit ou dessine une situation de réconciliation.

• **Deuxième pas : Accueillir le petit, le pauvre, l'étranger :** pp. 110-111. Chaque enfant écrit ou dessine sur son pas sombre, une situation de mépris ou de moquerie. Même déroulement que pour le premier pas.

• **Troisième pas : Aimer ses ennemis :** pp. 112-113. Chaque enfant écrit ou dessine une situation de refus de rencontre. Même déroulement que pour le premier et le second pas.

■ Remettre à chaque enfant l'Album 18 *Aller plus loin avec Jésus.*

18

## Étape 3  Un temps pour prier

■ Chaque enfant dépose ses pas de couleur sombre au pied d'une croix.

■ Faire le signe de croix et rester en silence.

■ Dire : « *Seigneur, tu connais nos peurs et nos faiblesses. Nous te les confions. Aide-nous à pardonner sans compter, à accueillir le pauvre, le petit et l'étranger, à aimer nos ennemis.* »

■ Les enfants déposent à coté de leurs pas de couleur sombre ceux de couleur vive.

■ Chanter : *Viens dans mon cœur, Seigneur.*

■ Introduire au Notre Père en disant : « *Nous sommes invités à aller plus loin avec toi, Jésus, et comme tu nous l'as appris, nous pouvons dire Notre Père.*

**N.B. : Les enfants sont invités à participer à la célébration du pardon. L'animateur ramasse les pas des enfants qui seront utilisés pour cette célébration. Ils seront ensuite collés sur le cahier d'équipe.**

---

*Jésus ne demande-t-il pas l'impossible ?*
*Les exigences posées par Jésus sont difficiles à comprendre par les enfants parce qu'ils entendent trop souvent aujourd'hui un langage différent. Pour les aider, l'animateur leur pemettra d'exprimer leurs difficultés ou leurs réticences.*
*Il insistera sur l'appel, l'invitation à vivre ces exigences, plutôt que sur l'ordre, le commandement.*

*Étape 2*
*Utiliser les trois double pages*
*Regarder d'abord la page de gauche, échanger à partir de la bande dessinée puis à l'aide de la mascotte du bas de la page, la mettre en lien avec la vie de l'enfant. Ensuite regarder le visuel de la page de droite, lire le texte, et mettre la parole de Jésus en parallèle avec la page de gauche.*
Cf. *Annexe 21 Devenir disciple.*

*La symbolique des pas*
*L'animateur peut ausi proposer aux enfants de coller simplement leurs pas, de couleur sombre et de couleur claire, sur les grandes feuilles, sans avoir rien écrit dessus. La symbolique des couleurs explique par elle-même les différents comportements de vie.*

Cf. *Fiche « Prier avec les enfants de 8-11 ans »* p. 237.

# RENCONTRE 2

# Aller plus loin avec Jésus

## NIVEAU 2

**OBJECTIFS**

▸ Repérer autour de soi des gestes d'amour et de pardon.

▸ Prendre conscience de son péché et du pardon offert par Dieu.

▸ Se préparer à célébrer le pardon de Dieu dans le sacrement de pénitence et de réconciliation.

**MATÉRIEL**

≋ Plusieurs grandes feuilles de papier de couleur vive et de couleur sombre.

▤ Annexe 21 *Devenir disciple*.

▢ Album 18 *Aller plus loin avec Jésus*.

≋ Une croix.

**CHANT**

◉ *Viens dans mon cœur, Seigneur*.

## DÉROULEMENT

**Le sacrement de pénitence et de réconciliation**
*La préparation se vit sur deux rencontres : celle-ci et la deuxième rencontre de* Reçois le pardon, *Éditions CRER, p. 19. Pour la préparation, lire les repères pp. 5-15.*

### Étape 1 L'accomplissement de la nouvelle alliance

■ En partant du texte de Mt 5,17 de la p. 101 du livre de l'enfant définir les verbes « abolir » et « accomplir ».

■ Échanger avec les enfants autour de la question : *Qu'est-ce que Jésus nous appelle à accomplir aujourd'hui ?*

### Étape 2 Accueillir, aimer, pardonner

■ Lire le texte de Mt 22,35-39 dans le livre de l'enfant p 107.

■ Chercher à quoi Jésus nous invite.

**21** ■ Pour les trois double pages 108-109, 110-111, 112-113, procéder de la même manière (*Cf.* l'explication ci-contre).

**Jésus ne demande-t-il pas l'impossible ?**
*Les exigences posées par Jésus sont difficiles à comprendre par les enfants parce qu'ils entendent trop souvent aujourd'hui un langage différent. Pour les aider, l'animateur leur permettra d'exprimer leurs difficultés*

■ Sur les grandes feuilles de papier, chaque enfant trace le contour de son pied et découpe trois pas de couleur sombre, et trois pas de couleur vive.

• **Premier pas : Pardonner sans compter.** Regarder et lire d'abord la p. 108 du livre de l'enfant. Sur un pas de couleur sombre, chaque enfant écrit ou dessine une situation de colère, de rancune ou de vengeance. Puis regarder et lire p. 109.

Leur demander : *De quoi avons-nous besoin d'être pardonné ?* Chaque enfant écrit sur son pas sombre le péché pour lequel il demande pardon. Ensuite poser la question : *Qu'est-ce que Jésus nous demande de faire ?* Chaque enfant prend son pas de couleur vive pour signifier que lui aussi, il peut répondre à l'appel de Jésus. Écrire ou dessiner sa réponse sur son pas de couleur vive.

- **Deuxième pas** : Accueillir le petit, le pauvre, l'étranger : pp. 110-111. Chaque enfant écrit sur son pas sombre, un mot de mépris ou de moquerie. Même déroulement que pour le premier pas.

- **Troisième pas** : Aimer ses ennemis : pp. 112-113. Chaque enfant écrit un mot de refus de rencontre. Même déroulement que pour les premier et second pas.

■ Remettre l'Album 18 *Aller plus loin avec Jésus*.

**18**

## Étape 3   Un temps pour prier

■ Chaque enfant dépose ses pas de couleur sombre au pied d'une croix.

■ Faire le signe de croix et rester en silence.

■ Dire : « *Seigneur, pour nos actes et nos paroles de colère et de rancune, nous demandons ton pardon. Pour nos actes et nos paroles de mépris et de moquerie, nous demandons ton pardon. Pour nos actes et nos paroles de haine et de rejet, nous demandons ton pardon. Tu nous montres comment pardonner, accueillir et aimer. Apprends-nous à le vivre tous les jours de notre vie.* »

■ Chanter : *Viens dans mon cœur, Seigneur.*

■ Introduire le Notre Père : « *Nous sommes invités à aller plus loin avec Jésus* ». Chaque enfant dépose un pas de couleur vive. Dire ensemble, debout et en se tenant la main Notre Père.

**N.B. :** Les enfants sont invités à participer à la célébration du pardon. L'animateur ramasse les pas qui seront utilisés pour la célébration.

*ou leurs réticences.
Il insistera sur l'appel,
l'invitation à vivre ces
exigences, plutôt que sur
l'ordre, le commandement.*

### Étape 2
**Utiliser les trois double pages**
*Regarder d'abord la page
de gauche, échanger à
partir de la bande
dessinée puis à l'aide
de la mascotte du bas
de la page, la mettre en
lien avec la vie de l'enfant.
Ensuite regarder le visuel
de la page de droite,
lire le texte, et mettre la
parole de Jésus en
parallèle avec la page
de gauche.*
*Cf. Annexe 21 Devenir
disciple.*

*Cf. Repères pour
Animateurs n° 3 à 5.*

*Cf. Fiche « Prier avec
les enfants de 8-11 ans »
p. 237.*

### Demander pardon
*L'animateur aidera les
enfants dans cette
démarche en proposant
quelques phrases simples :
Seigneur, pardon lorsque
je n'arrive pas à aimer,
écouter, pardonner,
accueillir, aider, regarder,
prier, partager, respecter.
« Pardonne-nous nos
offenses » : Cf. Repères
pour Animateurs n° 6,
Unité 3 Rencontre 3.*

## RENCONTRE 2

# Aller plus loin avec Jésus

## NIVEAU 3

**OBJECTIFS**

▶ Entendre l'invitation de Jésus à aimer comme Dieu nous aime.

▶ Prendre conscience de son péché et du pardon offert par Dieu.

▶ Découvrir trois attitudes caractéristiques du disciple.

▶ Approfondir une de ces attitudes.

**MATÉRIEL**

≋ Une bible.

≋ Plusieurs grandes feuilles de papier de couleur vive et de couleur sombre.

≋ Une bougie.

 Annexe 21 *Devenir disciple.*

 Album 18 *Aller plus loin avec Jésus.*

**CHANT**

 *Viens dans mon cœur, Seigneur.*

## DÉROULEMENT

**Le sacrement de pénitence et de réconciliation**
*La préparation se vit sur deux rencontres : celle-ci et la deuxième rencontre de* Reçois le pardon, *Éditions CRER, p. 19. Pour la préparation, lire les repères pp. 5-15.*

Cf. Fiche « Prier avec les enfants de 8-11 ans » p. 237.

**L'accomplissement**
*Relever que l'accomplissement ne se fait pas sans préparation. Il est le fruit d'une attente (dans l'Ancien Testament, les signes de l'alliance, les prophètes, Jean-Baptiste puis Jésus) et d'un cheminement (l'Avent).*

### Étape 1   Un temps pour écouter et prier

■ Accueillir les enfants avec un fond musical et s'installer directement autour de la Bible et de la lumière.

■ Faire le signe de croix et rester en silence.

■ Dire : « *Seigneur, nous te confions aujourd'hui notre rencontre et chacun d'entre nous* (prénoms des enfants et de l'animateur). *Apprends-nous à écouter ta Parole. Ouvre notre cœur à ton amour, ouvre notre intelligence à ta présence, ouvre nos lèvres pour qu'elles annoncent ta bonne nouvelle, ouvre nos mains pour qu'elles puissent donner.* »

■ Lire dans la Bible Mt 22,35-39.

 ■ Chanter : *Viens dans mon cœur, Seigneur.*

### Étape 2   L'accomplissement de la nouvelle alliance

■ En partant du texte de Mt 5,17 de la p. 101 du livre de l'enfant définir les verbes « abolir » et « accomplir ».

■ Échanger avec les enfants autour de la question : *Qu'est-ce que Jésus nous appelle à accomplir aujourd'hui ?*

## Étape 3  Devenir disciple

- Lire le texte de Mt 22,35-39 (livre de l'enfant p. 107).
- Chercher à quoi Jésus nous invite.
- Pour les trois double pages 108-109, 110-111, 112-113, procéder de la même manière (*Cf.* l'explication ci-contre).
- Sur les grandes feuilles de papier, chaque enfant trace le contour de son pied et découpe trois pas de couleur sombre, et trois pas de couleur vive.

- **Premier pas : Pardonner sans compter**. Regarder et lire d'abord la p. 108 du livre de l'enfant. Sur un pas de couleur sombre, chaque enfant écrit ou dessine une situation de colère, de rancune ou de vengeance. Puis regarder et lire p. 109. Leur demander : *De quoi avons-nous besoin d'être pardonné ?* Chaque enfant écrit sur son pas sombre le péché pour lequel il demande pardon. Ensuite poser la question : *Qu'est-ce que Jésus nous demande de faire ?* Chaque enfant prend son pas de couleur vive pour signifier que lui aussi, il peut répondre à l'appel de Jésus. Écrire ou dessiner sa réponse sur son pas de couleur vive.
- **Deuxième pas : Accueillir le petit, le pauvre, l'étranger :** pp. 110-111. Chaque enfant écrit sur son pas sombre, un mot de mépris ou de moquerie. Même déroulement que pour le premier pas.
- **Troisième pas : Aimer ses ennemis :** pp. 112-113. Chaque enfant écrit un mot de haine ou de rejet. Même déroulement que pour les premier et second pas.
- Remettre l'Album 18 *Aller plus loin avec Jésus*.

## Étape 4  Choisir un appel de Jésus

- Proposer un mime reprenant un des appels de Jésus (pardonner, accueillir ou aimer).
- Le déroulement se fera en trois mouvements :
  - Premier temps : Mimer une situation soit de rancune (choix n° 1), de rejet (n° 2), ou de haine (n° 3).
  - Deuxième temps : Lecture du texte, soit de Mt 18,21-22 (choix n° 1), soit Mt 25,40 (choix n° 2), soit Mt 5,38-40 (choix n° 3).
  - Troisième temps : Mimer soit une situation de pardon (n° 1), ou d'accueil (n° 2), ou de rencontre (n° 3).
- Chanter : *Viens dans mon cœur, Seigneur*.

**N.B. : Les enfants sont invités à participer à la célébration du pardon. L'animateur ramasse les pas des enfants qui seront utilisés pour la célébration.**

**21**

**18**

Cf. *Repères pour Animateurs n° 2.*

***Jésus ne demande-t-il pas l'impossible ?***
*Les exigences posées par Jésus sont difficiles à comprendre par les enfants parce qu'ils entendent trop souvent aujourd'hui un langage différent. Pour les aider, l'animateur leur permettra d'exprimer leurs difficultés ou leurs réticences. Il insistera sur l'appel, l'invitation à vivre ces exigences, plutôt que sur l'ordre, le commandement.*

***Étape 3***
***Utiliser les trois double pages***
*Regarder d'abord la page de gauche, échanger à partir de la bande dessinée puis à l'aide de la mascotte du bas de la page, la mettre en lien avec la vie de l'enfant. Ensuite regarder le visuel de la page de droite, lire le texte, et mettre la parole de Jésus en parallèle avec la page de gauche. Cf. Annexe 21 Devenir disciple.*

Cf. *Repères pour Animateurs n° 3 à 5.*

***Demander pardon***
*L'animateur aidera les enfants dans cette démarche en proposant quelques phrases simples : Seigneur, pardon lorsque je n'arrive pas à aimer, écouter, pardonner, accueillir, aider, regarder, prier, partager, respecter. « Pardonne-nous nos offenses » : Cf. Repères pour Animateurs n° 6, Unité 3 Rencontre 3.*

# Annexe 20

# Accueillir, aimer, pardonner

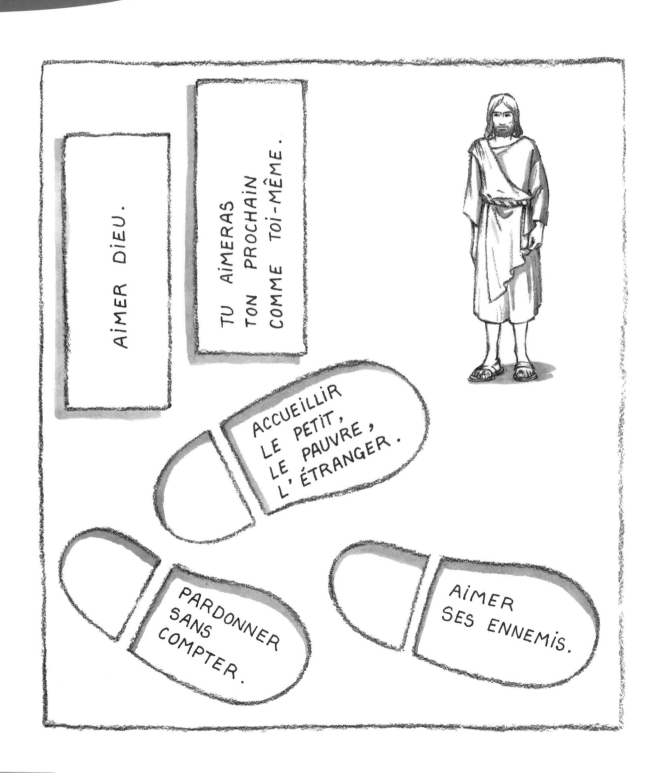

# Annexe 21

# Devenir disciples

Pour aider les animateurs à commenter les pages 108 à 113 du livre de l'enfant.

Prenons le temps de regarder les pages avec les enfants en les laissant s'exprimer très librement, sans chercher à dire ce qui est bien ou mal.

La page 108, attrayante, haute en couleurs et mouvements, montre une quinzaine d'enfants d'aujourd'hui. Observons les gestes, la position des mains, les mimiques. Les paroles, au futur, annoncent la vengeance. Il est facile d'y reconnaître le désir de « faire payer » à l'autre ce qui a fait mal. En face, page 109, un dessin pastel évoque le pays, l'époque de Jésus, avec son architecture méditerranéenne. Nous voyons deux hommes, Jésus assis et Pierre debout, attentif, un peu penché vers Jésus. Le texte indique que Pierre a posé une question et écoute la réponse. Leur attitude évoque un échange entre amis plus qu'un enseignement. La réponse de Jésus, son invitation au pardon, fait choc avec la page 108, elle invite à changer de regard sur l'autre, quoi qu'il ait fait, et à ouvrir de nouveaux chemins (*Cf. Repères pour Animateurs n° 2, 5 et 7*).

Page 110, une BD présente une situation banale actuelle, des enfants qui choisissent des partenaires de jeu. Des enfants peuvent ne pas se sentir concernés, parce qu'ils n'ont pas pris conscience de l'isolement vécu par d'autres. La mascotte attire leur attention sur les attitudes de rejet, conscients ou non. L'attitude des deux enfants assez attentifs à leur entourage pour voir la solitude d'Albert et l'inviter à en sortir est mise en valeur. En face, un village, peuplé de personnes qui s'occupent de leurs affaires, laissant seul au premier plan un mendiant assis au pied d'un arbre. Le texte attire l'attention sur le petit, que Jésus déclare être son frère. Le rapprochement de ces pages invite à ouvrir les yeux sur le petit, le pauvre et l'étranger et à l'accueillir dans la banalité du quotidien (*Cf. Repères pour Animateurs n° 3*).

Page 112, des photos, des scènes de guerre. La variété des lieux, des personnes, des époques, indique le caractère universel des conflits. À partir de ces photos, les enfants peuvent parler de ce qu'ils voient à la télévision, de ce qui les choque dans leurs désirs de paix. La mascotte souligne qu'avoir des ennemis est aussi une expérience personnelle. En face, Jésus est assis au milieu d'un groupe de disciples, dans un cadre visuellement proche de la page 107, une montagne aride. Son geste appuie sa parole, son invitation à prier pour ses ennemis et à les aimer (*Cf. Repères pour Animateurs n° 2, 4 et 7*).

À chaque fois, le contraste visuel est grand entre la page de gauche, autour de situations contemporaines, aux couleurs vives, et celle de droite, plus douce, moins accrocheuse, qui rappelle des paroles dérangeantes de Jésus. De même, il est facile de voir d'abord (ou seulement) les événements et d'ignorer les paroles de Jésus, de leur laisser perdre force et couleur. L'aridité des décors rappelle que suivre Jésus n'est pas évident. Le titre qui relie le haut des deux pages, comme « *pardonner sans compter* », met en valeur l'importance de sa parole, une parole vivante, qui appelle à vivre aujourd'hui.

# RENCONTRE 3

# Ce que Jésus dit, il le fait

## But de la rencontre

Jésus ne s'est pas contenté d'un enseignement théorique, mais il a fait ce qu'il a dit : « *Il n'y a pas de plus grand amour que de donner sa vie pour ceux qu'on aime* » ; et en marchant librement vers sa mort, Jésus manifeste que sa vie, nul ne la prend mais c'est lui qui la donne. Il s'agit de manifester le lien qui existe entre le dernier repas de Jésus et sa mort sur la croix.

## Repères pour Animateurs

### 1. Jusqu'au bout de l'amour

Accomplir, ce n'est pas remplacer, c'est donner un sens définitif à ce qui apparaît déjà à l'horizon. Jésus accomplit la loi parce qu'il fait ce qu'il dit. Par sa mort et sa résurrection, il va lui-même jusqu'au bout de l'amour.

Quand vient pour Jésus le moment où il ne peut plus à la fois aimer et préserver sa vie, il accepte de la donner. C'est en ce sens que l'on peut parler de « sacrifice », la manifestation d'un amour inconditionnel. Il s'agit d'un amour qui va jusqu'au bout de lui-même.

À travers sa passion, Jésus manifeste clairement qu'il ne subit pas les événements. Au contraire, il les vit librement, il se livre, il se donne. Le signe de l'alliance nouvelle et éternelle, c'est ce don de lui-même, totalement réalisé dans sa mort sur la croix et manifesté déjà dans son dernier repas avec ses disciples. C'est pourquoi la célébration de cette unité est une eucharistie.

### 2. Le sacrifice de la nouvelle alliance

Le sacrifice du Christ, le don total de lui-même, réalise une fois pour toutes la communion définitive avec Dieu, notre Père, et le pardon de nos péchés. Ainsi « *Le Christ a agi comme chef de l'humanité. (...) Il nous trace la voie par laquelle nous devons passer et nous obtient du même coup la force d'y passer après lui. Bien plus, il nous fait accomplir en lui notre retour. Nous n'avons plus qu'à nous laisser unir à lui pour nous trouver, avec lui, purifiés devant Dieu. Dans une certaine mesure il s'est substitué à nous mais, bien plus encore, il voulut prendre sur lui notre responsabilité de pécheur, l'assumant jusque dans la mort* » (*Catéchisme pour adultes* n° 268). C'est ce que nous voulons dire, nous les chrétiens, quand nous parlons du Christ Rédempteur (*Cf. Pierres Vivantes* p. 151).

## 3. Le sacrifice de l'eucharistie

Le mouvement de la vie donnée, partagée, offerte aux autres et à Dieu, Jésus le récapitule dans le geste du pain rompu et du vin versé. Quand les chrétiens, remplis de l'Esprit Saint, communient au « *corps livré* » et au « *sang répandu pour la multitude* », ils entrent dans le mouvement d'offrande et de louange qui a été celui du Christ durant toute son existence : « *Père, que ta volonté soit faite* ». Ils s'engagent dans la nouvelle alliance pour passer de la vie-pour-soi à la vie-pour-Dieu et pour-les-autres. Ils s'ouvrent à la promesse d'une vie en plénitude avec Dieu, qui se réalisera à la fin des temps, lors du retour du Christ. Toutes les prières eucharistiques sont traversées, de bout en bout, par ce mouvement d'offrande, comme le manifestent ces quelques citations : « *Que l'Esprit Saint fasse de nous une éternelle offrande à ta gloire* » (Prière eucharistique n° 3) ; « *Il s'est livré lui-même à la mort... Afin que notre vie ne soit plus à nous-mêmes, mais à lui qui est mort et ressuscité pour nous, il a envoyé...* » (Prière eucharistique n° 4) ; « *Pour qu'ils soient eux-mêmes dans le Christ une vivante offrande à la louange de ta gloire* » (Prière eucharistique n° 4). Il est vital, pour entrer dans ce mouvement de louange et d'offrande du Christ à son Père, de participer régulièrement à l'eucharistie. C'est pour cela que la communauté chrétienne se réunit chaque dimanche.

# RENCONTRE 3

# Ce que Jésus dit, il le fait

## NIVEAU 1

**OBJECTIFS**
▶ Constater que Jésus fait ce qu'il dit.
▶ Découvrir que Jésus marche librement vers sa mort.
▶ Connaître les scènes principales de la passion-résurrection de Jésus.

**MATÉRIEL**

 Annexe 22 *La passion de Jésus.*

 Album 19 *La croix pascale.*

≋ Cinq votives.

**CHANTS**

 *C'est lui Jésus.*
*Tu es passé de la mort à la vie.*

## DÉROULEMENT

### Étape 1  Passage, de l'obscurité à la lumière

■ Avant l'arrivée des enfants, préparer un circuit dans la salle avec quelques obstacles (chaises, objets au sol ou suspendus…).

■ Bander les yeux à un enfant, un autre enfant le guide sur le circuit. Chaque enfant fait cette expérience.

■ Les enfants disent ce qu'ils ont ressenti, vécu, lorsqu'ils avaient les yeux bandés et lorsque le bandeau a été enlevé.

### Étape 2  Ce que Jésus dit, il le fait

■ Regarder la page du cahier d'équipe de la rencontre précédente. À partir des trois pas (*Cf.* Rencontre 2), constater que Jésus a fait ce qu'il a dit : il a donné le pardon de Dieu à tous ; il a accueilli le petit, le pauvre et l'étranger ; il a aimé ses ennemis.

**19** ■ Distribuer l'Album 19 *La croix pascale.*

■ Écouter le chant : *C'est lui Jésus* (ou *Il est passé de la mort à la vie*). Faire le lien entre les couplets et les dessins de la croix.

## Étape 3  Passage de la mort à la résurrection

■ Découvrir chacun des tableaux de la croix pascale. Prendre le temps de regarder les personnages, les situations et les couleurs. Remarquer qu'il y a cinq tableaux pour constituer une seule croix. Raconter l'histoire à partir du chant entendu et de chacun des tableaux.

■ Répartir les cinq tableaux de l'Annexe 22 *La passion de Jésus* entre les enfants. Regarder les scènes, lire le titre de chaque tableau. Dire qu'aujourd'hui encore ces moments sont importants pour nous, les chrétiens. On s'en souvient ensemble, en Église, pendant la semaine sainte : la semaine qui conduit jusqu'à la grande fête de Pâques.

■ Faire correspondre chaque jour de la semaine sainte à un tableau.

■ Colorier sur l'Album 5 *Calendrier liturgique* la semaine sainte en rouge et Pâques en jaune.

## Étape 4  Méditer la passion de Jésus

■ Disposer les enfants autour de l'Album 19 *La croix pascale*.

■ Introduire : *Les Rameaux : Jésus entre à Jérusalem. Il est reçu comme un roi.* Écouter le premier couplet et chanter ensemble le refrain de *C'est lui Jésus* (ou *Tu es passé de la mort à la vie*). Conclure en disant : *Nous aussi nous accueillons Jésus dans notre vie.* Allumer une votive.

■ Introduire : *Jeudi Saint : Jésus partage son dernier repas avec ses amis.* Écouter le deuxième et le troisième couplets et chanter ensemble le refrain de *C'est lui Jésus* (ou *Tu es passé de la mort à la vie*). Allumer la deuxième votive. Et conclure en disant : *Nous aussi, nous sommes invités à partager le repas de Jésus.*

■ Introduire : *Vendredi Saint : Jésus meurt sur la croix.* Chanter ensemble le refrain de *C'est lui Jésus* (ou *Tu es passé de la mort à la vie*). Allumer la troisième votive. Conclure en disant : *Jésus donne sa vie pour chacune et chacun de nous.*

■ Introduire : *Samedi Saint : Jésus est dans le tombeau.* Chanter ensemble le refrain de *C'est lui Jésus* (ou *Tu es passé de la mort à la vie*). Allumer la quatrième votive. Rester en silence.

■ Introduire : Pâques : *Jésus est ressuscité.* Allumer la cinquième votive. Chanter un *Alléluia.*

**Inviter les enfants et les parents aux différentes célébrations de la semaine sainte.**

Cf. *Repères pour Animateurs n° 1, 2 et 3.*

### La symbolique des couleurs
*– Jaune et or pour le tour de la croix : couleur de la résurrection.*
*– Noir pour le fond : la mort, présent dans chaque scène.*
*– Rouge pour l'auréole en forme de croix : couleur du martyre.*
*– Bleu couleur de l'humanité.*
*– Blanc pour le vêtement de Jésus : couleur de la résurrection.*
*On peut retrouver dans la croix pascale quelques couleurs de cette symbolique.*

Cf. *Fiche « Prier avec les enfants de 8-11 ans »* p. 237.

### Méditer la passion de Jésus
*Montrer aux enfants que la vie de foi est nourrie par la parole mais aussi par la liturgie qui fait vivre ensemble aux croyants, les temps forts de la foi.*

# RENCONTRE 3

# Ce que Jésus dit, il le fait

## NIVEAU 2

**OBJECTIFS**
▶ Constater que Jésus fait ce qu'il dit.
▶ Méditer sur le dernier repas de Jésus comme le don total de sa personne.
▶ Connaître le sens de l'expression : « Le pain et le vin, fruit de la terre et du travail des hommes ».

**MATÉRIEL**

Annexe 22 *La passion de Jésus*.

Album 19 *La croix pascale*.

Album 20 *Faites cela en mémoire de moi*.

Deux grandes feuilles de papier.

Des votives (une par enfant).

**CHANTS**

 *C'est lui Jésus.*
*Tu es passé de la mort à la vie.*

## DÉROULEMENT

### Étape 1  Passage, de l'obscurité à la lumière

■ Avant l'arrivée des enfants, préparer un circuit dans la salle avec quelques obstacles (chaises, objets au sol ou suspendus…).

■ Bander les yeux à un enfant, un autre enfant le guide sur le circuit. Chaque enfant fait cette expérience.

■ Les enfants disent ce qu'ils ont ressenti, vécu, lorsqu'ils avaient les yeux bandés et lorsque le bandeau a été enlevé.

*Cf. Repères pour Animateurs n° 1, 2 et 3.*

**La symbolique des couleurs**
*- Jaune et or pour le tour de la croix :*
*couleur de la résurrection.*
*- Noir pour le fond :*
*la mort, présent dans chaque scène.*
*- Rouge pour l'auréole en forme de croix :*
*couleur du martyre.*

### Étape 2  Passage de la mort à la résurrection

 ■ Écouter le chant : *C'est lui Jésus* (ou *Tu es passé de la mort à la vie*). Pour permettre aux enfant de suivre le récit, distribuer l'Album 19 *La croix pascale*. Découvrir chacun des tableaux de la croix pascale ; se souvenir de l'histoire et voir à quel moment correspond quel tableau. Découvrir Jésus dans chaque tableau, regarder qui l'entoure. Observer les couleurs utilisées.

■ Répartir les enfants par binôme et leur distribuer les tableaux de l'Annexe 22 *La passion de Jésus* (un ou deux par binôme). Lire le titre de chaque tableau et dire à quel jour de la semaine sainte il correspond.

Premier tableau : *Jésus entre à Jérusalem. Il y est reçu comme un roi* (les Rameaux).

Deuxième tableau : *Jésus partage son dernier repas avec ses amis* (Jeudi Saint).

Troisième tableau : *Jésus meurt sur la croix* (Vendredi Saint).

Quatrième tableau : *Jésus est dans le tombeau* (Samedi Saint).

Cinquième tableau : *Jésus est ressuscité, il apparaît aux disciples* (Pâques).

■ Les enfants collent leur Album 19 dans leur cahier.

■ Colorier sur l'Album 5 *Calendrier liturgique* la semaine sainte en rouge et Pâques en jaune.

**5**

## Étape 3  Ce que Jésus dit il le fait

■ Se souvenir de la rencontre précédente. À partir des trois pas (*Cf.* Rencontre 2), constater que Jésus a fait ce qu'il a dit : il a donné le pardon de Dieu à tous ; il a accueilli le petit, le pauvre et l'étranger ; il a aimé ses ennemis.

■ Remarquer que sur la croix pascale le repas est au centre. Pourquoi ? Écrire sur une grande feuille : « Ce que Jésus dit, il le vit ». Puis inscrire la question : « Que fait-il ? » Prendre le livre de l'enfant pp. 116-117. Lire sur l'Album 20 *Faites cela en mémoire de moi* Lc 22,14-20. Écrire les réponses des enfants. Dessiner du pain et du vin et demander aux enfants : *Quand utilise-t-on du pain et du vin ? Pourquoi Jésus les utilise-t-il aussi ?*

**20**

■ Parcourir ensuite les pp. 116-117 du livre de l'enfant, et inscrire les réponses des enfants à la question : *Que dit-il ?*

■ Sur une autre grande feuille, écrire : « Vous ferez cela en mémoire de moi. » Demander aux enfants : *Et nous, quand faisons-nous ces gestes ?*

■ Les enfants reportent les questions et les réponses sur les cahiers.

■ Dire que l'eucharistie signifie «action de grâce», «dire merci». Écrire quelques « mercis » au Seigneur qui seront lus pendant la prière.

## Étape 4  Un temps pour prier

■ Disposer les enfants autour de l'Album 19 *La croix pascale* qui est entouré de plusieurs votives non allumées (une par enfant).

■ Prendre un temps de silence.

■ Faire le signe de croix.

■ Dire : *Seigneur, avant de mourir, tu nous as demandé de partager le pain comme tu l'as fait avec tes amis. Aide-nous à recevoir l'eucharistie et ta Parole comme une nourriture pour la route.*

**19**

■ Les enfants (ceux qui le souhaitent) lisent les « mercis » qu'ils ont écrits. Allumer les votives au fur et à mesure.

■ Chanter : *C'est lui Jésus* (ou *Tu es passé de la mort à la vie*).

■ Remettre à chaque enfant une votive qu'il emportera.

---

– *Bleu couleur de l'humanité.*

– *Blanc pour le vêtement de Jésus : couleur de la résurrection.*
*On peut retrouver dans la croix pascale quelques couleurs de cette symbolique.*

**Méditer la passion de Jésus**
*Montrer aux enfants que la vie de foi est nourrie par la parole mais aussi par la liturgie qui fait vivre ensemble aux croyants, les temps forts de la foi.*

**Difficultés du vocabulaire**
*Lorsque l'animateur parlera de « faire mémoire », de « présence réelle » et de « communion », il devra se méfier du langage courant qui risque fort de le mettre sur de fausses pistes. Il lira avec beaucoup d'attention les pp. 155-156 de* Célébrer la messe avec les enfants, *Chalet-Tardy, 1983, et se reportera au livre de l'animateur de l'année bleue.*
*Trop souvent, on oublie les qualificatifs attribués au pain et au vin. Insister sur cette dimension du « pain rompu » et du « vin versé », c'est aussi mettre l'accent sur la communauté assemblée autour de l'autel pour faire advenir le Règne de Dieu, « pain rompu pour un monde nouveau ».*

**Première eucharistie**
Le niveau 2 convient particulièrement aux enfants qui se préparent à la première eucharistie.

Cf. Fiche « Prier avec les enfants de 8-11 ans » p. 237.

**Inviter les enfants et les parents aux différentes célébrations de la semaine sainte.**

# RENCONTRE 3

# Ce que Jésus dit, il le fait

## NIVEAU 3

**OBJECTIFS**
▸ Découvrir que Jésus marche librement vers sa mort.
▸ Méditer la passion de Jésus pour découvrir comment il va jusqu'au don total de sa vie.
▸ Découvrir qu'aujourd'hui encore partager, donner, risquer, fait vivre.

**MATÉRIEL**

- Album 19 *La croix pascale*.
- Annexe 22 *La passion de Jésus*.
- Album 21 *Et nous ?*

Cinq votives.

**CHANTS**

- *C'est lui Jésus.*
*Tu es passé de la mort à la vie.*

## DÉROULEMENT

Cf. *Repères pour Animateurs n° 1, 2 et 3.*

**La symbolique des couleurs**
- *Jaune et or pour le tour de la croix : couleur de la résurrection.*
- *Noir pour le fond : la mort, présent dans chaque scène.*
- *Rouge pour l'auréole en forme de croix : couleur du martyre.*
- *Bleu couleur de l'humanité.*
- *Blanc pour le vêtement de Jésus : couleur de la résurrection. On peut retrouver dans la croix pascale quelques couleurs de cette symbolique.*

### Étape 1  Jésus donne sa vie

■ Se souvenir de la rencontre précédente. À partir des trois pas (*Cf. Rencontre 2*), constater que Jésus a fait ce qu'il a dit : il a donné le pardon de Dieu à tous ; il a accueilli le petit, le pauvre et l'étranger ; il a aimé ses ennemis.

### Étape 2  Le chemin de Jésus vers la croix et la résurrection

■ Écouter : *C'est lui Jésus* (ou *Tu es passé de la mort à la vie*). Pour permettre aux enfants de suivre les étapes de la passion, distribuer l'Album 19 *La croix pascale*.

■ Les enfants collent l'Album 19 dans leur cahier.

**19**

### Étape 3  Croire au Christ mort et ressuscité

■ Répartir les enfants par binôme et leur distribuer les tableaux de l'Annexe 22 *La passion de Jésus* (un ou deux par binôme). Lire le titre de chaque tableau et dire à quel jour de la semaine sainte il correspond.

**22**

Premier tableau : *Jésus entre à Jérusalem. Il y est reçu comme un roi* (les Rameaux).

Deuxième tableau : *Jésus partage son dernier repas avec ses amis* (Jeudi Saint).

Troisième tableau : *Jésus meurt sur la croix* (Vendredi Saint).

Quatrième tableau : *Jésus est dans le tombeau* (Samedi Saint).

Cinquième tableau : *Jésus est ressuscité, il apparaît aux disciples* (Pâques).

■ Donner l'Album 21 *Et nous ?* et inviter les enfants à répondre aux questions pour faire le lien entre la Passion de Jésus et notre vie.

**21**

■ Colorier sur l'Album 5 *Calendrier liturgique* la semaine sainte en rouge et Pâques en jaune.

**5**

## Étape 4  Méditer la passion de Jésus

■ Asseoir les enfants en cercle, chacun ayant l'Album 19 *La croix pascale*.

**19**

■ Introduire : *Les Rameaux : Jésus entre à Jérusalem. Il est reçu comme un roi.* Chanter ensemble le refrain de *C'est lui Jésus* (ou *Tu es passé de la mort à la vie*). Ajouter : *Nous aussi nous accueillons Jésus dans notre vie.* Allumer une votive.

Cf. *Fiche « Prier avec les enfants de 8-11 ans »* p. 237.

■ Introduire : *Le Jeudi Saint : Jésus partage son dernier repas avec ses amis.* Chanter ensemble le refrain de *C'est lui Jésus* (ou *Tu es passé de la mort à la vie*). Allumer la deuxième votive. Ajouter : *Nous aussi, nous sommes invités à partager le repas de Jésus.*

**Méditer la passion de Jésus**
*Montrer aux enfants que la vie de foi est nourrie par la parole mais aussi par la liturgie qui fait vivre ensemble aux croyants, les temps forts de la foi.*

■ Introduire : *Le Vendredi Saint : Jésus meurt sur la croix.* Chanter ensemble le refrain de *C'est lui Jésus* (ou *Tu es passé de la mort à la vie*). Allumer la troisième votive. Ajouter : *Jésus donne sa vie pour chacune et chacun de nous.*

■ Introduire : *Le Samedi Saint : Jésus est dans le tombeau.* Chanter ensemble le refrain de *C'est lui Jésus* (ou *Tu es passé de la mort à la vie*). Allumer la quatrième votive. Rester en silence.

■ Introduire : *Pâques : Jésus est ressuscité.* Allumer la cinquième votive. Chanter un *Alléluia*.

■ Pour conclure ce temps, inviter les enfants à écrire une prière adressée à Jésus mort et ressuscité sur l'Album 21.

**21**

**Inviter les enfants et les parents aux différentes célébrations de la semaine sainte.**

Annexe 22

# La passion de Jésus

Jésus entre à Jérusalem. Il y est reçu comme un roi.

Jésus partage son dernier repas avec ses amis.

Annexe 22

# La passion de Jésus

Jésus meurt sur la croix.

Jésus est dans le tombeau.

Annexe 22

# La passion de Jésus

Jésus est ressuscité, il apparaît aux disciples.

# CÉLÉBRATION

***Tous niveaux***

# « Ma vie, nul ne la prend mais c'est moi qui la donne »

Cette célébration eucharistique (si possible paroissiale) permettra aux enfants d'accéder au sens profond de la messe : l'actualisation du sacrifice du Christ. Quand les chrétiens communient au corps livré et au sang versé, ils entrent dans ce grand mouvement d'offrande qui fut celui de la vie, de la mort et de la résurrection de Jésus.

On choisira la prière eucharistique pour les assemblées avec enfants n° 2, car elle insiste sur l'œuvre d'amour du Christ ; elle met en relation l'amour du Père, la passion de Jésus et l'eucharistie.

## Préparation

• Choisir les chants :

*Le soir avant sa mort*, Cantilène biblique U 151, cassette SM *Cantilènes bibliques* n° 2, K 165 ou K 691. Ce chant pourra se déployer tout au long de la célébration (voir le déroulement). Un groupe d'enfant vient le chanter avant chaque étape.

*Aujourd'hui montons sur la montagne*, T 119. Ce chant rappelle la dimension symbolique de la montagne, qui a été découverte dans cette unité. La montagne, lieu du don de la loi (le Sinaï) et du don de Jésus lui-même (mont Sion).

*Tu es notre Dieu*, A 187. Ce chant nous fait porter le regard vers Dieu. On y trouve l'action de Dieu pour son peuple sans que l'homme en soit dévalué.

*C'est toi, Seigneur, le pain rompu* ou *Pain de Dieu, pain rompu* D 293 et D 284. Ces chants redisent l'amour de Dieu offert jusqu'au bout, le pain partagé, rompu, sacrement de notre volonté de vivre en frères selon les exigences du Royaume.

**Chant final** : un chant que les enfants aiment bien et dont le refrain aura été répété par l'assemblée.

• **Aménager le lieu de la célébration :**
– Une très grande croix en bois, au fond du chœur, éclairée par un spot.
– Auprès de cette croix, un beau lutrin.
– L'autel doit rester le centre vers lequel tout converge pendant la célébration. Il est illuminé.
– Des rubans jaunes relient l'autel à la croix, au lieu de la parole et à l'assemblée.
– Une grande banderole : « *Ma vie, nul ne la prend, mais c'est moi qui la donne* » est disposée sur le devant de l'autel, face à l'assemblée.
– Des corbeilles sont préparées pour collecter les feuilles préparées à la rencontre précédente par les enfants du niveau 1.

## Déroulement

### 1. Temps de rassemblement

• Les enfants prennent les places qui leur ont été attribuées. L'animateur annonce le chant d'entrée. Le prêtre arrive accompagné de quelques enfants ; tous s'inclinent devant l'autel, puis le prêtre seul vénère l'autel.
• Signe de la croix. Le prêtre dit : « Nous voici rassemblés au nom du Père… »
Si l'option cantilène a été retenue, c'est ici que le groupe d'enfants chante le couplet 1.
• Le prêtre introduit le rite pénitentiel.
Rite pénitentiel. Trois demandes portant sur le pardon, l'amour des ennemis, et l'accueil du petit.
• **Prière d'ouverture**
Adressons notre prière à Dieu qui nous aime.
*Regarde, Seigneur, tes enfants rassemblés autour de la table.*
*C'est Jésus ressuscité qui nous appelle à le suivre.*
*Il se donne à nous dans sa parole.*
*Il s'offre à nous dans le pain partagé.*
*Père, que nos cœurs se fassent accueillants*
*pour que Jésus puisse faire en nous sa demeure.*
*Lui qui vit avec toi, dans la communion de l'Esprit,*
*pour les siècles des siècles.   Amen.*

### 2. Temps de la Parole

• Le livre de la Parole est apporté à l'ambon par un adulte, entouré par quelques enfants portant des bougies.
• L'animateur introduit l'ensemble de la liturgie de la Parole : Nous sommes appelés à aimer comme Dieu nous aime. L'histoire de l'alliance est celle d'un amour sans cesse offert, jusqu'au bout. « *Ma vie, nul ne la prend, mais c'est moi qui la donne* ».
• Lecture. Autour du don de la loi, de l'alliance. Par exemple : Ex 19 ; Ex 20 ; Jr 31,31-34 ; Éz 36,22-32.
• Méditation. Chant ou psaume et refrain : Ps 118,14 ou 23.
• Acclamation de l'Évangile : « *Ma vie, nul ne la prend, mais c'est moi qui la donne* ». Un catéchiste

apporte la grande croix à l'endroit où l'Évangile sera proclamé par le prêtre. Quelques enfants, tenant des fleurs, entourent la croix.

• Évangile. Récit de l'institution Mt 26,26-29 ou Mt 26,17-19.26-29. À la fin de la proclamation, les enfants déposent les fleurs sur l'autel. La croix est remise à sa place et le prêtre dépose le livre de la Parole sur un beau lutrin à côté de la croix.

• Homélie dialoguée si le nombre des participants le permet.

• Profession de foi.

• Prière universelle. S'inspirer de cette proposition : *Avec le Christ, Jésus, une alliance nouvelle et éternelle est offerte pour tous les hommes, prions Dieu notre Père.*
Refrain.

> *Souviens-toi, Père, du corps du Christ livré sur la croix ; sois proche des malades, de ceux qui souffrent, des opprimés.*
>
> *Souviens-toi, Père, du sang du Christ versé pour la multitude ; pardonne aux hommes leur manque d'amour.*
>
> *Souviens-toi, Père, de l'alliance conclue dans le Christ ; garde ton Église dans ton amour.*
>
> *Souviens-toi, Père, de la résurrection du Christ ; fais-nous vivre de ta vie.*

## 3. Temps de la réponse et de l'action de grâce

Si l'option cantilène a été retenue, c'est pendant la présentation des offrandes que le groupe d'enfants chante le couplet 2.

• Un groupe d'enfants apporte le pain et le vin de manière solennelle ; les porteurs de corbeilles les accompagnent.
Prière sur les dons :

> *Regarde, Seigneur, ce pain et ce vin.*
> *Nous te les offrons. Accueille notre vie.*
> *Qu'elle devienne vie partagée comme celle de ton Fils.*
> *Toi notre Dieu et notre Père,*
> *pour les siècles des siècles. Amen.*

• Action de grâce.
Si l'option cantilène a été retenue, c'est avant le dialogue de la préface que le groupe d'enfants chante le couplet 3.

• Prière eucharistique pour assemblée avec des enfants n° 2 (prévoir des refrains).

• Le *Notre Père* et le geste de paix pourraient être mis en valeur : reprendre par un petit groupe une gestuelle préparée pendant la rencontre « La prière de Jésus : le Notre Père ». Ou faire une chaîne d'amitié. Ou mettre en relief la phrase « *Pardonne-nous nos offenses, comme nous pardonnons aussi à ceux qui nous ont offensés* ».

• Fraction du pain.
Si l'option cantilène a été retenue, c'est ici que le groupe d'enfants chante le couplet 4.

• Démarche de communion sur un fond musical.

Après la communion, si l'option cantilène a été retenue, c'est ici que le groupe d'enfants chante le couplet 5 ; puis chant pour l'assemblée.

• Prière après la communion :

*Seigneur Jésus,*
 *tu demeures en nous pour nous faire vivre de ta vie.*
  *Que ton Esprit nous envoie vers nos frères*
   *pour témoigner de l'amour dont tu nous aimes.*
    *Toi qui es vivant pour les siècles des siècles. Amen.*

### 4. Temps de l'envoi

Le prêtre donne la bénédiction finale et signifie la mission de chacun : témoigner de l'amour infini de Dieu pour tous les hommes.
Chant final.

# CATÉ-DÉCOUVERTES

# La solidarité, une foi qui agit

## Buts

Le partage et la solidarité sont des dimensions constitutives de la vie de toute communauté chrétienne. L'Église a su créer les organismes qui lui permettent de vivre le partage et de répondre aux besoins des hommes. Ce Caté-découvertes veut aider les enfants à s'ouvrir à cette dimension universelle, en deux directions :

• Apprendre à connaître des enfants d'autres cultures et d'autres races.

• Se mettre à l'action pour aider à leur développement.

## Fondements

Tout homme doit se préoccuper du partage et de la solidarité avec les plus pauvres. De multiples organismes y travaillent et les chrétiens participent à leur action avec tous. D'où le titre du livre de l'enfant pp. 122-123 : « Des hommes solidaires : parmi eux des chrétiens ». De plus, l'Église se donne ses propres organismes de solidarité. « *Le combat pour la justice et la participation à la transformation du monde est une dimension constitutive de la prédication de l'Évangile* » (Synode des évêques, Rome, 1971). Ce rappel du synode s'enracine dans la Parole de Dieu et dans toute la vie de l'Église.

Dieu est créateur et source unique de tout bien. Les biens de la terre ont été confiés aux hommes pour qu'ils les fassent fructifier, les gèrent et se les répartissent. Nul n'a le droit de les accaparer pour son unique profit. Il est donc important de veiller à ce que chacun ait ce dont il a besoin pour vivre, notamment les plus pauvres qui risquent d'être les laissés-pour-compte de toute société.

Ce qui précède était déjà dit dans l'Ancien Testament ; le Christ le reprend à son compte et vient le vivre au milieu des hommes. Il s'identifie aux pauvres, aux exclus, aux rejetés : les servir, c'est le servir lui-même : « *Chaque fois que vous l'avez fait à l'un de ces petits qui sont mes frères, c'est à moi que vous l'avez fait* » (Mt 25,40).

Cet appel du Christ, l'Église a essayé d'y répondre au long de son histoire. Les Actes des apôtres signalent ce partage de tous les biens pour donner à chacun selon ses besoins (Ac 4,34-35 ; 2 Co 8,10-15). Au long des siècles, des hommes, des femmes, des ordres religieux, des organismes ont essayé de répondre aux besoins des plus démunis, d'aimer selon le cœur de Dieu. Ils ont rappelé à l'ensemble des chrétiens, avec saint Jacques, que « *celui qui n'agit pas, sa foi est bel et bien morte* » (Lettre de saint Jacques 2,17). On peut retrouver le nom de quelques-uns de ces hommes ou de ces femmes dans les pages 122, 123, 124, 136-137, etc. du livre de l'enfant.

Les enfants de 8-11 ans sont très sensibles à ce point essentiel pour toute vie chrétienne. Ils sont prêts à agir ensemble pour le partage et la solidarité. C'est un âge où ils sont révoltés par l'injustice. Il est important de leur faire découvrir que l'attachement à Jésus Christ, l'amour de Dieu le Père sont une invitation permanente à nous tourner vers les autres.

# MISES EN ŒUVRE

On pourra choisir l'une des trois mises en œuvre :

1. Des organismes pour aimer
2. Plus loin que notre horizon
3. Vivre les kilomètres de soleil

## MISE EN ŒUVRE 1
## Des organismes pour aimer

### Buts

• Découvrir ce que sont et ce que font quelques-uns des organismes dont les logos se trouvent p. 122 du livre de l'enfant.

• Mener une action de solidarité.

### Durée

• Une heure ou plus, selon le temps et les personnes disponibles.

### Destinataires

Une équipe ou un regroupement de quelques équipes.

### Matériel nécessaire

• Une documentation sur trois ou quatre organismes dont on trouve les logos p. 122 du livre de l'enfant.

### Déroulement

• Regarder tous les logos de la p. 122 du livre de l'enfant ; trouver le maximum des organismes représentés et dire brièvement ce qu'on sait d'eux.

• L'animateur lit le texte de saint Jacques p. 123 du livre de l'enfant ; il laisse les enfants réagir, répond à leurs questions

• Il reprend les paroles de saint Jacques : « *Celui qui n'agit pas, sa foi est bel et bien morte*» et introduit l'activité : « Pour agir et être solidaires, les hommes ont créé des organismes : nous les avons découverts par leurs logos. Nous allons maintenant découvrir ce que font quelques-uns d'entre eux ». Il constitue des groupes de deux ou trois enfants à qui il donne la documentation concernant un organisme. À partir de cette documentation, chaque groupe réalise un petit panneau qu'il présente lors de la mise en commun.

• L'animateur dirige la mise en commun ; il aide les enfants à raconter leurs découvertes.

• Il propose alors aux enfants de se mettre en rapport avec l'un des organismes et de voir ce qu'ils peuvent faire pour apporter leur contribution.

**Variante**

• L'animateur fait venir dans son équipe de catéchèse (ou pour plusieurs équipes) le représentant d'un des organismes cités.

• Découverte de cet organisme et action avec lui.

## MISE EN ŒUVRE 2
## Plus loin que notre horizon

### But

• Élargir l'horizon de l'équipe de catéchèse en faisant connaissance avec des enfants d'une autre culture et vivre le partage avec eux.

### Destinataires

Une équipe.

### Préparation

• L'animateur entre en relation avec un missionnaire (prêtre, religieux, laïc) ou un coopérant, originaire de son diocèse pour lui demander de mettre son équipe de catéchèse en relation avec un groupe d'enfants, et ce que son équipe de catéchèse peut faire pour l'aider.

### Déroulement

• L'animateur fait la proposition à son équipe et rédige avec elle la lettre destinée au groupe d'enfants dont l'adresse lui a été donnée. Dans cette lettre, l'équipe se présente, dit où elle vit, ce qu'elle fait et demande la même chose en retour. On établit ainsi une correspondance qui va permettre aux deux groupes de se mieux connaître (livre de l'enfant p. 125 : le texte signé « Un groupe de caté de CM2 »).

• L'animateur voit ensuite avec son équipe ce qu'elle peut faire pour vivre le partage et la solidarité.

**Remarque :** Il serait bon de profiter du séjour en France du missionnaire ou du coopérant pour le rencontrer.

# MISE EN ŒUVRE 3
# Les kilomètres de soleil

« Les kilomètres de soleil » sont une action éducatrice conçue et réalisée chaque année par différents mouvements et organismes d'Église (livre de l'enfant p. 125). « Les kilomètres de soleil » s'adressent aux enfants de 7-11 ans, pour les aider à vivre le carême. Ils se vivent par petites équipes de quatre ou cinq enfants, de préférence accompagnés d'un adulte.

## Buts
• Découvrir la vie d'enfants d'autres pays, d'autres continents.
• Faire une action concrète pour les aider à améliorer leurs conditions de vie.

## Préparation
• Prendre contact avec le Secours Catholique diocésain, son délégué local, pour se procurer les moyens proposés : documents pour les enfants ; documents pour les animateurs ; montage audio-visuel ; pour ce montage, il est bon de s'organiser par secteurs ou paroisses.
• Se retrouver entre catéchistes et responsables de mouvements pour découvrir le jeu de

l'année en cours. Regarder le montage audio-visuel, apprendre le chant.

## Déroulement
• Faire la proposition aux enfants et fournir les documents.
• Regarder le montage audio-visuel.
• Chercher les différents types d'actions qu'ils peuvent mener.
• Laisser les équipes agir.
• À la fin du carême, l'animateur invite l'équipe à écrire aux enfants qu'elle a choisi d'aider ; il envoie lettre et argent au Secours Catholique.

# L'Esprit nous envoie

Jésus ne reste pas prisonnier des liens de la mort.
Ressuscité, il se manifeste à ses disciples.
Il leur donne l'Esprit Saint pour qu'ils continuent
dans le monde la mission reçue de son Père.
Aujourd'hui encore, confirmés par cet Esprit,
nous sommes appelés à prendre place dans
l'Église et dans le monde.

### RENCONTRE 1
Jésus ressuscité se fait reconnaître

### RENCONTRE 2
Jésus ressuscité donne l'Esprit Saint

### RENCONTRE 3
L'Esprit fait de nous des témoins

 **Célébration**

« Allez, de toutes les nations, faites des disciples »

 **Caté-découvertes**

Des croyants : Les religions du monde

## Bibliographie

**RENCONTRE 1**
◎ *Cahiers Évangile*, n° 108 « Rencontres pascales ».
◎ *Cahiers Évangile*, n° 29 « Mort et vie dans la Bible ».
◎ *Cahiers Évangile*, n° 30 « Jésus devant sa passion et sa mort ».
◎ *Biblia*, n° 7 « La Pâque de Jésus ».
◎ Vatican II, *Constitution sur l'Église Lumen gentium* n° 14.

**RENCONTRE 2**
◎ *Points de repère*, n° 170 « Au souffle de l'Esprit », mai 1990.
◎ *Cahiers Évangile*, n° 52 « L'Esprit Saint dans la Bible ».

**RENCONTRE 3**
◎ *Points de repère*, n° 151 « Les signes de l'esprit et du royaume », avril 1996.
◎ *Cahiers Évangile*, n° 60 « Mission et communauté ».
◎ *Croire aujourd'hui*, n° 20 « Proposer les sacrements », 1997.

# Lettre aux parents

## L'Esprit du Ressuscité nous envoie

Il n'est pas toujours facile de croire que l'Esprit du Seigneur nous accompagne et nous fait vivre. Beaucoup de questions nous viennent : Comment le reconnaître ? Qui peut dire que le Seigneur est avec nous ? Comment le rencontrer ? Comment savoir s'il nous aide au quotidien ? Avec les enfants nous allons parcourir un chemin qui va des premiers disciples aux chrétiens d'aujourd'hui.

Il y a 2 000 ans, les premiers disciples se sont posé les mêmes questions. Après la mort du Christ, ils étaient désemparés, malgré tout ce qu'ils avaient vécu avec lui auparavant. Puis Jésus ressuscité s'est montré à eux : il leur a manifesté qu'il était vivant. Il leur a donné sa paix, son Esprit pour les envoyer à travers le monde. Aujourd'hui encore le Christ, pour continuer sa mission, offre son Esprit d'amour et de paix à toute personne qui veut bien l'accueillir.

Au fil des siècles, il a suscité des témoins : des femmes et des hommes de toutes conditions (livre de l'enfant pp. 136-137). Animés par l'Esprit, ils ont su parler de Jésus ressuscité ; à cause de leur attachement au Christ, ils ont donné leur vie pour faire germer plus de justice et de paix. Ils ont aussi manifesté que le Seigneur est venu « *pour que les hommes aient la vie, pour qu'ils l'aient en abondance* », comme nous le rappelle l'évangéliste saint Jean (Jn 10,10). Et cela continue. L'Église aujourd'hui encore fait appel à des témoins : chaque baptisé peut continuer avec d'autres cette longue chaîne de ceux qui inscrivent au cœur du monde la trace du Sauveur (livre de l'enfant pp. 140 et suivantes). À chacun de nous, Dieu offre de tenir sa place dans cette chaîne de témoins.

# RENCONTRE 1

# Jésus ressuscité se fait reconnaître

## But de la rencontre

Au matin de Pâques, Jésus le Ressuscité apparaît aux femmes, près du tombeau vide ; il les envoie, avec les disciples, en Galilée, au cœur du monde. Désormais, c'est l'Église qu'il envoie dans le monde. Tous les baptisés ont la mission de témoigner du Ressuscité et de l'annoncer à tous les hommes, dans la force de l'Esprit reçu du Père.

## Repères pour Animateurs

### 1. Le Crucifié est ressuscité

Le Jésus qui apparaît aux femmes est bien celui qui est mort sur la croix et qui est ressuscité. Il ne s'agit ni d'une réincarnation, ni d'une réanimation. On peut reconnaître son corps (traces de plaies) et pourtant il est présent autrement : désormais les disciples ont besoin de sa parole pour le reconnaître : « *N'ayez pas peur, c'est bien moi* ». Les disciples témoignent qu'ils l'ont revu vivant. La lecture des premières annonces de la résurrection (p. 131) évitera l'ambiguïté.

Les disciples ont eu très vite à annoncer la résurrection de Jésus. Face aux critiques (Mt 28,11-15) qui tendaient à dire qu'on avait enlevé le corps de Jésus, ils ont affirmé, parfois au péril de leur vie, que c'est bien le même qui fut crucifié par les hommes et ressuscité par le Père. La parole de l'ange du Seigneur : « *Vous cherchez Jésus, le Crucifié ? Il n'est pas ici, car il est ressuscité* » est l'attestation par le Père de ce qu'il vient de faire pour son Fils et pour les hommes. Cette parole a autant de poids que la parole du Père au baptême de Jésus et à la transfiguration : « *Celui-ci est mon Fils bien-aimé* ».

### 2. Elles se prosternent

C'est le geste qui signifie la reconnaissance de Jésus, Fils de Dieu, Seigneur, que l'on retrouve à plusieurs reprises chez Matthieu (adoration des mages Mt 2,11 ; envoi des disciples Mt 28,17).

### 3. L'ange du Seigneur

Ce n'est pas seulement un ange chargé de donner le sens d'un événement merveilleux, mais c'est « l'ange du Seigneur ». Cette appellation désigne l'intervention de Dieu lui-même (Ex 3,2 et Mt 1,20).

## 4. Les femmes au tombeau

Marie de Magdala et l'autre Marie ont connu Jésus avant sa mort. Ici, elles le reconnaissent ; elles sont témoins de sa résurrection. Elles étaient venues près du tombeau où reposait Jésus. Et voilà qu'elles repartent transformées, bouleversées par le fait qu'il est bien vivant.

## 5. Tremblement de terre, ange, éclairs

Dans le texte de Mt 28,1-10, on retrouve les éléments de la manifestation de Dieu déjà présents dans l'Ancien Testament : tremblement de terre, présence de l'ange, éclairs. D'où la crainte des femmes. Cette crainte n'est pas la peur mais le signe du respect pour le Seigneur, la reconnaissance de sa toute-puissance.

## 6. « Allez en Galilée »

Reconnaître le Ressuscité, c'est, animés par son Esprit, partir sur les routes des hommes, à la croisée des vies et des chemins. C'est bien ce que signifie l'invitation pressante de Jésus de se rendre en Galilée, la partie de la Palestine la plus ouverte sur l'extérieur, le carrefour des nations (Mt 28,10).

## 7. Dans le monde entier, des baptisés

Aujourd'hui encore des enfants, des jeunes, des adultes, de toutes races et de toutes cultures, reçoivent le baptême. Les situations sont diverses. Les rites sont variés : l'eau sur le front ou le baptême par immersion (première photo p. 132 du livre de l'enfant). Mais c'est toujours le même et unique baptême qui a la même signification pour tous : « *L'incorporation au Christ et à l'Église fait participer le baptisé à la vie même de Dieu Père, Fils et Esprit* » (*Catéchisme pour adultes* n° 400).

# RENCONTRE 1

# Jésus ressuscité se fait reconnaître

## NIVEAU 1

> **OBJECTIFS**
> ▶ Accueillir l'annonce : « Jésus est ressuscité ».
> ▶ Reconnaître qu'aujourd'hui les baptisés vivent et agissent au nom du ressuscité.

**MATÉRIEL**

≋ Un bouquet de fleurs.

▱ Album 22 *Jésus ressuscité se fait connaître.*

**CHANTS**

◉ *C'est lui Jésus.*
*Christ est vivant.*
*Porte toujours un peu plus haut la lumière.*

## DÉROULEMENT

### Étape 1 Rappel de la passion et de la mort de Jésus

■ Rappeler, avec les enfants, les événements précédant la résurrection de Jésus. Utiliser le chant : *C'est lui Jésus.*

■ Regarder la croix pascale réalisée à la rencontre précédente.

### Étape 2 Jésus est ressuscité

■ Observer le cinquième tableau *Jésus est ressuscité. Il apparaît aux disciples.*

■ L'animateur dit : « *Quelques jours après ces événements, un autre événement intervient qui va bouleverser les amis de Jésus. Et, aujourd'hui encore, on parle de cet événement... Écoutez bien... ».*

■ Raconter « Jésus ressuscité se fait connaître » livre de l'enfant pp. 128-129.

■ Demander aux enfants : « *Quelle est la grande nouvelle annoncée aux femmes ?* »

■ Accueillir les expressions des enfants.

▱ ■ Donner aux enfants l'Album 22 *Jésus ressuscité se fait connaître.*

22

**Jésus ressuscité**

*Pour le récit, Mt 28, 1-10 : l'animateur met en valeur :*

*- Les femmes qui arrivent au tombeau.*

*- Les paroles de l'ange.*

*- L'attitude des femmes.*

*- L'attitude et les paroles de Jésus.*

*Il souligne les paroles « Jésus est ressuscité »*
*et « Allez l'annoncer ».*

*Cf. Fiche « Raconter en catéchèse » p. 253.*

■ Faire avec les enfants une lecture d'image du bas vers le haut.

■ Coller l'Album 22 sur le cahier d'équipe et le cahier personnel.

## Étape 3  Aujourd'hui Jésus est ressuscité

■ Regarder le livre de l'enfant pp. 132-133.

■ Laisser les enfants s'exprimer sur ce qu'ils voient : « *Quel est le point commun de ces images ? Quelles sont les différences ?* »

*Quel est le message commun, à accueillir, pour chacun de ces baptêmes, et qui se transmet par l'Église ?* » L'animateur lit la phrase de Matthieu p. 133 du livre de l'enfant. Les enfants, tous ensemble, redisent cette phrase.

■ Reprendre l'Album 22, écrire la phrase « *Allez l'annoncer* ».

## Étape 4  Prière

■ Prévoir un bouquet de fleurs.

■ Chanter le couplet 4 de *Christ est vivant*.

■ Une partie du groupe d'enfants proclame la phrase de leur livre p. 128, Mt 28,5-6.

■ L'autre partie répond en disant la phrase Mt 28,19 du livre de l'enfant p. 133.

■ Poursuivre la prière :

> *Seigneur Jésus tu es le ressuscité*
> *tu es vivant*
> *tu nous donnes ta vie.*
> *Que tous les hommes te reconnaissent*
> *pour qu'ils vivent de ton Esprit.*

Cf. *Repères pour Animateurs n° 1 à 6.*

Cf. *Repères pour Animateurs n° 7 et Lumen gentium n° 14.*

**Les chrétiens dans le monde**
*L'encyclopédie Théo donne des informations à propos du nombre de chrétiens et de leur répartition dans le monde.*

22

Cf. *Fiche « Prier avec les enfants de 8-11 ans » p. 237.*

**Pour prier**
*Les animateurs pourront écrire cette prière sur des cartons de couleur.*
*La remettre aux enfants et la décorer. Proposer aux enfants de redire cette prière chez eux.*

## RENCONTRE 1

# Jésus ressuscité se fait reconnaître

## NIVEAU 2

**OBJECTIFS**

▸ Découvrir la Bonne Nouvelle de la résurrection du Seigneur.

▸ Reconnaître la variété de ceux qui répondent à l'appel du Christ aujourd'hui.

### MATÉRIEL

≋ Frise « Parole de Dieu à travers les âges », Éditions CRER.

▯ Album 22 *Jésus ressuscité se fait connaître.*

### CHANTS

◉ *C'est lui Jésus.*
*Christ est vivant.*

## DÉROULEMENT

Cf. *Repères pour Animateurs n° 1 à 6.*

**Jésus ressuscité**
*Pour le récit, l'animateur mettra en valeur :*
*– Les femmes qui arrivent au tombeau.*
*– Les paroles de l'ange.*
*– L'attitude des femmes.*
*– L'attitude et les paroles de Jésus.*
*Il souligne les paroles « Jésus est ressuscité » prononcées par l'ange et « Allez l'annoncer » prononcées par Jésus.*

Cf. *Fiche « Raconter en catéchèse » p. 253.*

### Étape 1 — Rappel de la passion et de la mort de Jésus

■ Rappeler les événements précédant la résurrection de Jésus. On peut écouter le chant : *C'est lui Jésus* et se rendre attentifs aux paroles. On peut aussi regarder la croix pascale réalisée à la rencontre précédente. Observer le cinquième tableau.

### Étape 2 — Jésus est ressuscité

■ Raconter ou lire le récit de Matthieu livre de l'enfant pp. 128-129.

▯ ■ Prendre l'Album 22 *Jésus ressuscité se fait connaître*. Près
**22** du tombeau vide, les enfants écrivent les noms des femmes qui vinrent au tombeau.

■ Demander aux enfants quelles sont les paroles de l'ange, ainsi que les paroles de Jésus.

■ Écrire ces paroles en bas de l'Album 22 *Jésus ressuscité se fait connaître.*

## Étape 3  Dans le monde entier des baptisés

■ Prendre la frise « Parole de Dieu à travers les âges ».

■ Observer le temps qui se déroule entre la croix, le tombeau ouvert et aujourd'hui.

■ Ouvrir le livre de l'enfant pp. 132-133. Observer les photos. *Qu'y a-t-il de commun à toutes ces photos ? Quelles sont les différences ?*

■ Lire ensemble la phrase du livre de l'enfant p. 133 et ensuite p. 132.

■ Écrire sur le cahier : « *Aujourd'hui dans le monde entier, des baptisés annoncent Jésus ressuscité* ».

*Cf. Repères pour Animateurs n° 7 et Lumen gentium n° 14.*

## Étape 4  Après les premiers chrétiens, moi aussi...

■ Ouvrir le livre de l'enfant p. 130. L'animateur lit la phrase et situe Antioche sur la carte. Il invite les enfants à lire les textes des Actes des apôtres p. 131.

■ Chacun écrit sur son cahier une phrase de ces premiers chrétiens qu'il apprécie particulièrement.

**Les Actes des apôtres**
*Ils ont été écrits par Luc ; ils témoignent de la vie des premiers chrétiens.*

*Cf. Fiche « Prier avec les enfants de 8-11 ans » p. 237.*

## Étape 5  Prière

■ Chanter : *Christ est vivant.*

■ Une partie du groupe d'enfants lit la phrase de leur livre p. 128, l'autre partie du groupe d'enfants lit la phrase de la p. 132.

■ Tracer ensemble, sur son corps, le signe de la croix. *C'est un geste qui signifie que les chrétiens sont baptisés au nom du Père et du Fils et du Saint Esprit.*

■ Poursuivre ensemble avec la prière suivante :

*Seigneur Jésus tu es le ressuscité*
*tu es vivant*
*tu nous donnes ta vie.*
*Que tous les hommes te reconnaissent*
*pour qu'ils vivent de ton Esprit.*

**Pour prier**
*Les animateurs pourront écrire cette prière sur des cartons de couleur.*
*La remettre aux enfants et la décorer. Proposer aux enfants de redire cette prière chez eux.*

# RENCONTRE 1

# Jésus ressuscité se fait reconnaître

## NIVEAU 3

### OBJECTIFS
▸ Accueillir l'annonce de la résurrection du Christ.
▸ Découvrir que l'Église, l'ensemble des baptisés, continue la mission du Ressuscité.
▸ Être appelé à annoncer la nouvelle : Jésus est ressuscité.

**MATÉRIEL**

≋ Frise « Parole de Dieu à travers les âges », Éditions CRER.

≋ Une feuille de papier A4.

📄 Album 22 *Jésus ressuscité se fait connaître.*

**CHANTS**

💿 *C'est lui Jésus.*
*Christ est vivant.*

## DÉROULEMENT

Cf. *Fiches « Raconter en catéchèse » p. 253.*
*et « Gestuer un texte biblique » p. 251.*
Cf. *Repères pour Animateurs n° 1 à 6.*

**Jésus est ressuscité**
*Pour le récit de Matthieu 28, 1-10, l'animateur mettra en valeur :*
*– Les femmes qui arrivent au tombeau.*
*– Les paroles de l'ange.*
*– L'attitude des femmes.*
*– L'attitude et les paroles de Jésus.*
*Il souligne les paroles « Jésus est ressuscité » prononcées par l'ange et « Allez l'annoncer » prononcées par Jésus ; l'annonce et la mission sont ici liées.*

**Étape 1** ## Rappel de la passion et de la mort de Jésus

■ Rappeler les événements précédant la résurrection de Jésus. On peut écouter le chant : *C'est lui Jésus* et se rendre attentifs aux paroles. Regarder l'Album de la croix pascale découverte à la rencontre précédente. S'arrêter sur le cinquième tableau.

**19**

**Étape 2** ## Jésus ressuscité, apparaît aux femmes

■ Lire livre de l'enfant pp. 128-129 « *Jésus ressuscité se fait reconnaître* ».

■ Demander aux enfants de repérer les personnages et les paroles de chacun. Écrire chacune de ces paroles sur une feuille A4 et les coller sur un panneau.

■ Répartir les rôles et gestuer la scène biblique.

■ Prendre l'Album 22 *Jésus ressuscité se fait connaître.* Regarder chaque étape du dessin. À côté du dessin du tombeau vide, écrire les phrases : « *Jésus est ressuscité* » et « *Allez l'annoncer* ». Autour du dessin, les enfants écrivent des paroles de l'ange et des paroles de Jésus qu'ils choisissent.

**22**

## Étape 3 Les premières annonces de la résurrection

■ Observer la carte du livre de l'enfant p. 130 et lire la phrase. Situer Antioche sur la carte p. 130 du livre de l'enfant. Lire le texte des Actes des Apôtres p. 131. Les enfants qui le souhaitent proclament l'une des paroles des Actes.

■ Prendre la frise « Parole de Dieu à travers les âges » et observer la croix, le tombeau ouvert, et aujourd'hui, « *Toi ?* ».

■ Écrire sur le cahier : « *Paul, avec d'autres chrétiens, a annoncé que Jésus est ressuscité.* »

## Étape 4 L'Église continue d'annoncer la résurrection de Jésus

■ Observer les pp. 132-133 dans le livre de l'enfant. Repérer les différents continents. Observer les photos. Qu'y a-t-il de commun ? Qu'y a-t-il de différent ?

■ Demander aux enfants s'ils sont baptisés et pourquoi.

■ Sur le cahier, l'enfant note, sous le titre « *Dans le monde entier, des baptisés* », ce qu'il a remarqué de commun aux différentes images.

■ Demander à chaque enfant d'écrire ou de dessiner, sur l'Album 22, une situation où il reconnaît avoir annoncé, lui aussi, Jésus ressuscité, par un geste ou une parole.

■ Les enfants collent dans leur cahier l'Album 22.

**22**

## Étape 5 Prière

■ Chanter : *Christ est vivant.*

■ L'animateur invite chaque enfant à tracer le signe de la croix sur son corps.

■ Une partie des enfants lit la phrase p. 128 de leur livre, l'autre partie lit la phrase de la p. 132.

■ Poursuivre la prière :

> *Seigneur Jésus tu es le ressuscité*
> *tu es vivant*
> *tu nous donnes ta vie.*
> *Que tous les hommes te reconnaissent*
> *pour qu'ils vivent de ton Esprit.*

■ Les enfants qui le souhaitent partagent la phrase écrite sur leur cahier « *Et moi aussi, j'ai annoncé que Jésus est ressuscité quand…* ».

---

**Les premières annonces**
*L'animateur souligne que ces paroles des Actes des apôtres et de la lettre aux Philippiens sont les premières annonces que nous avons ; elles sont prononcées par les premiers chrétiens. Ce sont les premiers « credo ».*

Cf. *Repères pour Animateurs n° 7.*

**Le baptême**
*Un prêtre fait le signe de l'eau, de l'onction, de la croix. Il prononce les paroles : « Je te baptise au nom du Père, du Fils et du Saint Esprit. » Tous les sacrements s'enracinent dans la mort et la résurrection de Jésus. Ces signes nous rappellent que nous aussi, nous sommes appelés à passer de la mort à la vie.*

Cf. Catéchisme de l'Église catholique *n° 1213.*

Cf. *Fiche « Prier avec les enfants de 8-11 ans » p. 237.*

**Le signe de croix**
*L'animateur dit le sens du signe de la croix : « C'est un geste qui signifie que nous sommes baptisés au nom du Père et du Fils et du Saint Esprit ».*

# RENCONTRE2

# Jésus ressuscité donne l'Esprit Saint

## But de la rencontre

Lorsque le Ressuscité se manifeste à ses premiers disciples, il leur donne son Esprit et les envoie. Ils sont remplis de joie. L'Esprit du Ressuscité continue son œuvre en suscitant des témoins au fil de l'histoire de l'Église. Aujourd'hui nous sommes invités à rendre grâce pour ceux qui nous ont précédés dans la foi, et à demander l'Esprit.

## Repères pour Animateurs

### 1. Accueillir la Bonne nouvelle de la résurrection

Pâques et Pentecôte sont deux pôles de ce mystère : Christ est mort et ressuscité pour sauver tous les hommes. Ce salut, les baptisés sont chargés de l'annoncer. Cette Bonne Nouvelle est une rencontre : celle du Ressuscité qui appelle et qui envoie. C'est l'expérience des premiers disciples. Enfermés dans leur peur, ils retrouvent, par le don de l'Esprit, la force d'annoncer la Bonne Nouvelle, jusqu'à y laisser leur vie.

### 2. Au fil des siècles, des témoins du Ressuscité

Au fil des siècles, d'autres chrétiens, poussés par l'Esprit, ont témoigné de la présence de Dieu auprès des hommes de leur époque. Parmi eux, certains sont allés jusqu'au don de leur vie dans le martyre. Tous sont reconnus comme témoins. Ils méritent d'être connus.

Au travers de leurs œuvres, l'Église nous invite à voir les signes de l'Esprit du Ressuscité qui fait tout « *pour que les hommes aient la vie, pour qu'ils l'aient en abondance* » (Jn 10,10).

### 3. L'Esprit est offert à tous les hommes

(*Cf.* Repères pour Animateurs n° 6 de la rencontre « Jésus ouvre le Royaume à tous les hommes »).

## 4. « La paix soit avec vous »

Cette paix que le Christ donne à ses disciples au moment de les envoyer en mission est un don de l'Esprit. Seul l'Esprit de Jésus ressuscité peut apporter la paix véritable, c'est-à-dire la plénitude de vie. Vivre en paix avec les autres, avec le Seigneur, avec soi-même est une façon de vivre de l'Esprit. Cette paix est sans cesse à recevoir par les sacrements, elle est un don du Seigneur pour notre route de baptisés ; nous avons à la bâtir puisque nous sommes témoins de la Bonne Nouvelle.

## 5. Le souffle de l'Esprit

L'Esprit du Seigneur est comme un souffle. C'est le souffle créateur aux origines du monde : « *Le souffle de Dieu planait au-dessus des eaux* » (Gn 1,2). Il exprime l'action de Dieu dans le monde : « *Tu envoies ton souffle ils sont créés ; tu renouvelles la face de la terre* » (Ps 103,30). À la Pentecôte, en leur donnant l'Esprit Saint, Jésus souffle sur les disciples et il leur dit : « *Recevez l'Esprit Saint* » (Jn 20,22). Ce souffle, on ne le perçoit pas, pourtant il est vital. L'Esprit du Seigneur n'est-il pas précisément celui qui « donne du souffle » à chaque baptisé ?

Ainsi l'Esprit est une force. Mais c'est beaucoup plus que cela. L'Esprit, c'est Dieu qui se donne à nous en personne. L'Esprit, c'est la communication que Dieu nous fait de lui-même.

## 6. Les noms donnés à l'Esprit Saint

Pour cette rencontre on peut se référer au rituel de la confirmation. La prière qui accompagne l'imposition des mains permet de mieux comprendre les dons de l'Esprit par les noms qui lui sont donnés. « *Que Dieu leur donne l'Esprit de vérité... l'Esprit de Sainteté... l'Esprit d'amour... Qu'il leur apporte la plénitude de ses dons : un esprit de sagesse et d'intelligence, un esprit de conseil et de force, un esprit de connaissance, d'affection filiale et de louange* ».

# RENCONTRE 2

# Jésus ressuscité donne l'Esprit Saint

## NIVEAU 1

**OBJECTIFS**
▸ Découvrir la joie des disciples retrouvant le Seigneur ressuscité qui leur donne l'Esprit Saint et les envoie.
▸ Prier le Seigneur qui continue d'appeler et d'envoyer les baptisés.

**MATÉRIEL**

≋ Cassette vidéo *Les images de « Fais jaillir la vie » - année rouge* (lecture d'image des pp. 138-139 du livre de l'enfant).

≋ Une bougie.

📄 Annexe 24 *Le souffle*.

📋 Album 23 *La paix soit avec vous*.

**CHANT**

💿 *Souffle imprévisible*.

## DÉROULEMENT

***Faire l'expérience du souffle***
*Ces expériences permettent aux enfants de découvrir ce que produit le souffle. On a besoin d'images pour « voir » les effets de l'Esprit Saint. L'Esprit Saint c'est comme le souffle discret, comme la plume qui se déplace avec légèreté etc.*

### Étape 1  Je fais des expériences

■ Déposer sur la table différents objets : feuille de papier, plume, flûte, bougie allumée, assiette remplie d'eau.

■ Demander à chaque enfant de prendre l'un de ces objets : « *Que peux-tu faire avec en utilisant ton souffle ?* » Expérimenter.

■ Sortir à l'extérieur, respirer profondément et observer ce que produit le souffle sur chacun d'entre nous et autour de nous.

***Lecture d'image***
*Pour la double page 138-139 du livre de l'enfant, l'animateur trouvera, dans la cassette vidéo* Les images de « Fais jaillir la vie » - année rouge, *un commentaire pour aider les enfants à découvrir les effets de l'Esprit Saint.*

### Étape 2  L'Esprit Saint, c'est comme…

■ Ouvrir le livre de l'enfant pp. 138-139.

■ Observer d'abord la p. 138 puis la p. 139, pour chaque image exprimer un verbe d'action.

■ Lier les observations de ces deux pages en lisant la parole de Jean p. 138 et la parole adressée à Timothée p. 139.

■ L'animateur conclut cette lecture d'image : « *L'Esprit Saint, c'est comme le vent qui donne de l'élan, qui agite les arbres, qui met en route... Quand on le reçoit, nos mains, nos cœurs, nos vies deviennent partage et accueil. »*

**24**

## Étape 3 Prier et écouter la Parole de Dieu

■ Déposer les objets utilisés pour les expériences sensorielles et ouvrir le livre de l'enfant pp. 138-139.

■ Allumer une bougie.

■ Chanter : *Souffle imprévisible.*

■ Lire Jn 20,19-23 à la p. 135 du livre de l'enfant (récit de la venue de Jéus près de ses disciples).

■ Laisser cette Parole de Dieu résonner en chacun par un temps de silence ponctué de quelques mots du texte de Jean repris par l'animateur et les enfants.

## Étape 4 Jésus ressuscité donne son Esprit

■ Prendre l'Album 23 *La paix soit avec vous.*

■ Laisser les enfants chercher le mot « *Joie* » et poser son doigt dessus.

**23**

■ Lire ensemble la phrase qui contient le mot « *Joie* ».

■ Colorier ce mot et coller l'Album 23 dans le cahier d'équipe et le cahier personnel.

*(Cf. Annexe 24 Le souffle)*
*En voici un bref résumé :*
*– p. 138 : couleur dominante, le bleu tonique, dynamique ; le souffle, ici, produit de la force, de l'élan, de la vitesse.*
*– p. 139 : couleur dominante, l'ocre c'est chaud !*
*Les mains enseignent, protègent, façonnent, partagent. Elles disent aussi le geste pour l'ordination et le baptême.*

*Cf. Repères pour Animateurs n° 5 et 6.*

*Cf. Fiche « La Parole de Dieu » p. 241.*

**Jésus le Ressuscité**
*Ce récit peut être difficile : comment Jésus apparaît-il ? « Jésus vint et il était là au milieu d'eux » Jn 20,19. Jésus Christ le Vivant, victorieux de ce qui nous rend prisonnier : l'espace et le temps...*
*Il n'est ni Esprit, ni fantôme.*
*En son corps ressuscité, il porte encore les marques du crucifié.*

*Cf. Repères pour Animateurs n° 4.*

# RENCONTRE 2

# Jésus ressuscité donne l'Esprit Saint

## NIVEAU 2

### OBJECTIFS

▶ Découvrir la joie des disciples retrouvant le Seigneur ressuscité qui leur donne l'Esprit Saint et qui les envoie.

▶ Prier avec les chrétiens qui vivent de l'Esprit du ressuscité.

### MATÉRIEL

⋙ Cassette vidéo *Les images de « Fais jaillir la vie » - année rouge* (lecture d'image des pp. 138-139 du livre de l'enfant).

📔 Album 23 *La paix soit avec vous.*

📄 Annexe 23 *Jésus ressuscité donne l'Esprit Saint.*

📄 Annexe 24 *Le souffle.*

### CHANT

💿 *Un signe de la main.*

## DÉROULEMENT

### Étape 1 **Avoir peur ?**

■ Chercher avec les enfants des situations de peur et mimer quelques attitudes qu'ils peuvent prendre au moment où ils vivent ces situations : corps recroquevillé, yeux cachés, bouche ouverte…

■ L'animateur poursuit : *Les disciples de Jésus avaient ces attitudes de peur, après la mort de Jésus. Écoutez bien le récit que Jean nous raconte.*

*Cf. Fiche « Raconter en catéchèse » p. 253.*

### Étape 2 **Soyez sans crainte…**
**La paix soit avec vous**

**La paix soit avec vous**
*Ce texte montre, par les mots utilisés, les contrastes entre peur et paix, joie et envoi. Les apôtres avaient peur, et pourtant, ils ont fait ce que Jésus leur demandait : accompagnés de l'Esprit Saint, ils ont témoigné.*

■ Lire ou raconter le texte de Jn 20,19-23 du livre de l'enfant p. 135.

■ Donner à chaque enfant l'Album 23 *La paix soit avec vous.*

**23** ■ Observer et souligner de quatre couleurs différentes les mots : peur et verrouillé (une couleur); paix et joie (une couleur) ; envoyé et envoie (une couleur) ; souffle et Esprit Saint (une couleur).

## Étape 3  L'Esprit Saint, c'est comme...

■ Ouvrir le livre de l'enfant pp. 138-139.

■ Observer d'abord la p. 138 puis la p. 139 : *Que voit-on ?*

■ L'animateur propose aux enfants une liste de verbes d'action qu'il aura découpés à partir de l'Annexe 23 *Jésus ressuscité donne l'Esprit Saint*. Les enfants associent les verbes aux images des pp. 138-139 du livre de l'enfant.

**23**

■ L'animateur conclut cette lecture d'image : *L'Esprit Saint, c'est comme le vent qui donne de l'élan, pour souffler, qui agite les branches des arbres, qui met en mouvement, qui donne de la vitesse... Quand on le reçoit, nos mains, nos cœurs, nos vies partagent, rassurent, protègent, accueillent.*

**24**

## Étape 4  L'Esprit de Jésus ressuscité fait vivre des chrétiens

■ Prendre les pp. 136-137 du livre de l'enfant. Observer l'ensemble de la double page : son point de départ (Jésus et ses disciples), la dernière image, les images de chaque témoin, et la chaîne qui se poursuit.

■ Lire la première question de l'encadré de la p. 136.

■ Sur une double page du cahier de l'enfant, continuer le dessin de la chaîne. Ajouter autant de vignettes que de témoins connus des enfants (témoins du passé et du présent, rencontrés par les médias, dans la paroisse ou dans les relations personnelles des enfants).

■ Écrire sur cette double page le titre des pp. 136-137.

## Étape 5  Prière

■ Faire le signe de la croix.

■ Avec le livre de l'enfant ouvert aux pp. 138-139, commencer ainsi la prière : *Jésus ressuscité, tu donnes l'Esprit Saint...*

■ Lire ensemble Jn 20,19-23 p. 138 du livre de l'enfant et 2 Tm 1,6 p. 139.

■ À l'aide de leur cahier, quelques enfants évoquent des noms de chrétiens qui ont vécu ou qui vivent encore du souffle de l'Esprit.

■ Ensemble : *Merci Jésus de nous donner aussi à chacun ton Esprit pour vivre chaque jour et nous aider à partager, à accueillir, à aimer.*

■ Dire ensemble le Notre Père.

*Cf. Repères pour Animateurs n° 5 et 6.*

### Lecture d'image

*Pour la double page 138-139, l'animateur trouvera, dans la cassette vidéo* Les images de « Fais jaillir la vie » – année rouge, *un commentaire pour aider les enfants à découvrir les effets de l'Esprit Saint. (Cf. Annexe 24 Le souffle) En voici un bref résumé :*
*– p. 138 : couleur dominante, le bleu tonique, dynamique ; le souffle, ici, produit de la force, de l'élan, de la vitesse.*
*– p. 139 : couleur dominante, l'ocre, c'est chaud ! Les mains enseignent, protègent, façonnent, partagent. Elles disent aussi le geste pour l'ordination et le baptême.*

### Des témoins

*L'animateur peut choisir des témoins dans la liste proposée pp. 136-137.*

*Cf. Repères pour Animateurs n° 1 et 2.*

*Cf. Fiche « Prier avec les enfants de 8-11 ans » p. 237.*

# RENCONTRE 2

# Jésus ressuscité donne l'Esprit Saint

## NIVEAU 3

**OBJECTIFS**
▶ Découvrir la joie des disciples reconnaissant le Ressuscité.
▶ Évoquer l'œuvre de l'Esprit chez des témoins au fil des siècles.
▶ Rendre grâce au Père pour l'œuvre de l'Esprit de Jésus.

**MATÉRIEL**

≋ Cassette vidéo *Les images de « Fais jaillir la vie » - année rouge* (lecture d'image des pp. 138-139 du livre de l'enfant).

▭ Album 23 *La paix soit avec vous.*

▤ Annexe 23 *Jésus ressuscité donne l'Esprit Saint.*

▤ Annexe 24 *Le souffle.*

**CHANT**

◉ *Souffle imprévisible.*

## DÉROULEMENT

### Étape 1   Avoir peur ?

■ Chercher avec les enfants des situations de peur et mimer quelques attitudes qu'ils peuvent prendre au moment où ils vivent ces situations : corps recroquevillé, yeux cachés, bouche ouverte…

■ L'animateur poursuit : *Les disciples de Jésus avaient ces attitudes de peur, après la mort de Jésus. Écoutez bien le récit que Jean nous raconte.*

### Étape 2   Soyez sans crainte...
### La paix soit avec vous

*Cf. Repères pour Animateurs n° 4.*

**La paix soit avec vous**
*Les apôtres avaient peur, et pourtant, ils ont fait ce que Jésus leur demandait : accompagnés de l'Esprit Saint, ils ont témoigné.*

■ Lire ou raconter le texte de Jn 20, 19-23 du livre de l'enfant p. 135.

▭ ■ Donner à chaque enfant l'Album 23 *La paix soit avec vous.*
23

■ Observer et souligner de quatre couleurs différentes les mots : peur et verrouillé (une couleur) ; paix et joie (une couleur) ; envoyé et envoie (une couleur) ; souffle et Esprit Saint (une couleur).

### Étape 3  L'Esprit Saint, c'est comme...

- Ouvrir le livre de l'enfant pp. 138-139.
- Observer d'abord la p. 138 puis la p. 139 : *Que voit-on ?*
- Proposer aux enfants une liste de verbes d'action découpés à partir de l'Annexe 23 *Jésus ressuscité donne l'Esprit Saint.* Les enfants associent les verbes aux images des pp. 138-139 du livre de l'enfant.
- Conclure cette lecture d'image en disant : *L'Esprit Saint, c'est comme le vent qui donne de l'élan, pour souffler, qui agite les branches des arbres, qui met en mouvement, qui donne de la vitesse... Quand on le reçoit, nos mains, nos cœurs, nos vies partagent, rassurent, protègent, accueillent.*

**23 et 24**

### Étape 4  L' Esprit de Jésus ressuscité fait vivre des chrétiens

- Prendre les pp. 136-137 du livre de l'enfant. Observer l'ensemble de la double page : son point de départ (Jésus et ses disciples), la dernière image, les images de chaque témoin, et la chaîne qui se poursuit.
- Répartir les enfants par binôme et les inviter à rechercher dans l'ensemble du livre d'autres témoins découverts en cours d'année. Mettre en commun leurs découvertes.
- Lire la première question de l'encadré p. 136 du livre de l'enfant.
- Sur une double page du cahier de l'enfant, continuer le dessin de la chaîne. Ajouter autant de vignettes que de témoins connus des enfants (témoins du passé et du présent, rencontrés par les médias, dans la paroisse ou dans les relations personnelles des enfants).
- Écrire sur cette double page le titre des pp. 136-137.

### Étape 5  Prière

- Faire le signe de la croix.
- Avec le livre de l'enfant ouvert aux pp. 138-139, commencer aussi la prière : *Jésus ressuscité, tu donnes l'Esprit Saint...*
- Lire ensemble Jn 20,19-23 p. 138 du livre de l'enfant et 2 Tm 1,6 p. 139.
- Ensemble dire : *Merci Jésus de nous donner aussi à chacun ton Esprit pour vivre chaque jour et nous aider à partager, à accueillir, à aimer.*
- Dans un instant de silence, chacun évoque une personne qui essaie de vivre selon l'Esprit de Jésus ressuscité.
- Prier ensemble le Notre Père.
- Chanter : *Souffle imprévisible.*

---

**Lecture d'image**

*Pour la double page 138-139, l'animateur trouvera, dans la cassette vidéo Les images de « Fais jaillir la vie » – année rouge, un commentaire pour aider les enfants à découvrir les effets de l'Esprit Saint. (Cf. Annexe 24 Le souffle) En voici un bref résumé :*

*– p. 138 : couleur dominante, le bleu tonique, dynamique ; le souffle, ici, produit de la force, de l'élan, de la vitesse.*

*– p. 139 : couleur dominante, l'ocre, c'est chaud ! Les mains enseignent, protègent, façonnent, partagent. Elles disent aussi le geste pour l'ordination et le baptême.*

*Cf. Repères pour Animateurs n° 5 et 6.*

*Cf. Repères pour Animateurs n° 1 et 2.*

*Cf. Fiche « Prier avec les enfants de 8-11 ans » p. 237.*

**Pour prier**

*Le temps de silence peut être suivi d'une parole personnelle : « Merci Seigneur, de voir ton Esprit qui agit aujourd'hui quand... » (l'animateur et les enfants soulignent l'action d'une personne connue).*

Annexe 23

Jésus ressuscité
donne l'Esprit Saint

souffler

VOLER

S'AGITER

prendre de la vitesse

monter dans le ciel

donner

*enseigner*

façonner

protéger

rassurer

# Le souffle

Commentaire des pages 138-139
du livre de l'enfant dans la cassette vidéo
*Les images de « Fais jaillir la vie » - année rouge.*

Nous allons regarder les images de la page 138. Nous les décrirons une par une et nous essaierons ensuite de nous dire pourquoi elles sont ensemble sur cette même page et ce qu'elles ont de commun.

- Un paysage de montagne en hiver. Une envolée de montgolfières de toutes les couleurs dans le ciel. C'est lumineux, il y a l'espace, la légèreté, la liberté.
- Un bateau en pleine mer. La force du vent gonfle sa voile et le propulse en avant.
- Un jeune garçon, les yeux mi-clos, les joues gonflées, souffle à pleins poumons dans une trompette.
- Une mouette en plein ciel déploie ses ailes et se laisse porter par le vent. La photo en contre-plongée et la lumière frisant le bord de ses ailes donne de la majesté à son vol.
- Des couleurs vives dans le ciel bleu. Un delta-plane, un parapente et c'est l'homme qui lui aussi se laisse porter par le vent.
- Au bord d'un champ, un rideau de peupliers. Les branches ploient, les feuilles bruissent au vent.

Pourquoi ces images ont-elles été mises sur la même page ?
De toutes ces images se dégagent des sensations de force, de dynamisme, de liberté, d'espace. Et ces sensations sont procurées par le vent, le souffle, l'air.

L'Évangile et à sa suite les chrétiens ont utilisé l'image du vent pour parler de l'Esprit Saint.
« Le vent souffle où il veut, tu entends le bruit qu'il fait mais tu ne sais pas d'où il vient ni où il va ».

Regardons les images de la page 139.
- La première photo, en haut à gauche, est une photo aux teintes chaudes. Deux mains marquées par le travail présentent une pleine poignée de graines.
- En dessous, une femme, des enfants dont un tient un ballon dans ses mains. Un livre est posé sur les genoux de la femme. Sa main soutient le regard et la parole et lui donne autorité.
- À droite, la composition de la photo guide notre regard vers les mains d'un homme qui façonne avec application et adresse une poterie.
- En bas à gauche, au cours de l'ordination d'un prêtre ou d'un diacre, c'est le geste d'imposition des mains. Tous les prêtres à la suite de l'évêque appellent ainsi la force de l'Esprit Saint sur celui qui est ordonné.
- À côté, un enfant apeuré se blottit auprès d'un adulte. La main posée sur son épaule se fait protectrice et rassurante.
- En bas à droite, au cours du baptême, le célébrant impose la main sur la tête du futur baptisé après avoir demandé que la force de l'Esprit habite en lui.

Toutes les images de cette page montrent des mains qui ont pouvoir de faire et de donner : elles donnent des graines, elles donnent forme à la glaise, sens à la parole, réconfort et force de l'Esprit.
Elles sont mises en rapport avec la lettre à Timothée : « Je te rappelle que tu dois réveiller en toi ce don de Dieu que tu as reçu quand je t'ai imposé les mains ».
On peut enrichir la recherche de ce que l'homme peut faire avec ses mains en regardant aussi les images de *Pierres Vivantes* pp. 134-135 et 148-147.

# RENCONTRE 3

# L'Esprit fait de nous des témoins

## But de la rencontre

Les enfants ne seront confirmés que dans plusieurs années. Cependant, une approche des gestes, des paroles et des rites du sacrement de confirmation leur permettra de mieux saisir l'action de l'Esprit Saint dans la vie chrétienne. De plus, la rencontre de confirmés complétera cette approche.

## Repères pour Animateurs

### 1. La confirmation et les autres sacrements

Les sacrements accompagnent la vie du baptisé. Ils « *sont donnés à des moments déterminés, mais rayonnent sur l'ensemble de la vie du croyant* » (*Catéchisme pour adultes* n° 382). L'Esprit est donné dans tous les sacrements : baptême, réconciliation, eucharistie, confirmation, mariage, ordre et sacrement des malades.

Avec le baptême et l'eucharistie, la confirmation est l'un des trois sacrements de l'initiation chrétienne. L'Esprit rend plus fort pour participer activement à la vie et à la mission de l'Église. La confirmation déploie la grâce reçue au baptême.

### 2. Des rites et des symboles dans le sacrement de confirmation

#### L'accueil

• Les confirmands sont accueillis par la communauté chrétienne. Ils sont déjà, depuis leur baptême, membres à part entière de cette communauté ; mais, ce jour-là, il importe de manifester l'ouverture de la communauté à des plus jeunes et la chance pour cette communauté d'être renouvelée dans sa foi.

#### La profession de foi

• Devenir un baptisé confirmé, c'est adhérer à la foi chrétienne, la proclamer avec d'autres baptisés. C'est, par la force de l'Esprit, s'engager à rendre témoignage au Christ Seigneur.

## L'imposition des mains et l'onction avec le saint chrême

• Le geste de l'imposition des mains, fait par l'évêque au cours de la cérémonie de confirmation, ainsi que l'onction avec le saint chrême, signifient et réalisent le don de l'Esprit Saint aux confirmands.

• Le Nouveau Testament relate de multiples situations où les croyants, avant de partir vers une mission précise, recevaient l'imposition des mains de la part de ceux qui étaient garants de la Bonne Nouvelle : « *On les présenta aux apôtres, et ceux-ci, après avoir prié, leur imposèrent les mains* » (Ac 6,6).

• Le saint chrême (huile parfumée) est répandu sur le front du confirmand comme signe de la force de l'Esprit. Ainsi la vie du Seigneur va faire « tache d'huile », se répandre dans tout son être. Ce rite met en valeur le fait que les baptisés confirmés sont choisis, « oints » par le Seigneur, et qu'ils reçoivent la force de l'Esprit.

# RENCONTRE 3

# L'Esprit fait de nous des témoins

## NIVEAU 1

**OBJECTIFS**

▶ Ancrer la confirmation dans la dynamique du baptême.

▶ Découvrir la symbolique du saint chrême.

**MATÉRIEL**

≋ Un flacon d'huile parfumée.

≋ Un papier buvard.

Album 24 *Confirmés : l'Esprit fait de nous des témoins.*

**CHANT**

*Sois marqué de l'Esprit Saint.*

## DÉROULEMENT

### Étape 1  Expérimenter ce que produit l'huile sur le corps

■ Ouvrir le flacon d'huile devant les enfants.

■ Verser quelques gouttes dans le creux de la main de chaque enfant.

■ Prendre le temps de regarder cette huile (elle brille...) de la sentir (elle est parfumée) de la répandre sur les mains (que deviennent mes mains ?). Essuyer ses mains sur son visage.

■ Verser cette huile sur un papier buvard : *Que se passe-t-il ?*

■ Regarder p. 142 du livre de l'enfant : *Que produit l'huile sur les sportifs ? (Elle assouplit et renforce.)*

**Le saint chrême**
*Dans certaines paroisses, il sera possible de se rendre à l'église pour découvrir l'urne du saint chrême.*

*Cf. Repères pour Animateurs n° 1.*

### Étape 2  Je reçois l'Esprit Saint au baptême

■ Ouvrir le livre de l'enfant pp. 132-133. Regarder à nouveau ces photos de baptême et observer les gestes : chacun est un élément du même baptême.

■ Regarder avec attention p. 133 : *quel geste fait le prêtre ? Avec quoi le fait-il ? Que porte-t-il dans sa main ?*

■ L'animateur dit : « *Au baptême déjà nous recevons, par le rite du geste de la croix tracée sur le front avec de l'huile, le saint chrême, la force de l'Esprit.* »

■ Expliquer le sens et l'utilisation du saint chrême avec le livre de l'enfant p. 143.

### Étape 3 Le sacrement de la confirmation

■ Prendre le livre de l'enfant pp. 140-141. Observer le geste de l'évêque et les lieux.

■ Chacun après son baptême est appelé, un jour, à recevoir le sacrement de la confirmation. C'est un cadeau de Dieu pour nous aider à vivre en témoins de Jésus ressuscité.

■ Donner l'Album 24 *Confirmés : l'Esprit de Dieu fait de nous des témoins.*

24

■ Lire le premier encadré. Chaque enfant prend le temps de compléter avec son prénom.

■ Puis lire lentement la page de l'Album 24 « *Merci, Jésus... ».* Les enfants qui le souhaitent la signent. Chacun choisit ainsi de continuer la route avec Jésus et d'être appelé à devenir encore témoin de l'amour de Dieu.

■ L'animateur reprend l'Album 24 de chaque enfant pour le temps de prière

### Étape 4 Prière

■ Écouter le chant : *Sois marqué de l'Esprit Saint.*

■ Faire le signe de croix.

■ L'animateur remet à chaque enfant, en le nommant, son Album 24. Et il s'adresse à chacun : « *Toi aussi, Julien... tu es appelé à être marqué de l'Esprit Saint, le don de Dieu* ».

24

■ Dire ensemble le Notre Père.

■ Prier pour remercier Jésus des découvertes de l'année de catéchèse, des amis rencontrés et pour le ou la catéchiste qui a accompagné l'équipe.

*En fin d'année, on pourra organiser un goûter et y inviter les parents.*

---

**Jésus ressuscité donne son Esprit**

*La catéchèse a pour mission de permettre aux enfants d'accéder, par les sacrements, à une véritable rencontre avec le Seigneur. À des enfants d'âge scolaire, il est important de présenter les trois sacrements de l'initiation à la vie chrétienne : baptême, eucharistie et confirmation. La confirmation est souvent le premier acte vraiment libre posé par un jeune dans sa vie personnelle.*

Cf. *Repères pour Animateurs n° 2.*

**Merci Jésus**

*Si cela est possible, chaque enfant l'un après l'autre lit le texte à haute voix et le signe ensuite.*

Cf. *Fiche « Prier avec les enfants de 8-11 ans » p. 237.*

# RENCONTRE 3

# L'Esprit fait de nous des témoins

## NIVEAU 2

> **OBJECTIFS**
> ▶ Ancrer la confirmation dans la dynamique du baptême.
> ▶ Découvrir la symbolique du saint chrême.
> ▶ Découvrir le sacrement de confirmation.

**MATÉRIEL**

≋ Un flacon d'huile parfumée.

≋ Un papier buvard.

📓 Album 24 *Confirmés : l'Esprit fait de nous des témoins.*

**CHANT**

💿 *Dans les pas de Jésus.*

## DÉROULEMENT

**Jésus ressuscité donne son Esprit**
*La catéchèse a pour mission de permettre aux enfants d'accéder, par les sacrements, à une véritable rencontre avec le Seigneur. À des enfants d'âge scolaire, il est important de présenter les trois sacrements de l'initiation à la vie chrétienne : baptême, eucharistie et confirmation. La confirmation est souvent le premier acte vraiment libre posé par un jeune dans sa vie personnelle.*

Cf. *Repères pour Animateurs n° 1.*

### Étape 1 Expérimenter ce que produit l'huile sur le corps

■ Ouvrir le flacon d'huile devant les enfants.

■ Verser quelques gouttes dans le creux de la main de chaque enfant.

■ Prendre le temps de regarder cette huile (elle brille…) de la sentir (elle est parfumée) de la répandre sur les mains (que deviennent mes mains ?). Essuyer ses mains sur son visage.

■ Verser cette huile sur un papier buvard. *Que se passe-t-il ?*

■ Regarder p. 142 du livre de l'enfant : *que produit l'huile sur les sportifs ? (Elle assouplit et renforce.)*

### Étape 2 Je reçois l'Esprit Saint au baptême

■ Ouvrir le livre de l'enfant pp. 132-133. Regarder à nouveau ces photos de baptême et observer les différents gestes : chacun est un élément du même baptême.

■ Regarder avec attention p. 133 : *quel geste fait le prêtre? Avec quoi le fait-il ? Que porte-t-il dans sa main ?*

■ L'animateur dit : *Au baptême déjà nous recevons, par le rite du geste de la croix tracée sur le front avec de l'huile, le saint chrême, la force de l'Esprit.*

■ Expliquer le sens et l'utilisation du saint chrême avec le livre de l'enfant p. 143.

*Cf. Repères pour Animateurs n° 2.*

## Étape 3 Le sacrement de la confirmation

■ Ouvrir le livre de l'enfant pp. 140-141. À partir des quatre photos : observer les personnes, les gestes, le lieu, les paroles, les objets.

■ Sur le cahier, écrire : « L'Esprit Saint fait de nous des témoins. »

■ Prendre l'Album 24 *Confirmés : l'Esprit fait de nous des témoins.*

24

■ Lire le premier encadré, et à partir de ces paroles, permettre aux enfants de s'exprimer librement :

– Est-ce que je me sens déjà sur un chemin ?

– Est-ce que je suis baptisé ?

– Y a-t-il des témoins qui m'ont marqué ? Pourquoi ?

– Comment l'an prochain vais-je poursuivre le chemin de découverte de Jésus ?

■ Les enfants qui le souhaitent, complètent l'Album 24 et signe la page « *Merci Jésus...* » de leur nom.

■ L'animateur reprend l'Album 24 de chaque enfant pour le temps de prière.

**Le sacrement de confirmation**

– *Il se reçoit d'un ministre : l'évêque ou son délégué qui donne à ce sacrement une pleine signification d'Église.*

– *L'imposition des mains accompagne la prière d'envoi de l'Esprit Saint sur les confirmands.*

– *L'onction avec le saint chrême et la parole : « Sois marqué de l'Esprit Saint » sont inséparables.*

## Étape 4 Prière

■ Chanter : *Sois marqué de l'Esprit Saint.*

■ Prendre la prière de l'Album 24.

■ Les enfants qui le souhaitent lisent les paroles de la croix en se nommant par leur prénom.

■ Prier et dire merci pour l'année qui se termine.

24

*Cf. Fiche « Prier avec les enfants de 8-11 ans » p. 237.*

**En fin d'année, on pourra organiser un goûter et y inviter les parents.**

# RENCONTRE 3

# L'Esprit fait de nous des témoins

## NIVEAU 3

**OBJECTIFS**
▸ Ancrer la confirmation dans la dynamique du baptême.
▸ Découvrir le sacrement de confirmation.
▸ Réaliser l'appartenance de chacun à l'Église.

**MATÉRIEL**

≋ Un flacon d'huile parfumée.

≋ Un papier buvard.

▢ Album 24 *Confirmés : l'Esprit fait de nous des témoins.*

**CHANT**

◉ *Sois marqué de l'Esprit Saint.*

## DÉROULEMENT

***Jésus ressuscité donne son Esprit***
*La catéchèse a pour mission de permettre aux enfants d'accéder, par les sacrements, à une véritable rencontre avec le Seigneur. À des enfants d'âge scolaire, il est important de présenter les trois sacrements de l'initiation à la vie chrétienne : baptême, eucharistie et confirmation. La confirmation est souvent le premier acte vraiment libre posé par un jeune dans sa vie personnelle.*

*Cf. Repères pour Animateurs n° 1.*

### Étape 1  Expérimenter ce que produit l'huile sur le corps

▪ Ouvrir le flacon d'huile devant les enfants.

▪ Verser quelques gouttes dans le creux de la main de chaque enfant.

▪ Prendre le temps de regarder cette huile (elle brille...) de la sentir (elle est parfumée) de la répandre sur les mains (que deviennent mes mains ?). Essuyer ses mains sur son visage.

▪ Verser cette huile sur un papier buvard. *Que se passe-t-il ?*

▪ Regarder p. 142 du livre de l'enfant : *que produit l'huile sur les sportifs ? (Elle assouplit et renforce.)*

### Étape 2  Je reçois l'Esprit Saint au baptême

▪ Ouvrir le livre de l'enfant pp. 132-133. Regarder à nouveau ces photos de baptême et observer les différents gestes : ils participent tous au même baptême.

▪ Regarder avec attention p. 133 : *quel geste fait le prêtre ? Que porte-t-il dans sa main ?*

■ L'animateur dit : *Au baptême déjà nous recevons, par le rite du geste de la croix tracée sur le front avec de l'huile, le saint chrême, la force de l'Esprit.*

■ Expliquer le sens du saint chrême avec le livre de l'enfant p. 143.

*Cf. Repères pour Animateurs n° 2.*

## Étape 3 Le sacrement de la confirmation

■ Ouvrir le livre de l'enfant pp. 140-141. À partir des quatre photos : observer les personnes, les gestes, le lieu, les paroles, les objets.

■ Prendre l'Album 24 *Confirmés : l'Esprit fait de nous des témoins.*

■ Lire le premier encadré, et à partir de ces paroles, permettre aux enfants de s'exprimer librement :

– Est-ce que je me sens déjà sur un chemin ?

– Est-ce que je suis baptisé ?

– Y a-t-il des témoins qui m'ont marqué ? Pourquoi ?

– Comment l'an prochain vais-je poursuivre le chemin de découverte de Jésus ?

■ Les enfants qui le souhaitent, complètent l'Album 24 et signe la page « *Merci Jésus…* » de leur nom.

24

*Le sacrement de confirmation*
*– Il se reçoit d'un ministre : l'évêque ou son délégué qui donne à ce sacrement une pleine signification d'Église.*
*– L'imposition des mains accompagne la prière d'envoi de l'Esprit Saint sur les confirmands.*
*– L'onction avec le saint chrême et la parole : « Sois marqué de l'Esprit Saint » sont inséparables.*

## Étape 4 Prière

■ Chanter : *Sois marqué de l'Esprit Saint.*

■ Les enfants qui le souhaitent lisent les paroles de la croix en se nommant par leur prénom.

■ L'animateur dit la prière pour l'imposition des mains du rituel de confirmation (n° 46) :

*« Dieu et Père de Jésus*
*Que ton Esprit repose sur tes enfants*
*Comme il a reposé sur Jésus,*
*Et qu'il leur apporte la plénitude de ses dons*
*Un esprit de sagesse et d'intelligence,*
*Un esprit de conseil et de force,*
*Un esprit de connaissance,*
*D'affection filiale et de louange ».*

■ Lire ensemble la prière située dans l'Album 24 : *Merci Jésus…*

■ Laisser du temps aux enfants pour une prière personnelle en silence ou à haute voix, pour remercier le Seigneur des découvertes et des rencontres de l'année de caté.

24

*Cf. Fiche « Prier avec les enfants de 8-11 ans » p. 237.*

**Pour la fin de l'année, organiser un goûter et y inviter les parents.**

# CÉLÉBRATION

## *Tous niveaux*

# « Allez, de toutes les nations faites des disciples »

**À la place de cette célébration, on peut choisir de vivre un temps fort avec les enfants.**

Deux thèmes de la collection *Temps Forts* (Éditions CRER) peuvent convenir en cette fin d'année : n° 6 *Notre place dans l'Église* ; n° 8 *Vivre en baptisés*.

• Cette célébration veut permettre aux enfants :

– de rendre grâce au Seigneur pour les témoins de la foi au fil des siècles et aujourd'hui, et pour les découvertes faites en catéchèse cette année ;

– de demander à l'Esprit de les rendre dociles à l'appel du Fils bien-aimé : « *Allez, de toutes les nations, faites des disciples* ».

## Matériel nécessaire et préparation

• Pour chaque enfant, un auto-collant de couleur (8 x 8 cm).
• Le lieu de la célébration aménagé comme suit :
– Une belle croix sur pied.
– Une Bible sur l'ambon.
– Une banderole : « Allez, de toutes les nations faites des disciples ».
– Sous cette banderole, un panneau assez grand pour que les enfants viennent épingler leurs cartons mentionnant leurs découvertes.

## Déroulement

• Préparation : 30 minutes.
• Célébration : 30 minutes.

# 1. Préparation

## Par groupe habituel

L'animateur invite chaque enfant à se souvenir de quelques découvertes de l'année en catéchèse, par exemple :

   - – à propos de Jésus, des premiers chrétiens ;
   - – à propos des chrétiens à travers les siècles ;
   - – à propos de l'Église aujourd'hui ;
   - – à propos du groupe de catéchèse : les enfants, ce qui a été fait, l'ambiance, etc. (s'aider des panneaux, des cahiers, du livre de l'enfant, etc.).

Puis chacun raconte et l'animateur fait préciser et met en valeur ces découvertes. Chaque enfant note, en quelques mots, ce qu'il a lui-même retenu, sur le carton de couleur qui sera ensuite apporté à la célébration.

## Tous ensemble

Répétition des chants.

# 2. Célébration

## 1. Liturgie de l'accueil

• Chant. Privilégier les chants appris aux rencontres de catéchèse.

• Le président souligne que c'est le Seigneur qui nous rassemble comme il a rassemblé, depuis des siècles, des milliers de baptisés. Il rappelle que le signe des chrétiens est le signe de la croix et invite chacun à le tracer sur soi : « *Au nom du Père, et du Fils, et du Saint Esprit. Amen* ».

## 2. Accueil des découvertes

• Un animateur introduit la démarche des enfants : nous n'avons jamais fini de découvrir le Christ et de vivre en chrétiens. Mais c'est déjà commencé. Cette année encore, ensemble, nous avons fait beaucoup de découvertes.

• Les enfants apportent leurs découvertes. Si c'est possible, ils lisent leur carton avant de l'épingler sur le panneau.

## 3. Liturgie de la parole

• *Alléluia* festif.
• Évangile Mt 28,16-20.
• Reprise de l'*Alléluia*.

## 4. Prière avec tous les saints

• L'animateur rappelle que, depuis des siècles, des baptisés ont entendu l'appel du Seigneur à donner leur vie à la suite du Christ pour faire de toutes les nations des disciples.

• L'animateur de chant prend le refrain *Saints et saintes de Dieu* (livre de l'enfant p. 146). Peu à peu les enfants le reprennent avec lui.

• Quelques saints rencontrés durant cette année de catéchèse sont nommés et évoqués en quelques mots.

• Refrain.

### 5. Prière

• Le président dit, par exemple, cette prière :

*Seigneur, notre Dieu,*
*nous te rendons grâce, nous te disons merci*
*pour tous les saints,*
*pour tous les témoins de l'Évangile*
*que ton Esprit a suscités depuis des siècles.*
*Aujourd'hui encore,*
*Jésus, ton Fils, nous appelle à la sainteté,*
*à vivre heureux avec toi et entre nous.*
*Nous te disons merci*
*pour ceux qui nous donnent de l'amour,*
*pour ceux qui nous aident à grandir,*
*à te connaître et à te rencontrer dans la prière.*
*Nous te disons merci, Seigneur,*
*pour tout ce que tu nous donnes :*
*la joie, l'amitié, le pardon,*
*le bonheur de vivre et de grandir.*
*Tu nous aimes,*
*tu aimes tous les habitants de notre terre.*
*Aide-nous à grandir.*
*Aide-nous à mieux aimer nos parents,*
*nos frères et sœurs.*
*Aide-nous à aimer ceux qui sont près de nous*
*et ceux que nous ne connaissons pas encore.*
*Nous te le demandons*
*par Jésus, le Christ, notre Seigneur.*
*Amen !*

### 6. L'envoi

• L'animateur explique que chacun est appelé à porter à d'autres la Bonne Nouvelle de l'Évangile.

• Le président présente le geste par lequel va être exprimé le désir d'être témoins du Christ : poser la main sur le livre ouvert des évangiles ou faire le signe de la croix (musique calme).

• Prière finale : le *Notre Père* chanté de manière festive.

# CATÉ-DÉCOUVERTES

# Des croyants
# Les religions du monde

## Buts

Dans l'ensemble de la démarche de la catéchèse, les enfants sont amenés à découvrir la foi chrétienne et son caractère unique. Mais ils ne vivent pas en vase clos et peuvent rencontrer des enfants ou entendre parler d'autres religions. Aussi ce Caté-découvertes propose un regard succinct sur les religions et permet de découvrir le chemin qu'elles proposent à leurs fidèles. Cette démarche permet aux enfants de porter un regard tolérant sur les autres religions et de découvrir que le dialogue inter-religieux est au service de la paix.

## Fondements

### 1. Qu'est-ce qu'une religion ?

Un historien des religions pourrait adopter cette définition, suffisamment simple et large : une religion est pour ses fidèles la rencontre avec le sacré, un chemin, une recherche de Dieu ou de la sagesse. Elle est une relation qui se réalise au plan personnel, mais aussi dans une dimension sociale : elle s'exprime de manière vivante dans une tradition et dans une communauté. La religion est relation à quelque chose qui dépasse l'homme et son monde (qu'on l'appelle ou non Dieu).

### 2. Pourquoi, en catéchèse, parler des religions du monde ?

Les enfants rencontrent des croyants d'autres religions à l'école, à la cantine, dans ce qu'ils voient à la télévision, etc. Alors ils se posent des questions sur les différences entre la religion chrétienne et les autres.

L'Église se situe de manière nouvelle dans son rapport aux autres religions. Sur ce point un peu d'histoire est nécessaire :

#### Autrefois

Plusieurs attitudes se retrouvaient chez les chrétiens :

– un intérêt pour les aspects exotiques des autres religions d'Asie et d'Afrique (les danses sacrées de l'hindouisme, les monastères bouddhiques, les derviches tourneurs de l'islam, les sorciers d'Afrique, etc.) ;

– un refus de reconnaître une valeur spirituelle aux rites de ces religions ;

– une volonté de convertir ces « païens », parfois malgré eux.

#### Deux événements

– Le concile Vatican II constitue le premier déclic d'une évolution profonde chez les catholiques.

En 1965, une courte déclaration (intitulée *Nostra Aetate*) affirmait que « *l'Église catholique ne rejette* rien de ce qui est vrai et saint dans ces religions ». Ce texte solennel de l'Église prône donc le respect des autres religions, le dialogue avec elles et même la collaboration pour l'action dans la société. Cette vision optimiste est fondée sur l'unité du genre humain créé par le même Dieu.

– Assise 1986. La pratique de l'œcuménisme avait appris à dialoguer entre les confessions chrétiennes. Déjà, depuis plusieurs années, des rencontres entre représentants de diverses religions avaient eu lieu, en Asie en particulier. Tout cela préparait la rencontre qui eut lieu à Assise le 27 octobre 1986 à l'initiative du pape Jean-Paul II. Quatre-vingt-seize représentants de toutes les religions se retrouvèrent à Assise, la ville de saint François. Il ne s'agissait pas de prier ensemble, mais « d'être ensemble pour prier » pour la paix du monde.

### Aujourd'hui

– Le dialogue inter-religieux continue à s'approfondir, de bien des manières, y compris par des rencontres de prière à travers le monde, à la manière d'Assise. Enfin, le pape a repris les questions posées par la pratique du dialogue inter-religieux dans l'encyclique Redemptoris Missio en décembre 1990.

## 3. Toutes les religions se valent-elles ?

• Chacun cherche la vérité. Pour nous chrétiens, « la vérité possède, en définitive, un nom propre : celui de Jésus Christ » (Catéchisme pour adultes n° 37). Nous croyons que Jésus Christ est l'unique sauveur de tous les hommes.

• Cette vérité, le chrétien n'en est pas propriétaire (Cf. Catéchisme pour adultes n° 37), puisqu'elle intéresse aussi les autres. Pourtant il ne s'agit pas de tout relativiser, mais de découvrir la part de « vrai » et de « saint » dans chaque religion et le « rayon de vérité qu'elle recèle » (Concile Vatican II, Nostra Aetate n° 2).

• Et d'ailleurs, le chrétien trouve dans sa propre foi les motifs d'une attitude de dialogue et de tolérance. Avec Jésus, nous croyons en ce Dieu qui fait lever le même soleil sur tous les hommes (Cf. Mt 5,45). Et le concile Vatican II affirme : « Nous devons tenir que l'Esprit Saint offre à tous, d'une façon que Dieu connaît, la possibilité d'être associés au Mystère pascal » (L'Église dans le monde de ce temps n° 22/5).

• On entend dire parfois : « De toute façon, c'est le même Dieu ». En un sens, c'est vrai. Mais les religions n'approchent pas Dieu de la même manière. On ne peut pas dire que le visage de Dieu dans l'islam, par exemple, est le même que celui de Dieu dans le christianisme. Le caractère unique de la révélation en Jésus Christ tient à :

– La Trinité : un Dieu unique dans la communion des trois personnes.

– L'Incarnation : Dieu s'est révélé en Jésus, son Fils unique qui transmet l'Esprit Saint.

– La Rédemption : par sa mort et sa résurrection, Jésus, le Christ, est venu sauver l'humanité tout entière.

## 4. L'annonce de l'Évangile et le dialogue inter-religieux

Avec le pape Jean-Paul II, dans son encyclique Redemptoris Missio (décembre 1990), il faut donc affirmer ensemble deux convictions :

• L'Église a le devoir d'annoncer le Christ : « Elle ne peut pas priver les hommes de la Bonne Nouvelle qu'ils sont aimés de Dieu et sauvés par lui » (n° 44). Le pape ajoute : « L'Église est la voie ordinaire du salut » (n° 55).

• L'Église tient pour essentiel le dialogue inter-religieux

« *en vue d'un progrès des uns et des autres sur le chemin de la recherche et de l'expérience religieuses, et aussi en vue de surmonter les pré-jugés, l'intolérance et les malentendus* » (n° 56). Cette réflexion sur l'urgence de la mission et l'importance du dialogue inter-religieux est difficile. On sera donc modeste, même avec les enfants les plus âgés.

## 5. Les religions et la paix

Aujourd'hui encore, les différences religieuses peuvent accentuer des conflits entre nations ou à l'intérieur du même pays (conflit Israéliens et Palestiniens ; en Inde, hindous et musulmans ; au Soudan, entre le régime islamique et les animistes et les chrétiens du Sud, etc.).

Religions et droits de l'homme ne vont pas toujours de pair. De même le risque de l'inté-grisme existe en tout groupe religieux. Il ne faut pas le nier. Cependant, reconnaître les limites et les déviations possibles des religions ne doit pas empêcher de les considérer comme des chemins vers Dieu ou vers la sagesse.

### Remarques

• En parlant du christianisme, nous entendons les catholiques, les protestants, les anglicans et les orthodoxes. La question de l'œcuménisme au sens strict n'est donc pas présente dans ce Caté-découvertes. Il sera abordé dans un Caté-découvertes de l'année verte (Unité 1).

• Nous parlons ici des religions du monde et non des sectes (qui posent bien d'autres problèmes).

### Documentation

• *Le livre des religions*, coll. « Découverte Cadet », Gallimard, 1989.

• *Les grandes religions du monde*, Benoît Marchon et Jean-François Kieffer, Centurion/ Astrapi, 1990.

• *Fêtes et Saisons*, n° 473 « Le dialogue entre les religions », mars 1993.

• *Peuples du monde*, numéro spécial 245 A « Les grandes religions. Comment s'y retrouver ? ».

## MISE EN ŒUVRE 1
# Qu'est-ce qu'une religion ?

Cette mise en œuvre s'adresse à un petit groupe d'enfants (8 à 20 enfants).

### Buts

• Provoquer un regard de sympathie sur les religions du monde.

• Faire prendre conscience de l'originalité de la religion chrétienne.

• Évoquer la rencontre d'Assise.

### Matériel nécessaire

• Cinq étiquettes de la même couleur neutre (beige ou grise),
Une étiquette plus grande avec le mot : « Religion ».
Quatre petites avec les mots :
« Juive » - « Bouddhiste »
« Chrétienne » - « Musulmane ».
Une avec la « Religion chrétienne ».

• Quatre autres petites étiquettes :
– bleu clair : « Judaïsme ».
– orange : « Bouddhisme ».
– rouge : « Christianisme ».
– verte : « Islam ».

• Deux affiches sur lesquelles on pourra coller les étiquettes et écrire ; la première plus large comprend trois colonnes.

• Une demi-feuille de papier par enfant.

## Déroulement (durée : 1 h 15)

### 1. Définir la religion

• L'animateur introduit la démarche en affirmant que nous autres, les chrétiens, nous appartenons à la religion chrétienne. En renvoyant les enfants aux pages 80-81 et 132-133 de leur livre, il leur fait exprimer quelques traits de notre religion : nous sommes baptisés et devenons par ce sacrement membres de l'Église ; nous prions Dieu avec la prière que nous a apprise Jésus, le *Notre Père*, etc.

• Puis il fixe l'étiquette « Religion » sur l'affiche la plus large (pas tout à fait en haut) et demande aux enfants ce que ce mot évoque pour eux : ce à quoi il les fait penser, à quoi on repère quelqu'un qui suit une religion.

• Il note les expressions sur l'affiche au-dessus de l'étiquette « Religion ».

### 2. Découverte d'une autre religion

• L'animateur sépare le groupe en trois sous-groupes. Il invite chaque sous-groupe à découvrir une autre religion (que le christianisme) à l'aide des illustrations et des textes de Rébecca (p. 149 du livre de l'enfant), de Patsi (p. 150) et d'Ahmed (p. 151).

• Préciser comment se fera la mise en commun.

### 3. Mise en commun

• Aborder chaque religion l'une après l'autre. Utiliser l'affiche en trois colonnes verticales.

• En tête de chaque colonne on dispose deux étiquettes, par exemple « Juive » et « Judaïsme ». On fait parler les enfants : le nom de Dieu (ou le personnage du Bouddha), les rites, les écrits. L'animateur souligne à chaque fois comment la religion décrite est un « chemin vers Dieu » (ou un chemin de sagesse) en utilisant la prière qu'on trouve p. 152 du livre de l'enfant.

### 4. La religion chrétienne

• L'animateur fait fermer les livres et fixe sur la deuxième affiche les étiquettes « Religion chrétienne » et « Christianisme ». Il demande aux enfants d'écrire sur la demi-feuille de papier qui leur est remise comment ils décrivent le christianisme, la religion des chrétiens, dont on parle chaque semaine en catéchèse.

• L'animateur fait découvrir la p. 147 du livre de l'enfant et invite à dire ensemble la prière chrétienne de la p. 152.

• L'animateur souligne (selon le niveau des enfants) les spécificités de la religion chrétienne (Cf. « Fondements » n° 3).

### 5. Ensemble pour bâtir la paix

• L'animateur fait découvrir la p. 155 du livre de l'enfant. Il situe la rencontre d'Assise.

• Il fait repérer les personnages de la photo : à droite du pape, des chrétiens orthodoxes, anglicans et protestants ; à sa gauche, les « religions du monde » en commençant par les bouddhistes, avec le Dalaï-Lama ; en dixième position le représentant de l'islam.

• L'animateur lance un petit débat : les religions interviennent-elles dans certains conflits ? Évocation de situations précises (« Fondements » n° 5). Il souligne l'importance de prier ensemble pour la paix, l'intérêt du dialogue pour mieux connaître les autres traditions religieuses

# MISE EN ŒUVRE 2

## Découvrir quatre religions

Cette mise en œuvre s'adresse à un groupe de 25 à 40 enfants.

### Buts

• Découvrir quelques traits caractéristiques des religions.

• Percevoir comment chaque religion est un chemin vers Dieu ou vers la sagesse pour ses fidèles.

• Mesurer l'importance de la rencontre d'Assise en 1986.

### Organisation

Pour les temps 1 et 3, les enfants sont réunis tous ensemble. Ils sont répartis en trois petits groupes pour le temps 2. Ces trois petits groupes visitent les ateliers. Cela donne à la démarche une allure de jeu. Chaque atelier a pour thème une religion. Il a le même animateur.

Un signal sonore invite les équipes à changer d'atelier lorsque le temps de visite est écoulé.

### Matériel et préparation des ateliers

• Une couleur dominante dans chaque atelier : bleu pour le judaïsme, orange pour le bouddhisme et vert pour l'islam.

• Une carte du monde (simple photocopie sur laquelle on met en couleur les pays où l'on trouve la religion concernée).

• Un ou deux objets (si possible) : Bible, kippa, etc.

• Un livre de l'enfant ouvert à la page de la religion étudiée.

• Des photos, images, posters significatifs de cette religion.

*Par exemple* : – rouleaux de la Torah, synagogue, rabbin ou juifs religieux ;

– moines bouddhistes en train de méditer ou de quêter leur nourriture, offrandes devant un Bouddha, le Dalaï-Lama ;

– mosquée, musulmans en prière, le pèlerinage à La Mecque, etc.

(Consulter *Fêtes et Saisons*, les revues d'enfants, *Peuples du Monde* et *Terres Lointaines*, les catalogues de voyages, etc.).

• Les éléments nécessaires pour l'activité prévue dans le déroulement : les cartes pour le judaïsme, le récit pour le bouddhisme, les questions pour le christianisme, les documents (audiovisuels) pour l'islam (*Cf.* plus loin).

### Déroulement (durée : 1 h 30 selon le temps imparti à la visite des ateliers)

### 1. Nous appartenons à la religion chrétienne

• L'animateur présente l'ensemble de la démarche et commente l'introduction du haut de la p. 147 du livre de l'enfant. Il fait regarder les photos (liturgie des chrétiens orientaux et préoccupation du tiers-monde, comme traduction de la charité chrétienne). Il fait lire le texte signé Lucie et insiste sur le fait que chacun des enfants aurait pu en dire autant, puisqu'il s'agit du christianisme, notre religion.

• Puis avec la p. 148, il introduit aux ateliers.

### 2. Nous découvrons d'autres religions

Chaque petit groupe d'enfant se dirige vers un atelier.

### Premier regard

Les enfants prennent un premier contact avec la religion à découvrir dans l'atelier : son nom, son importance dans le monde (livre de l'enfant p. 148), son implantation. Ils regardent les photographies affichées, les objets, etc. Questionner, écouter, préciser si nécessaire. Exemple : tous les musulmans ne sont pas arabes, Bouddha n'est pas un dieu, etc.

## Proposer une activité propre à chaque atelier

### ATELIER JUDAÏSME

• Un jeu de cartes. Sur dix cartes, d'une même couleur, on écrit les mots et sur dix cartes, d'une autre couleur, on écrit les dix définitions. Les cartes-définitions sont étalées. Chaque enfant tire à tour de rôle une carte-mot et cherche la bonne définition.

• Ce jeu peut être refait plusieurs fois dans un sens ou dans l'autre (on tire les cartes-définitions), jusqu'à ce que l'ensemble du groupe ait mémorisé le maximum de mots et de définitions correspondantes.

• On lit le texte de Rébecca dans le livre de l'enfant p. 149 et la prière juive p. 152.

### ATELIER BOUDDHISME

• Découverte d'une reproduction de Bouddha. Observer les positions des mains pour la méditation, le calme du visage, etc.

• Récit par l'animateur :

– Le personnage de Bouddha, ses quatre sorties du palais et ses rencontres d'un vieillard, d'un malade, d'un mort et d'un ascète.

– Son illumination et son enseignement : la voie de la sagesse par la méditation.

Pour construire ce récit, l'animateur peut s'aider des chapitres sur le bouddhisme dans les ouvrages cités dans la documentation et de *Grain de Soleil* n° 34 et 52.

• Terminer la visite de l'atelier et lire le livre de l'enfant p. 150 et la prière p. 152.

### ATELIER ISLAM

• Premier regard à l'atelier. On peut faire parler les enfants sur l'islam : ils en connaissent sans doute quelques éléments.

• Reprendre une présentation globale de l'islam sous la forme d'un commentaire de quelques diapos ou photographies de revues. Penser à consulter Internet.

– Mohammed, le prophète.

– La révélation d'Allah, le créateur, le tout-puissant et miséricordieux.

– Le musulman = le soumis à Dieu et qui obéit à ses commandements prescrits dans le Coran.

| Cartes-mots | Exode | Yahvé | Synagogue | Shabbat | Kippa |
|---|---|---|---|---|---|
| Carte-définitions | Moïse libère son peuple d'Égypte | Nom que Dieu se donne et confie à Moïse | Lieu de prière et d'étude de la Torah | Jour de repos et de prière (du vendredi soir au samedi soir) | Calotte sur la tête en signe de respect pour Dieu |
| Cartes-mots | Rabbin | Torah | Pessah | Kacher | Bar-Mitzva |
| Carte-définitions | Responsable chargé de l'enseignement de la Torah | Les livres de la Bible qui contiennent la loi de Moïse | Fête qui célèbre la sortie d'Égypte = la pâque | Nourriture conforme à la loi (exemple : la bête abattue est vidée de son sang) | Fête où le garçon de 12 ans lit la Torah en public pour la première fois |

– Les cinq piliers : la profession de foi « *Il n'y a pas d'autre Dieu qu'Allah et Mohammed est son prophète* » ; la prière (cinq fois par jour) ; le jeûne du Ramadan ; l'aumône légale ; le pèlerinage à La Mecque.

– Les musulmans aujourd'hui. Distinguer la foi musulmane des aspects politiques de l'islamisme ou de l'intégrisme en certains pays musulmans.

■ Utiliser la p. 151 du livre de l'enfant et découvrir la première sourate du Coran p. 152.

## 3. Chrétiens, nous participons au dynamisme du rassemblement d'Assise

Pour ce troisième temps, les enfants rejoignent le grand groupe au moment fixé.

### Notre religion : le christianisme

• Après avoir fait exprimer aux enfants ce qu'ils ont aimé dans leur visite des ateliers, l'animateur fixe sur la seconde affiche les étiquettes « Religion chrétienne » et « Christianisme ». Il propose aux enfants de se regrouper pour répondre aux questions ci-dessous (les réponses pour les animateurs sont écrites en bleu).

**Remarque** : Ne pas insister sur l'œcuménisme qui sera abordé dans un Caté-découvertes de l'année verte.

### Questions possibles

**1.** Y a-t-il d'autres chrétiens que les catholiques ?

*Les protestants, anglicans, évangélistes, orthodoxes*

**2.** Jésus nous a laissé une prière. Laquelle ? Que demande-t-on dans cette prière ?

*Le Notre Père*

**3.** Quelle est la grande fête des chrétiens ? À quelle période de l'année est-elle célébrée ?

*Pâques, résurrection du Christ*

**4.** Racontez un passage d'évangile où l'on voit que Jésus aime vraiment les pauvres et les petits.

*Une guérison, les enfants, Bon Samaritain, etc.*

**5.** Par quel sacrement devient-on membre de l'Église ? Comment est-ce que cela se passe ?

*Baptême*

**6.** Quelle est la partie de la Bible commune aux juifs et aux chrétiens ?

*Ce que nous appelons l'Ancien Testament*

**7.** Voyez-vous souvent des croix autour de vous ? Où ? Quand ? Quel est le sens de la croix ?

*Rappel, de la mort de Jésus et signification trinitaire*

**8.** Les chrétiens se rassemblent chaque semaine. Où ? Que font-ils ? Pourquoi ?

*Le dimanche, messe = eucharistie*
*Dimanche = jour de la résurrection, etc.*

• Faire une mise en commun. Écrire l'essentiel sur l'affiche. Souligner le caractère unique de la révélation en Jésus (*Cf.* « Fondements » n° 3). Lire la p. 147 du livre de l'enfant et prier ensemble à l'aide de la prière chrétienne de la p. 152.

### Le dynamisme d'Assise

• À l'aide du livre de l'enfant p. 155 , l'animateur raconte le rassemblement d'Assise, fait lire la photo et conclut en soulignant que cette attitude de respect des autres religions s'enracine dans notre propre foi chrétienne (*Cf.* « Fondements » n° 3). La prière de tous est utile à la paix du monde (*Cf.* « Fondements » n° 5).

• Terminer avec la prière de *Pax Christi* p. 155.

# Prier avec les enfants de 8-11 ans

Prier en catéchèse fait partie intégrante de l'acte catéchétique. L'étymologie du mot catéchèse signifie « faire résonner la Parole ». Or, pour que cette Parole de Dieu trouve écho dans la vie des enfants, il est nécessaire qu'elle s'enracine en eux. La prière participe aussi à cet enracinement.

Il est donc important de soigner particulièrement ce temps en équipe. Chaque rencontre propose un temps. Les propositions suivantes sont une base pour vous permettre de bâtir avec les enfants, une prière propre à l'équipe. Pour cela, il vous faudra impliquer les enfants dans la préparation du lieu, dans l'élaboration des intentions de prière, dans le choix des chants... Prier c'est prier ensemble... Le catéchiste ne fera pas prier les enfants, mais priera avec eux !

## UN LIEU POUR PRIER

◆ Se disposer autrement, changer de lieu ou de position, afin de signifier clairement aux enfants que le temps de prière est différent du temps de l'échange. Si les locaux le permettent, éviter de prier autour d'une table, mais préparer dans la salle, un espace prière beau et agréable.

◆ Prévoir une moquette, un tapis, ou des coussins, pour que les enfants se sentent bien.

◆ Disposer une table basse ou un coussin pour poser la Bible ouverte : la présence de la Bible aide les enfants à réaliser que la prière puise sa source à la Parole de Dieu.

◆ Allumer une bougie : elle symbolise la lumière et la présence du Christ ressuscité.

Elle invite à une attitude de veille et d'écoute.

◆ Installer une croix : elle est le signe des chrétiens, du baptême, le rappel de la mort et de la résurrection du Christ. C'est à partir d'elle que les enfants traceront leur signe de la croix.

◆ On peut aussi mettre en valeur par un éclairage, une icône, un poster, un bouquet de fleurs... Proposer aux enfants de préparer cet espace avec vous et d'apporter ce qu'ils aiment : tous ces éléments participent à la beauté et à l'appropriation de ce lieu par les enfants.

◆ Cet espace peut être préparé avant l'arrivée des enfants, si vous souhaitez, par exemple, commencer la rencontre par un temps de prière. Il peut aussi être installé par les enfants en début de séance. Veillez à proposer les deux formules pendant l'année. Cet espace évoluera au cours de l'année au rythme des unités et des fêtes liturgiques.

*Astuce : un cageot contenant tous les éléments, peut devenir l'espace prière : vidé de son contenu, il est retourné, recouvert d'une nappe ! Il y a donc toujours un espace prière possible !*

## UN CORPS POUR PRIER

La prière se manifeste par des attitudes. Les enfants ont besoin d'exprimer avec leur corps ce qu'ils vivent. Pour les aider à être habités par la prière, il est nécessaire de leur proposer des gestes, attitudes et postures qui expriment cette prière.

◆ Tout d'abord, faire silence. Taire les mots, les agitations et les pensées pour laisser le silence s'installer dans l'esprit et dans le corps. Apprendre à faire silence n'est pas encore prier, mais c'est la condition pour écouter.

• Proposer des postures variées qui ont un sens et mettent en évidence une attitude particulière :

– Être assis, c'est se disposer à une attitude d'écoute, de méditation.

– Se tenir debout, c'est manifester une attitude de respect, d'attention, d'accueil, d'acclamation, de dignité.

– S'agenouiller, c'est entrer dans une attitude de recueillement, de repentir, d'humilité, de supplication.

– Se prosterner ou s'incliner, c'est se mettre dans une attitude d'adoration devant plus grand que nous.

Veiller à proposer ces différentes postures pendant l'année, de manière à éveiller chez les enfants différentes attitudes devant le Seigneur.

• Nos mains accompagnent aussi notre prière :

– Mains ouvertes pour s'ouvrir tout entier à la Parole de Dieu ou pour dire le « Notre Père ».

– Mains jointes, en position de demande.

– Mains levées pour acclamer.

– Se donner la main pour se reconnaître frères d'un même Père.

• Prier de tout son corps : c'est aussi danser, gestuer un texte une prière ou un chant. (*Cf.* Fiche « Gestuer un texte biblique » p. 251).

## LE SIGNE DE CROIX

Faire le signe de croix, c'est signifier clairement que la foi n'habite pas seulement l'esprit, le cœur ou l'âme de l'enfant mais s'enracine dans sa personne tout entière, donc habille aussi son corps. Il est le geste de reconnaissance des chrétiens, l'expression courte mais intense de la foi de l'Église en Jésus le Ressuscité. Tracer le signe de croix, c'est affirmer par un geste et une parole la profession de foi de l'Église : « Je crois au Père… en Jésus Christ… et en l'Esprit Saint ». Il rappelle aussi la première marque du chrétien à son baptême, passage de la mort à la vie. Les enfants apprendront progressivement à faire ce signe lentement, en silence, avec respect et amour.

## PRIER EN MUSIQUE

Le chant est un beau moyen pour donner aux enfants la possibilité d'exprimer une prière avec des mots qu'ils n'auraient pas facilement utilisés dans d'autres circonstances. De plus, les enfants aiment chanter ! N'est-ce pas là un chemin pour commencer à aimer prier ?

• Une musique méditative peut aider l'équipe à soutenir un temps de recueillement. Il peut suivre un instant de silence, accompagner un texte, ou clore, dans la méditation, le temps de prière.

• Le chant est un mode d'expression qui engage la personne tout entière. Il ne se situe pas seulement sur le registre de l'apprentissage mais de l'appropriation et de l'intériorisation. On gagnera à reprendre sur plusieurs rencontres le même chant.

• Si un enfant joue d'un instrument, l'animateur peut l'inviter à jouer pour accompagner la prière.

## LA PRIÈRE

La prière n'est pas le propre des chrétiens. Dans d'autres religions, des croyants prient leur Dieu. Elle est l'expression et la reconnaissance de la foi. La prière chrétienne, c'est la prière qui s'adresse à Dieu Père de Jésus Christ, par l'Esprit. C'est entrer en relation avec un Dieu vivant qui nous aime, nous accueille, nous écoute et nous parle. Les évangiles, surtout celui de Luc, nous montrent Jésus en prière et nous demandent de prier aussi : par exemple Luc 11,1-13. En catéchèse, on initiera les enfants progressivement à entrer dans cette double dynamique de la prière : être à l'écoute de la Parole de Dieu et lui parler.

## COMMENT PRIER ?

◆ La prière s'adresse toujours à quelqu'un : penser à le nommer en début de prière. (Seigneur, Marie, Jésus...)

◆ Il existe différentes manières de prier :

### – La prière de demande

Le Christ lui-même nous dit de demander. « Demander... chercher... frapper, la porte vous sera ouverte » Luc 11,9. Demander, c'est accepter de se reconnaître enfant en attente et à l'écoute de Dieu que Jésus nous dit d'appeler « Notre Père ». Un Dieu qui répond à nos demandes par son amour, non pas toujours comme nous le souhaitons, mais en nous donnant son Esprit. L'Esprit Saint est cette force qui nous accompagne dans toutes nos situations de vie et qui parfois se révèle par la présence des autres, une lecture ou toutes autres médiations.

La prière de demande invite les enfants à prier les uns pour les autres. Une prière d'enfant se construit avec des prénoms connus, des visages aimés, des situations vécues. Elle se tisse aussi au visage et aux paroles du Christ qu'ils commencent à découvrir en catéchèse.

### - La prière d'action de grâce

Pas facile pour un enfant, de dire merci à Dieu ! Pour le remercier de quoi ? Il est logique de dire merci quand on reçoit quelque chose : c'est l'apprentissage de la politesse ! Mais il est beaucoup plus difficile

de reconnaître ce que Dieu nous donne. Là aussi, la prière des enfants a besoin de s'ancrer dans leur quotidien et leurs rencontres pour prendre corps (merci pour cette rencontre, pour...). L'animateur sera attentif à exprimer aussi sa prière d'action de grâce pour les guider.

### – La prière de pardon

C'est se reconnaître soi-même devant Dieu, donc accepter ses forces et ses faiblesses : reconnaître son péché pour recevoir le pardon de Dieu. Cette démarche est longue avec les enfants et s'approfondit avec leur maturité. Il ne s'agit pas de les enfermer dans la culpabilité, mais de les éveiller à reconnaître ce qui les éloigne de Dieu et ce qui les rapproche de son amour. C'est un apprentissage à l'espérance !

### - La prière de louange

C'est la prière de l'enthousiasme ! (l'étymologie du mot enthousiasme signifie « jubilation en Dieu »). Elle naît assez spontanément chez les enfants. Ils sont souvent émerveillés. L'animateur les aidera à formuler cette joie en prière pour la porter vers le Seigneur. Beaucoup de chants, prières, poèmes peuvent servir de modèle pour permettre aux enfants d'écrire leur propre prière de louange.

### - La prière de méditation

À partir d'un texte biblique, la prière de méditation invite à demeurer avec l'un des personnages, ou l'une des phrases auprès du Seigneur : cette proposition vous est faite au cours de l'Unité 4 avec le texte de la Passion.

### - La prière de contemplation

C'est l'attitude des disciples qui se laissent saisir par le Christ transfiguré et contemplent la gloire de Dieu. Sans méthode pour la guider ou la soutenir, la contemplation est présence à l'amour de Dieu. Ce type de prière n'est évidemment pas proposé aux enfants en catéchèse mais elle fait partie de la vie de prière de l'Église.

## DES MOTS POUR PRIER

Prier s'apprend aussi en écoutant la prière des autres :

• Lire des textes de l'Écriture. Puiser dans la Bible mais aussi dans la prière de l'Église (Je vous salue Marie, le Magnificat...), dans les paroles de nos contemporains. Choisir des textes simples et courts.

• Prendre le temps d'apprendre et comprendre le « Notre Père ». Pour l'intérioriser l'animateur peut proposer de le gestuer. *Cf.* Annexe 16 *La Prière du Notre Père.*

• Prier avec ses propres mots : il faut du temps avant de pouvoir formuler une prière spontanée. L'animateur veillera à préparer avant la prière des intentions avec les enfants et à accueillir avec bonheur les expressions de chacun.

## DES RENDEZ-VOUS POUR PRIER

Ce temps proposé aux enfants au cours de chaque rencontre est une invitation à vivre une prière personnelle ou communautaire.

La visée de la catéchèse est l'espérance de voir naître en chaque enfant le désir et le goût de retourner à cette source à d'autres moments, en d'autres lieux avec d'autre personnes.

• L'animateur peut proposer aux enfants de prier chez eux le matin et le soir, comme ils le vivent en équipe (par exemple en reprenant leur cahier, en reprenant un texte ou un chant, ou en disant le « Notre Père »...

• Inviter les enfants à rejoindre les chrétiens de leur communauté (l'eucharistie du dimanche, ou les temps forts de la vie liturgique).

## ET MAINTENANT...

Les temps proposés pour chaque rencontre ainsi que cette fiche, ne sont que des propositions ! Nourrissez-les de la vie de chaque enfant et de votre propre expérience. La prière est une ouverture : laissez-la aussi s'exprimer à des moments différents et spontanés. N'hésitez pas à changer de lieux (oratoire, jardin, église, nature...) pour susciter l'étonnement et l'émerveillement. Faites confiance aux enfants.

### BIBLIOGRAPHIE

• *Théo poche Guide pour prier*, Michel Dubost, Éditions Droguet et Ardant.

• *Thabor*, Éditions Deslée.

• *Points de Repère*, n° 142 à 157 « Les idées ».

# Fiche 2

# La Parole de Dieu

## LA PAROLE DE DIEU, UNE RÉVÉLATION...

Il y a quarante ans, les évêques du monde entier réunis au concile Vatican II ont exprimé toute l'importance de la Parole de Dieu dans notre foi chrétienne. Il ne s'agit pas d'abord d'un livre ou d'un ensemble de livres (la Bible).

La Parole de Dieu est essentiellement relation, révélation, message entre Dieu et l'homme. Dieu se fait connaître, il propose sa vie, il dévoile l'homme à lui-même. Par lui, l'homme devient partenaire, allié, fils. La Parole de Dieu vient nous introduire à la conversation engagée depuis des siècles entre Dieu et l'humanité. Elle nous tient debout entre ciel et terre, toujours en attente, toujours en espérance, toujours ouverts, offerts. Elle nous invite à prendre parole, à tenir le cap à notre tour, guidés par l'expérience de Dieu cheminant avec l'homme. Finalement, la Parole de Dieu accompagne l'homme en s'incarnant : « le Verbe s'est fait chair, il a planté sa tente parmi nous » (Jn 1,14). Il est l'Emmanuel (« Dieu-avec-nous » Mt 1,23), Jésus le Sauveur.

« Il a plu à Dieu dans sa sagesse et sa bonté de SE RÉVÉLER EN PERSONNE ET DE FAIRE CONNAÎTRE LE MYSTÈRE DE SA VOLONTÉ, grâce auquel les hommes, par le CHRIST, le Verbe fait chair, accèdent dans l'ESPRIT SAINT, auprès du PÈRE et sont rendus participants de la nature divine. Dans cette Révélation, **le Dieu invisible s'adresse aux hommes en son immense amour ainsi qu'à des amis, il s'entretient avec eux** pour les inviter et les admettre à partager sa propre vie... La profonde vérité que cette Révélation manifeste, sur Dieu et le salut de l'homme, resplendit pour nous dans le Christ qui est à la fois le Médiateur et la plénitude de la Révélation. » (Concile Vatican II, Constitution dogmatique La Révélation divine *Dei Verbum* n° 2, 18 novembre 1965).

## RECEVOIR LA PAROLE DE DIEU PAR LES ÉCRITURES SAINTES ET EN ÉGLISE

La Parole de Dieu n'est pas d'abord un livre ou un ensemble de livres, mais nous l'écoutons tout de même de manière privilégiée à travers la Bible. Elle est le recueil du long compagnonnage de Dieu avec l'humanité, jusqu'à la révélation totalement accomplie en Jésus Christ.

Dans ce volume formé de 46 livres pour l'Ancien Testament et de 27 livres pour le Nouveau Testament, l'Église reconnaît la Parole de Dieu se mêlant aux paroles humaines. Dieu se dit à travers l'histoire des hommes, dans des genres littéraires différents (mythes, épopées, légendes, lois, poèmes, hymnes liturgiques, prières, oracles des prophètes, écrits de sagesse...), dans des cultures différentes, à des époques différentes. Les récits bibliques, rapportés par la Bible, sont empreints de traces historiques et culturelles. Ces récits portent la marque personnelle de leurs auteurs humains. La Bible a été écrite par des hommes, non pas sous la dictée de Dieu, mais inspirée de Dieu.

L'Église, assemblée des croyants en Jésus, Fils de Dieu, Sauveur, mort et ressuscité, est garante de l'authenticité de la Parole de Dieu, en sa vie et en sa transmission, sous l'autorité, la vigilance des évêques et du pape. Par sa longue fréquentation, sa longue expérience, elle a acquis une Tradition vivante, à comprendre comme une clé d'interprétation de cette Parole pour en vivre et se tenir dans la volonté de Dieu.

La liturgie en est l'expression la plus manifeste. Dans les célébrations chrétiennes, l'Église se met elle-même à l'écoute de cette Parole de Dieu. Elle essaie de la comprendre en se situant en relation avec Dieu et avec l'humanité entière. Cette Église est ensuite envoyée pour vivre selon la Parole et révéler ainsi la grandeur, la vérité de Dieu et son amour pour l'homme.

## LA PAROLE DE DIEU EN CATÉCHÈSE

Aucune rencontre de catéchèse ne devrait se vivre sans une écoute d'une parole biblique. Il ne s'agit pas d'étudier la Bible, c'est le travail de l'exégèse. Il ne s'agit pas de réfléchir à partir de la Bible : c'est le travail de la théologie. Il s'agit de permettre au catéchisé de tout âge et au catéchiste lui-même, d'entrer en relation avec Dieu, en apprenant à le connaître.

Bien sûr, un minimum de connaissances est nécessaire. Des méthodes sont là pour aider à ce passage par l'étude : la critique biblique (qui recherche le contexte historique et archéologique, l'origine du texte lui-même), l'analyse sémiotique (qui étudie les différents éléments du texte dans leur rapport : mots, fonctions des mots, situations dans le texte...), l'analyse narrative (qui regarde comment le texte s'y prend pour capter l'attention de son lecteur et pour quel sens)... On peut en catéchèse très utilement faire remarquer qu'il est nécessaire de faire un détour par ce que le texte veut dire en lui-même, avant de donner son interprétation personnelle.

Il est nécessaire de ne pas perdre de vue que le but et le rôle de la Parole de Dieu en catéchèse sont de permettre à quelqu'un d'entrer en relation avec Dieu et avec ses frères et sœurs.

La Parole de Dieu donne la parole à l'homme, et inversement, aujourd'hui encore, c'est de paroles humaines habitées de l'Esprit Saint que jaillit la Parole de Dieu.

# Fiche 3

# Rencontrer les parents

## ACCUEILLIR AU NOM DE L'ÉGLISE

Lorsque vous rencontrez des parents, vous les accueillez au nom de l'Église.

Soignez votre accueil, ajustez vos paroles et votre manière d'être, ces attitudes donnent à voir un visage de l'Église.

## QUI SONT LES PARENTS QUE VOUS RENCONTREZ ?

Certains parents ne sont plus des « habitués » de l'Église, leur présence témoigne d'abord de leur amour et de leur attention pour leur enfant. Il faut en tenir compte.

Leur silence ou leur absence marque plus souvent le malaise que le manque d'intérêt.

Soyez confiants, les parents d'aujourd'hui peuvent répondre à votre appel.

Tenez compte de leur mode de vie lorsque vous organisez vos rencontres.

## INVITER LES PARENTS

* Préparer une invitation qui donne envie d'y répondre.

* Envoyer les invitations suffisamment tôt (au moins trois semaines avant la date de la rencontre). Vous pouvez prévoir un calendrier d'année qui intègre les réunions d'enfants, les réunions de parents et les célébrations. Il faudra alors penser à faire un rappel écrit.

* Préciser clairement sur l'invitation le but de cette réunion (inscription, informations, échange et débat, décisions).

* Noter explicitement le lieu, la date, l'horaire du début et de la fin de la rencontre et surtout... ne pas oublier de signer votre courrier !

## POURQUOI INVITER LES PARENTS ?

* Pour créer des liens, faire naître des relations, entrer en dialogue avec des adultes dont les enfants vous sont confiés.

* Sensibiliser les parents sur leur rôle d'accompagnement en catéchèse.

* Présenter aux parents ce que leur enfant va vivre en catéchèse :
- Découvrir la Parole de Dieu.
- Faire une expérience de vie en Église.
- Se préparer aux sacrements.
- Grandir avec le message de Jésus Christ.
- Apprendre à prier seul et avec d'autres.

* Proposer aux parents des rencontres, en lien avec les thèmes de l'année de caté afin de faire résonner la Parole de Dieu au cœur de leur vie.

## PRÉPARER LA RENCONTRE

* Une rencontre ne se prépare jamais seul, réunir plusieurs personnes concernées : responsables caté, prêtre, parents, et d'autres personnes de la communauté.

* Situer le rôle de chacun pour l'animation.

* Définir l'objectif de la rencontre.

* Travailler le contenu ainsi que les pédagogies utilisées en fonction des personnes attendues.

- Pour le contenu : selon la question abordée, penser à consulter des revues comme *Points de Repère*, Bayard ; *Tabga*, CNER ; *Thabor*, Desclée, *Théo*...

– Pour les parents : ne pas oublier qu'ils ont tous un point commun : leur enfant inscrit au caté. Mais leurs chemins et leur histoire sont multiples, soyez particulièrement attentif à leur diversité.

## ANIMER UNE RENCONTRE

◆ Soigner l'aménagement de l'espace, le rendre accueillant afin que les parents se sentent attendus (disposition des tables, chauffage, lumière, décor, tisane, gâteaux… Soyez créatifs !)

◆ Respecter les horaires annoncés.

◆ Prévoir un déroulement précis de la rencontre :

– Accueil des personnes et présentation.

– Échange en ateliers.

– Mise en commun, débat.

– Informations diverses.

– Invitation à prier.

– Temps de l'au revoir convivial.

## QUELQUES SUGGESTIONS DE RENCONTRES

◆ Une rencontre parents-enfants à la rentrée (voir première séance Rencontre 1 de l'Unité 1).

◆ Des rencontres en lien avec la préparation des sacrements de l'année rouge : l'eucharistie et le pardon.

◆ Des rencontres autour de thèmes liés aux grandes questions de la vie.

## Et pourquoi pas ?

◆ Une équipe d'enfants invite leurs parents au caté : découverte et goûter.

◆ Un dîner débat au presbytère.

◆ La pause café pour parler caté.

◆ Un petit déjeuner débat avec invitation à rejoindre la communauté chrétienne à l'eucharistie dominicale.

◆ Festicaté à Noël ou en fin d'année.

◆ …

# Fiche 4

# Préparer aux sacrements

Au cours des années de catéchèse, trois sacrements sont proposés aux enfants de 8-11 ans : le baptême, l'eucharistie et la pénitence et la réconciliation. Les sacrements du baptême et de l'eucharistie constituent avec le sacrement de confirmation, qui sera proposé dans les années suivantes, les trois sacrements de l'initiation chrétienne.

Nous présentons des démarches de préparation possibles pour ces sacrements. Il va de soi que tout n'est pas dit de l'initiation à ces sacrements. Nous nous situons ici surtout dans une démarche pastorale.

## SE PRÉPARER AU BAPTÊME

♦ De plus en plus fréquemment, des enfants de 8-11 ans, non baptisés, participent à une équipe de catéchèse. Ils sont alors parfois conduits par leurs copains ou leurs animateurs, à se poser la question d'un chemin de préparation au baptême.

♦ La démarche présentée est celle du rituel du baptême des enfants en âge de scolarité.

♦ Précisons l'importance de créer des liens entre l'équipe de catéchèse et l'équipe de préparation au baptême, si ces deux équipes sont différentes.

## UNE ÉQUIPE D'ACCOMPAGNEMENT

♦ Par le baptême, le baptisé, quel que soit son âge, devient fils de Dieu et membre de l'Église. Il y a là deux dimensions : une dimension personnelle par la filiation et une dimension communautaire par l'appartenance à un peuple. Cette deuxième dimension se doit d'être honorée autant que la première. Ainsi l'équipe d'accompagnement donne à l'enfant un visage d'Église dans laquelle le baptême le fait entrer.

♦ L'animateur qui a la responsabilité de cette démarche fait appel à plusieurs personnes en étant attentif à quelques points :

– Tenir compte des relations de l'enfant et l'inviter à proposer des personnes avec qui il aimerait se retrouver.

– Solliciter celles et ceux (adultes, enfants) qui ont pu être témoins auprès de l'enfant et qui, peut-être, ont suscité en lui le désir de devenir chrétien.

– Inviter des chrétiens, enfants et adultes, diversement situés en Église.

– Veiller à ce qu'il y ait quelqu'un de la communauté locale.

– Être en lien avec le curé de la paroisse.

– Faire appel à des personnes susceptibles de garder des relations avec l'enfant ; elles sont précieuses après le baptême.

♦ L'équipe ainsi constituée :

– dit la diversité du peuple de Dieu : âge, homme, femme, situations…

– témoigne diversement de la Bonne Nouvelle de Jésus Christ dans la vie de chacun,

– assure plusieurs modes de présence auprès de l'enfant : voisin, catéchiste, autres relations… qui le soutiennent dans sa démarche,

– tisse des liens qui pourront contribuer à la vie chrétienne de l'enfant après son baptême, l'aider à participer à d'autres groupes…

• Dans cette équipe, l'animateur est à un carrefour de relations :

– l'enfant qui demande,

– les autres enfants, les adultes du groupe, les parents, parrain-marraine (participant ou non au groupe d'accompagnement),

– la paroisse d'origine de l'enfant éventuellement,

– le groupe de caté, l'équipe de mouvement…

– les animateurs de préparation au baptême du même lieu : autres enfants en âge scolaire, petits enfants, adultes.

## LE BAPTÊME PAR ÉTAPES

• Recevoir le sacrement de baptême à cet âge, engage, oriente une existence… Préparer son baptême l'implique activement dans un cheminement vers les trois sacrements de l'initiation chrétienne : baptême, confirmation, eucharistie, mais aussi vers une vie de chrétien.

• La démarche proposée laisse à l'enfant le temps de :

– partager son histoire, ses questions, ses doutes,

– découvrir ce qu'il demande à croire, à vivre,

– accueillir Dieu dans sa vie,

– se familiariser avec les gestes, paroles, rythmes de la vie chrétienne,

– choisir, à chaque étape, de poursuivre ou non la démarche,

– célébrer, avec la communauté, les pas qui sont posés.

• Comme le prévoit le *Rituel du baptême des enfants en âge de scolarité*, le baptême est célébré en quatre étapes :

### Première étape
### L'ACCUEIL

Cette étape est célébrée dès que le groupe d'accompagnement est constitué et qu'il s'est réuni au moins une fois. L'enfant peut alors exprimer sa disponibilité à vivre la démarche proposée. L'accueil est reçu en Église par l'un de ses ministres.

### Deuxième étape
### L'ENTRÉE EN CATÉCHUMÉNAT

Par cette étape, l'enfant témoigne de sa rencontre de Jésus et s'engage à le suivre. Il est marqué du signe de la croix et introduit dans le peuple de Dieu. Il écoute la Parole de Dieu et reçoit le Livre des évangiles. L'équipe d'accompagnement s'engage à poursuivre le chemin et la communauté chrétienne présente est invitée à soutenir et à renouveler sa fidélité à Dieu.

### Troisième étape
### LE RITE PÉNITENTIEL

L'enfant fait l'expérience du mal en lui et autour de lui. Par l'imposition des mains ou l'onction d'huile (huile des catéchumènes) il reçoit l'amour du Christ qui est une force pour l'aider à lutter contre le mal.

### Quatrième étape
### LE BAPTÊME

La nuit pascale est le temps privilégié pour cette étape au cours de laquelle l'enfant est baptisé et communie pour la première fois.

## LIENS À LA CATÉCHÈSE

Catéchèse et baptême en âge de scolarité sont intimement liés.

◆ Très souvent, la demande de baptême s'exprime en catéchèse ou par la catéchèse :

– Si l'enfant participe déjà à la catéchèse, il y découvre le sens du baptême. Cela, directement, dans le parcours catéchétique, mais aussi par l'expression des autres enfants qui se préparent à la communion, ce qui suppose d'être baptisé !

– Si l'enfant ne participe pas à la catéchèse, il peut être interpellé, interrogé par les copains qui y participent et racontent ce qu'ils y vivent.

◆ Quel que soit le lieu où s'exprime la demande, la préparation au baptême renvoie à la catéchèse. En effet, si une équipe d'accompagnement doit se constituer autour de l'enfant, si l'enfant participe déjà à un autre mouvement d'Église (ACE, Guides, Scouts, Mouvement Eucharistique des Jeunes…), on doit aussi lui offrir une approche structurée de la foi, de la vie évangélique et de l'initiation aux sacrements : c'est la mission de la catéchèse.

## SE PRÉPARER À LA PREMIÈRE EUCHARISTIE

Cet itinéraire, inspiré du *Rituel du baptême des enfants en âge de scolarité*, met en valeur des étapes célébrées au cours des eucharisties dominicales.

Il peut être utile pour penser et célébrer une progression vers la première eucharistie, en lien avec l'assemblée du dimanche.

Cette proposition n'est pas un document d'orientation en soi mais présente des éléments à expérimenter selon les possibilités locales. Elle ne prétend pas tout dire de l'initiation à l'eucharistie.

L'équipe d'accompagnement est présente à chaque étape.

Cette proposition se fait en lien avec la catéchèse.

### Première étape L'ACCUEIL

◆ Prévoir une rencontre avec les parents afin de leur expliquer le déroulement et le sens de la démarche proposée.

◆ Se préparer à la « première communion » implique, outre la catéchèse :

– Un choix : celui de l'enfant, en dialogue avec ses parents et les catéchistes.

– Un accompagnement : par ses parents, parrain ou marraine de baptême mais aussi par des membres de la communauté (il peut être proposé un parrainage par un confirmé, retraité, voisin…).

– Une participation régulière à des célébrations : celles-ci font partie intégrante du cheminement.

◆ Sensibiliser la communauté chrétienne au cours d'une assemblée dominicale, en septembre-octobre, au sens du parrainage et de l'initiation par la communauté.

◆ Accueillir les enfants en marche vers l'eucharistie (au cours de l'Avent) :

– les accueillir lors d'une messe dominicale (messe des familles, messe avec remise de l'Évangile, messe avec d'autres niveaux…).

– Présenter l'équipe d'accompagnement et les « parrains », préciser leur rôle.

– Prier avec l'assemblée pour ces enfants.

– Remettre une lumière à chaque enfant en rappel de leur baptême.

### Deuxième étape LA DEMANDE

◆ Prévoir une deuxième rencontre avec les parents afin de préciser le choix de leur enfant et de procéder aux inscriptions.

Il est important de laisser la possibilité à chaque enfant de faire sa demande à un autre moment s'il ne se sent pas prêt à continuer.

♦ Accueillir la demande des enfants (un dimanche de Carême)

– Lors d'une messe dominicale, inviter les enfants à faire un pas de plus vers l'eucharistie : la demande.

– Inviter les enfants à exprimer leur demande ou lire quelques expressions des enfants préparées avec l'équipe d'accompagnement.

– Prier avec l'assemblée pour ces enfants.

– Remettre un signet, le Notre Père ou la Croix, à chaque enfant pour signifier l'accueil de leur demande.

### Troisième étape
### L'APPEL

♦ Un des dimanches qui précèdent la communion, les enfants sont appelés par leur prénom en réponse à leur demande.

♦ Inviter la communauté à prier pour eux et à les rejoindre le dimanche suivant.

♦ Pendant le temps du Carême, préparer la célébration de réconciliation qui pourra se vivre avec l'équipe de caté – Cf. Unité 4 – Rencontre 2.

### Quatrième étape
### LA COMMUNION

♦ Réunir les parents autour d'un thème relatif à la communion et penser à répondre aux questions pratiques concernant la célébration. Prévoir un temps convivial avec l'équipe d'accompagnement pour marquer la fin de ce cheminement et la place importante des parents auprès de leur enfant.

♦ Organiser un temps fort, une retraite avec les enfants en présence de l'équipe d'accompagnement.

♦ Prévoir un dimanche du Temps pascal pour célébrer la première eucharistie.

## SE PRÉPARER AU SACREMENT DE PÉNITENCE ET DE RÉCONCILIATION

Ce sacrement est en lien direct avec le sacrement du baptême. Avec des enfants de 8-11 ans, la démarche proposée tiendra compte de leur éveil à la conscience morale, au sens du péché, et de leur relation à Dieu. La catéchèse proposée par *Fais jaillir la vie* intègre une préparation et des propositions de célébration du sacrement du pardon (*Cf.* Unité 4 « Clés pour l'alliance »). Les catéchistes pourront aussi se référer au livret *Reçois le pardon*, Éditions CRER. Ils y trouveront des repères théologiques et des propositions pédagogiques ; ce livret est un complément au parcours proposé par *Fais jaillir la vie.*

### BIBLIOGRAPHIE

• *Reçois la vie, Préparer la première communion avec Fais jaillir la vie*, Éditions CRER.

• *Reçois le pardon, Préparer le sacrement de la réconciliation avec Fais jaillir la vie*, Éditions CRER.

• *Points de repère*, n° 182 « Le baptême des enfants en catéchèse », juin 2001.

# Fiche 5

## Lire une image

« *Les modes de communication sont étroitement liés au langage. L'un des plus efficaces et des plus répandus est celui des mass media. "L'évangélisation même de la culture moderne dépend en grande partie de leur influence" (Cf. Redemptoris missio n° 37). Nous renvoyons aux passages de ce Directoire consacrés à ce thème (Cf. DGC partie III, chap. 2), en rappelant tout de même quelques indications utiles pour l'inculturation : une plus grande valorisation des médias selon leur qualité spécifique de communication, en équilibrant le langage de l'image et celui de la parole ; la sauvegarde du sens religieux authentique dans les formes d'expression choisies ; la promotion du sens critique des récepteurs et l'encouragement à l'approfondissement personnel de ce qui a été reçu des médias ; la production d'instruments catéchistiques pour la communication de masse ; une collaboration fructueuse entre agents pastoraux.* »
*Directoire Général pour la Catéchèse*
n° 209

## LECTURE D'UNE IMAGE

⬥ Faire l'inventaire de ce que l'on voit :
– lieux, décors,

– personnes : homme, femme, enfant, aspect physique (cheveux, barbe, etc.), vêtement, position du corps, actions, gestes : que font les mains, les pieds ? etc.

– groupes, objets, outils, éléments du cadre de vie, animaux.

⬥ Repérer les impacts sensoriels (ce qui fait appel aux sens) : vue, ouïe, toucher, odorat, goût (la publicité s'appuie beaucoup sur eux).

⬥ Nommer ce qu'éprouvent le cœur, l'intelligence, la sensibilité : les impacts émotifs et psychiques.

⬥ Repérer les éléments symboliques. Chercher depuis quand et pour quel(s) groupe(s) ce symbole fonctionne ; quel sens ce(s) groupe(s) lui donne(nt) ; si ce symbole fonctionne encore aujourd'hui.

⬥ Chercher pour quoi cette image est faite : Pour prendre compte d'un événement qui doit être gardé dans la mémoire du groupe ? Pour valoriser un sentiment humain ? Pour montrer un geste rituel ? Pour permettre une rencontre entre l'événement et notre culture contemporaine occidental, ou une autre culture ?

⬥ Voir si cette image fait partie d'une séquence. Rechercher alors les éléments identiques et les éléments qui varient d'une image à l'autre de la séquence.

⬥ Rapprocher si possible cette image d'autres images se rapportant au même événement : images vidéo, diapos, sculptures, peintures, BD, etc. Comparer.

## LES FONCTIONS DE L'IMAGE

Les images peuvent jouer plusieurs fonctions dans la catéchèse. Voici une typologie possible :

⬥ L'idéogramme : image qui veut traduire une idée. Elle se veut universelle (signe +).

⬥ La décoration : image qui a pour but de créer un environnement agréable (frise).

⬥ La narration : série d'images qui racontent

une histoire et en donnent une certaine interprétation. La bande dessinée en fait partie.

• Le reportage : série d'images qui représentent une réalité, des personnes, des événements bien précis situés dans le temps et l'espace. La photographie est la mieux adaptée au reportage.

• L'image symbolique : image codée. Impossible de comprendre une image symbolique sans en connaître le code (la croix).

• L'image miroir : image suggestive qui aide celui qui la regarde à se retrouver lui-même et à renforcer ses propres aspirations.

• L'image documentaire : image utilisée pour procurer ou pour mettre en présence d'un événement.

• L'image contemplation : pour entrer dans le mystère chrétien par la contemplation et la prière (icône).

## L'USAGE DE L'AUDIOVISUEL

Comment utiliser l'audiovisuel avec un groupe de jeunes ? Il n'y a pas de chemin unique mais des étapes à respecter.

• Préparer le groupe à regarder et à entendre. Il faut mettre en appétit, donner au préalable des postes d'observation.

• Visionner dans de bonnes conditions de vision et d'écoute :

– Avec un poste de 45 cm, ne pas excéder vingt personnes.

– Avec un poste de télévision de 75 cm, le groupe peut aller jusqu'à trente personnes.

– Au-delà de trente personnes, un vidéo projecteur est nécessaire.

• Faire résonner ce qui a été vu et entendu.

D'abord laisser un temps pour le faire résonner. Puis permettre :

– d'exprimer des réactions spontanées, qui peuvent être émotives ou affectives.

– redire ensemble ce que l'on a vu et entendu. Cela permet de prendre de la distance par rapport aux émotions, et de recevoir ainsi le message tel qu'il a été proposé. Le passage par la parole permet l'appropriation des contenus.

• Comprendre, célébrer, témoigner.

Les deux étapes précédentes sont nécessaires mais insuffisantes pour ce qui est de la catéchèse.

– Si la vidéo porte sur un récit biblique, retourner au texte écrit pour comparer le texte et sa mise en scène. Après, viendra le temps de l'adhésion dans la prière et du déploiement dans la vie.

– Si la vidéo présente un témoin de la foi, réfléchir sur la manière de vivre en chrétien que les auditeurs ont découvert à travers lui.

– Si la vidéo est un reportage sur une situation du monde, faire exprimer les réactions et découvertes de chacun, et les changements que cela provoque.

Il s'agit de passer de « parler de Dieu » à « parler à Dieu ».

### BIBLIOGRAPHIE

• *Introduction à l'analyse de l'image*, Martine Joly, Collection 128, Éditions Nathan Université, 1997.

• *Lire et utiliser les images en catéchèse*, ACRAM, 9, rue Riguepels 31000 Toulouse.

• *Thabor*, Desclée, 1993.

• *Christus*, n° 181 « La traversée des images », 1999.

# Fiche 6

# Gestuer un texte biblique

L'Évangile est une Bonne Nouvelle pour le corps. « Ce qui était depuis le commencement, ce que nous avons entendu, ce que nous avons contemplé de nos yeux, ce que nous avons vu et que nos mains ont touché, c'est Le Verbe, la Parole de la vie » (1 Jn 1,1). Nous avons oublié ce que sont un corps qui chante, des yeux qui sourient ou qui pleurent, des bras qui s'ouvrent, etc. Pourtant nous savons bien que, dans les moments de grande émotion, nos gestes disent plus que nos paroles.

La gestuation n'est pas le mime. Elle est parole symbolique. Gestuer un texte, c'est tenter de l'incarner en respectant son rythme et ses symboles. Il est donc nécessaire de se laisser pénétrer par le texte. Cela suppose un acte d'appropriation, de personnalisation.

## PRÉPARER ET RÉALISER UNE GESTUATION

• Faire silence et accueillir le texte.

• Travailler le texte :

– Visualiser le texte en mettant en couleur les personnages, ce qu'ils disent, ce qu'ils font.

– Repérer : qui fait quoi, qui va où, qui entretient telle relation, avec qui, la situation de départ et de fin, les différentes séquences.

– Rechercher la symbolique dominante de chaque séquence (ouverture, fermeture, conversion, etc.). La gestuation n'est pas une illustration des idées exprimées, elle est parole, par les attitudes corporelles choisies.

– Répartir les rôles et trouver avec les jeunes une mise en œuvre pour chaque séquence : gestes, postures, démarches, déplacements. Voir comment passer d'une séquence à l'autre.

• Veiller à l'environnement : lumières, musique, décor.

## QUELQUES RÈGLES PÉDAGOGIQUES

**Habiter le temps** : Faire tous les gestes au ralenti. Il n'est pas nécessaire de faire beaucoup de gestes. Chaque geste est porteur d'un message s'il est expressif et s'il vient de l'intérieur.

**Habiter l'espace** : Définir le lieu de la gestuation et la bonne distance face au public. Ajuster aussi l'espace entre les acteurs (ou les groupes d'acteurs).

**Habiter son corps** : corps qui respire, corps qui se relaxe. Tout mouvement doit être respiré, ainsi le geste sera intériorisé. Veiller à faire des gestes lents, amples, et précis.

## DES POINTS D'ATTENTION

Ne pas vouloir tout dire, traduire l'essentiel du message. Il est possible de supprimer tout ou une partie du descriptif. Inutile de dire ce qui peut être gestué.

Pour la proclamation du texte :

– Parler le texte (et non pas le lire). Travailler la pose de la voix, les niveaux d'attaque, d'accentuation et de respiration.

– Faire jouer l'éclatement des mots (bribes de phrases répétées par plusieurs), l'écho (bribes de phrases reprises par une personne).

– Penser à une alternance parole-geste, silence-parole.

– Bien « accrocher » le public au départ par un court silence qui maintient l'attente.

Gestuer un texte nécessite une préparation pour mettre en jeu le corps, la créativité, la spontanéité. Mais si nous permettons aux enfants et à nous-mêmes de mieux pénétrer les textes, et ainsi de mieux les comprendre dans le but de mieux les transmettre, cela en vaut la peine ! Essayez !

## BIBLIOGRAPHIE

• *Gestuer l'Évangile*, Diffusion catéchistique de Lyon, Tardy.

• *De tout leur corps*, Philippe Denis, coll. « *Vivre – Croire – Célébrer* », Éditions de l'Atelier, pp. 25-30.

• *Thabor*, pp. 440-441.

# Fiche 7

# Raconter en catéchèse

Nous avons plusieurs raisons de raconter en catéchèse. Tout d'abord, on constate aisément que tout le monde, jeunes et moins jeunes, écoute et retient plus facilement un récit qu'un raisonnement ou une énumération de vérités à croire, ou de commandements à pratiquer.

Autre constat, plus fondamental, c'est que, dans la révélation, Dieu est raconté et non pas démontré. La foi chrétienne s'appuie sur une histoire du salut dans l'Écriture sainte et sur la Tradition de l'Église ou histoire des chrétiens depuis les débuts jusqu'à nos jours. À noter aussi que l'Écriture a d'abord été une tradition orale qui se racontait. La caté-chèse a donc beaucoup à raconter. Or, raconter, cela s'apprend et se perfec-tionne.

## SE PRÉPARER À RACONTER

**S'imprégner du texte** écrit dont on dispose : page de la Bible, vie d'un personnage, évé-nements ou succession d'événements. Pour cela, lire et relire le texte, à haute voix de préférence.

**Se documenter** autant que possible sur l'histoire choisie. S'il s'agit d'un texte biblique, le travailler avec les notes et l'intro-duction d'une bonne Bible. Pour une page d'histoire de l'Église ou la vie d'un saint, se référer à un ou plusieurs articles sur la ques-tion, en recourant à *Théo*, par exemple, ou à tout autre ouvrage (*Cf.* bibliographie).

**Se mettre au clair sur le sens de ce récit**, le message, ce qu'il communique d'impor-tant pour la foi. Repérer et mémoriser les étapes principales du récit pour que le message soit entendu : c'est le but premier de raconter en catéchèse.

**Découper le texte en plusieurs parties.** Voir comment on va commencer l'histoire, comment les épisodes s'enchaînent, comment on va conclure.

**S'exercer à raconter l'histoire**, en s'enregis-trant, ou devant d'autres catéchistes, par exemple. Se détendre autant que possible juste avant de raconter, car l'aisance compte beaucoup dans la réussite.

## QUELQUES RÈGLES POUR BIEN RACONTER

Le mieux est de connaître suffisamment l'histoire pour n'avoir plus besoin du texte écrit.

Cependant, avoir une Bible ouverte devant soi pendant que l'on parle d'un passage des Écritures est une manière de signifier que l'histoire ne vient pas de soi, mais d'un Autre. Même dans ce cas, on doit pouvoir se détacher du texte.

**Respecter le texte original.** Omettre un élément du récit peut changer le sens ; inventer exagérément détourne l'attention de l'essentiel. Mais des renseignements fournis par les notes de la Bible ou des ouvrages sur le sujet éclairent parfois le sens de l'histoire et l'agrémentent considé-rablement. Ni l'humour, ni un brin de fantaisie ne sont exclus, bien entendu !

**Entretenir le suspense avant tout.** Les auditeurs doivent se demander jusqu'au bout ce qui va arriver. Sentir l'histoire. Le conteur est normalement pris lui-même par ce qu'il raconte. C'est une condition pour que les autres soient captivés.

**Le récit suffit par lui-même**. Il n'y a pas besoin d'explication ensuite. Par contre, il est bon de laisser les enfants réagir s'ils le veulent, poser leurs questions, faire leurs commentaires. C'est une manière de s'approprier le récit.

Au lieu de raconter seul, on peut le faire à deux ou trois. L'intérêt des auditeurs est alors plus vif encore. Mais cela suppose un gros travail de concertation.

### BIBLIOGRAPHIE

• *Raconter la Bible*, Marguerite Ropenstiehl et Hélène Zuber, Éditions Foi vivante.

• *Thabor*, pp. 425-427.

• *Raconter en catéchèse*, Diffusion catéchistique de Lyon, Tardy.

• *Conter la Bible*, Martine Millet, Éditions de l'Atelier.

# Table des matières

*Aubin Imprimeur*

LIGUGÉ, POITIERS

Achevé d'imprimer en juillet 2004
N° d'impression P 67043
Dépôt légal juillet 2004
Imprimé en France